RAUDA JAMIS

FRIDA KAHLO
AUTOPORTRAIT D'UNE FEMME

BÁBEL

Que ceux qui ont aidé l'auteur à mener à bien ce travail soient ici chaleureusement remerciés. En particulier :
Elena Poniatowska,
Tony Cartano, Gisèle Freund, Carmen Giménez, Alejandro Gómez Arias, Jean van Heijenoort, Maurice Nadeau, Hubert Nyssen, Dolores Olmedo, Emmanuel Pernoud, Cristina Rubalcava, Juan Soriano, Georgette Soustelle, Bernard Tournois, Jean-François Vilar.

J'avais dédié ce livre, en 1985,
à Jean-Paul Chambas.

Dix ans plus tard, je le dédie aussi
*à la mémoire de mon père, Fayad Jamis
(Mexique, 1930-Cuba, 1988).*

Et cependant, quoique chacun essaie d'échapper à soi-même comme d'une prison qui vous enferme dans sa haine, il est de par le monde un grand miracle : je le sens : toute vie est vécue.

RAINER MARIA RILKE,
Le Livre du pèlerinage.

Mon corps est un marasme. Et je ne peux plus en réchapper. Tel l'animal sentant sa mort, je sens la mienne prendre place dans ma vie et tellement fort qu'elle m'ôte toute possibilité de combattre. On ne me croit pas, on m'a tant vue lutter. Je n'ose plus croire que je pourrais me tromper, ce genre d'éclair se fait rare.

Mon corps va me lâcher, moi qui fus toujours sa proie. Proie rebelle, mais proie. Je sais que nous allons l'un l'autre nous anéantir, la lutte n'aura donc livré aucun vainqueur. Vaine et permanente illusion que de croire que la pensée, intacte, peut se détacher de cette autre matière faite chair.

Ironie du sort, encore je voudrais avoir la capacité de me débattre, de donner des coups de pied, à cette odeur d'éther, à mon odeur d'alcool, à tous ces médicaments, inertes particules qui s'entassent dans leurs boîtes – ah ! l'asepsie jusque dans leurs graphismes, et pourquoi ? –, à mes pensées en désordre, à l'ordre que l'on s'efforce de mettre dans cette chambre. Aux cendriers. Aux étoiles.

Les nuits sont longues. Chaque minute m'effraie et j'ai mal partout, partout. Et les autres se font un souci que je voudrais leur éviter. Mais que peut-on éviter aux autres quand à soi-même on n'a pu déjouer aucun sort ? L'aube est toujours trop loin. Je ne sais plus si je la désire ou si c'est m'enfoncer plus profond dans la nuit que je veux. Oui, peut-être bien, plutôt en finir.

La vie est cruelle de s'être autant acharnée sur moi. Elle aurait dû mieux distribuer ses cartes. J'eus un trop mauvais jeu. Un tarot noir dans le corps.

La vie est cruelle d'avoir inventé la mémoire. Comme les vieux qui recouvrent en nuance leurs souvenirs les plus anciens, au bord de la mort ma mémoire gravite autour du soleil et qu'est-ce qu'il éclaire ! Tout est présent, rien n'est perdu. Comme une force cachée qui vous élance pour vous stimuler encore : à l'évidence qu'il n'y aura plus de futur, le passé s'amplifie, ses racines grossissent, tout en moi est rhizosphère, les couleurs se cristallisent sur chaque strate, la moindre image touche à son absolu, le cœur bat *crescendo*.

Mais peindre, peindre tout cela est à présent hors de portée.

Oh ! doña Magdalena Carmen Frida Kahlo de Rivera, Sa Majesté la boiteuse, quarante-sept ans dans ce plein été mexicain, usée jusqu'à la corde, la douleur terrassante comme jamais, vous voilà bien dans l'irréparable !

Vieux Mictlantecuhtli[1], dieu, délivre-moi !

1. Dieu aztèque de la Mort.

D'OÙ ?
WILHELM KAHLO

> *L'Amérique est grande, déjà. D'une gran-
> deur anonyme, d'une immensité sidérale.*

PAUL MORAND

> Mon père, Guillermo Kahlo, était très intéressant,
> ses gestes, sa démarche étaient assez élégants. Il était
> tranquille, travailleur, vaillant (...).

FRIDA KAHLO

Il s'appelait Wilhelm. Il était né à Baden-Baden
en 1872, fils de Jakob Heinrich Kahlo et d'Henriette
Kaufmann Kahlo, juifs de Hongrie.

Lorsque commence cette histoire, il avait dix-huit
ans. Un tout jeune homme, pas très grand, maigri-
chon, d'un caractère plutôt réservé, mais sans conteste sensible et intelligent, d'ailleurs il aimait la
musique et la lecture. Il avait le front haut et d'immenses yeux clairs, de ces yeux dont on n'arrive
jamais à discerner s'ils sont dans la mélancolie ou
le rêve, présents ou absents, ailleurs.

Dans cette fin d'adolescence qui le laissait livré à
l'indécision d'un tournant qu'il ne savait dans quel

13

sens prendre, un événement décida pour lui : sa mère mourut. Une année s'écoula, au cours de laquelle Jakob Heinrich Kahlo se remaria. Mais Wilhelm ne supporta pas sa belle-mère. Histoire banale.

Une corde, là, en silence, était en train de rompre : le lien le rattachant à sa famille doucement s'effilochait dans la douleur de cette mort. Dans le brouillard de la ligne d'horizon, il y avait un tout petit point, d'une autre couleur, le point de fuite. Il fallait le saisir.

Le carillon de la pendule venait de sonner sept heures du soir lorsque Wilhelm entra dans le salon où se tenait son père. Un salon aux proportions intimes, tout en boiseries, en velours, en napperons. Il salua et fit quelques pas jusqu'au piano crapaud près de la fenêtre, à côté duquel il s'arrêta. Sans regarder son père, Wilhelm commença :

— Je veux partir d'ici.

— Partir, partir…

— Oui. Mes études à Nuremberg ne me valurent rien, tu ne le sais que trop. Elles t'ont fait perdre espoir et argent…

Jakob Kahlo resta silencieux. Avec son doigt, Wilhelm dessinait des figures imaginaires sur le dessus vernis du piano.

— … Comme l'épilepsie, reprit Wilhelm. Cela n'a rien arrangé… Et cette disparition… Je veux dire, ma mère.

— Et tu partirais où ?

— Oh ! loin de l'Allemagne.

— Ah, parce que tu veux quitter le pays aussi… Cela veut donc dire t'en choisir un autre.

— L'Amérique.

— Il y a là-bas trop de monde déjà, mon fils. Un rêve sans espoir est un rêve qui tue.

Les yeux de Wilhelm Kahlo s'agrandirent encore plus, comme si en eux soudain toute la distance entre l'Europe et l'outre-Atlantique se reflétait. Ils devinrent plus sombres, comme si la houle de l'Océan encrait d'ultramarine leurs iris.

— L'Amérique est grande, dit Wilhelm. Je ne suis pas obligé d'aller au nord. J'ai regardé la mappe-monde. Je peux aller vers le sud. Il y a le Mexique.

Jakob Kahlo écoutait, attentif.

— Je vais réfléchir, dit-il enfin. La bijouterie n'est pas une mine d'or. Je vais faire mes comptes et voir ce que je peux faire.

Il se leva du fauteuil où il était assis, s'avança vers la porte, revint en arrière, en direction de son fils.

— Wilhelm, regarde-moi.

Dans la pénombre, doucement, la jeune silhouette se tourna vers son père.

— Dis-toi bien qu'à partir très loin on prend le risque de ne jamais revenir. Tâche d'être sûr de ce que tu veux. Sûr.

— Oui.

Dix-neuf ans à Baden-Baden.

Wilhelm Kahlo sortit marcher un peu dans les rues pour se convaincre, si besoin était encore, que

15

Baden-Baden n'était que cela : une ville d'eaux tranquille et sage, languissante sauf pour les gens de passage, pour qui tout était promenades, plaisirs de la villégiature, préoccupations n'ayant trait qu'à la détente, à la santé, aux causeries faciles. D'ailleurs, dans tous les livres qu'il avait lus, jamais il n'avait trouvé une allusion à Baden-Baden. Dans quelque chanson, cela se pouvait, mais le souvenir lui échappait.

On entendait raconter sur l'Amérique tant de choses. La colonie juive qui s'entassait à Hester Street, à New York, la colonie italienne qui ne savait que faire de terres à perte de vue en Argentine... Qu'est-ce qui était vrai ? Qu'est-ce qui ne l'était pas ? Comment savoir ?

Au fond, peu importait à Wilhelm. Si les rues de Baden-Baden, quel que fût l'itinéraire pris, ne semblaient mener que vers une porte close, cet ailleurs lointain ouvrait dans son esprit des fenêtres par où s'engouffrait la lumière. Il se sentait capté par elle bien que, à ce moment-là, elle ne l'éclairât pas mais plutôt l'aveuglât.

Dans cet éblouissement, le nom "Mexique" se détachait, magique et libératoire comme un mot de passe. Il percevait des couleurs, imaginait des peaux cuivrées, des plantations de cactus, des vêtements et des musiques invraisemblables, des jungles inexplorées. Mais c'était tout. Son exaltation à partir ne lui permettait pas d'ordonner ses idées, les quelques connaissances acquises, et puis il avait conscience d'être trop imprégné de culture allemande pour pouvoir encore s'immiscer avec justesse dans ce fouillis flamboyant qui devait l'attendre sur l'autre rivage.

Passèrent quelques jours, où Jakob Kahlo regardait son fils avec un mélange de circonspection et d'admiration. Un silence tacite était de rigueur entre eux. Un soir, tard, il le convoqua pour lui annoncer qu'il lui donnerait l'argent nécessaire pour le départ.

Passèrent quelques semaines de préparatifs, durant lesquelles Wilhelm tour à tour se sentait angoissé par la moindre démarche à effectuer et subjugué par l'aventure dont il allait être le protagoniste. Jamais il ne douta de la décision prise, mais il eut soudain l'impression de se mettre à marcher à tâtons. Jusqu'au départ.

Hambourg. L'agitation de la ville. L'odeur du port. Les malles. Quelques billets dans les poches sur lesquels étaient griffonnés des noms, des adresses : ceux de l'ami d'un voisin, ceux du neveu d'une dame professeur de musique… Le remue-ménage sur le quai. L'excitation. Le bric-à-brac des bagages entassés entre cordages, ferrailles, caisses et sacs de marchandises. Les dockers. Les cris.

Prendre le large.

Lorsqu'il posa le pied sur la passerelle du bateau, Wilhelm se sentit vaciller.

Sous les hourras, les pleurs, les mains et les mouchoirs agités, le bateau se détacha enfin du quai. Sur le pont, au milieu de la cohue, Wilhelm n'eut soudain plus aucune pensée, toute la tension qui avait précédé le départ d'un coup tomba. Tel un étendard, seule la dernière phrase que lui avait dite son père tremblait dans le brouillard de sa tête vidée :

Ich bin bei dir [1].

1. "Je suis avec toi."

D'OÙ ?
MATILDE CALDERÓN

A ta place, je me tournerais vers Dieu ;
J'adresserais ma prière au Tout-Puissant.
Il fait de grandes choses qu'on ne peut
sonder. Des choses merveilleuses qu'on
ne peut compter.

La Bible, Le Livre de Job, V.

Les Aztèques l'avaient appelée Huaxyacac, "endroit où pousse la calebasse". Les Espagnols la rebaptisèrent Oaxaca. C'est, au sud-ouest du Mexique, une province où les montagnes vont vers la mer, le vert touche le rose qui touche au mauve qui atteint le bleu du Pacifique. Des pentes arides jouxtent une flore enchanteresse. Parfois, le soleil est si fort qu'il vous brûlerait le cœur.

On dit que les femmes d'Oaxaca sont belles.

Chef-lieu de la province, la ville du même nom où naissait, en 1876, Matilde Calderón y González, fille d'Isabel González y González, de souche espagnole, et d'Antonio Calderón, de souche indienne.

Oaxaca est parsemée d'églises, vertes surtout, mais aussi blanches, ocre et dorées, aux reliefs tarabiscotés, dont les parois renferment baldaquins, vierges, couronnements, niches, saints, christs, reliques, ex-voto, cierges et prières. L'ivresse du baroque. Les instruments du culte. La pureté de la foi.

La Vierge de la Soledad[1] protège la ville. Oaxaca pourtant n'est pas une ville déserte, bien plutôt animée. Et la maison des Calderón elle-même ne fut jamais un sanctuaire de solitude : Matilde était l'aînée de douze enfants. Cette place dans la famille lui donna une certaine force de caractère et lui apprit à se débrouiller avec tous les travaux domestiques. Elle était vive d'esprit mais ne disposa guère de temps pour s'instruire. Elle reçut la formation dont avait besoin une jeune Mexicaine pour contracter mariage en temps voulu.

Peut-être pour compenser son manque de culture, ou simplement parce qu'elle l'avait hérité de sa mère, élevée dans un couvent, Matilde vécut sa vie durant dans une grande ferveur religieuse. Quant au code moral en vigueur alors, elle avait de qui le tenir pour l'appliquer : son grand-père maternel avait été un général espagnol.

Matilde était droite, dans ses idées comme dans son port de tête.

1. Solitude.

C'était une femme petite, brune, elle avait de très jolis yeux et une bouche très fine. Elle ressemblait à une clochette d'Oaxaca, où elle était née. Lorsqu'elle allait au marché, elle serrait joliment sa ceinture et portait coquettement son panier. Très sympathique, active, intelligente. Elle ne savait ni lire ni écrire ; elle savait seulement compter l'argent.

FRIDA KAHLO

Son père, Antonio Calderón, photographe de daguerréotypes de son métier, dut partir, pour raisons professionnelles, s'installer à la capitale. Toute la famille s'y transféra.

Un tel déménagement n'était pas une mince affaire, il relevait presque de l'expédition. Mais une grande famille, pour pouvoir fonctionner, a une règle d'or : l'organisation. Grâce à quoi tout devient possible. Chez les Calderón, la règle fut plus que jamais appliquée à la lettre. Chaque chose put ainsi être faite en temps et en heure. Durant un mois, les occupations ne manquèrent pas, mais il n'y eut pas de place pour l'affolement ni les états d'âme, ce qui évita des complications.

A la veille de partir, accompagnée de sa mère, Matilde alla prier, une fois encore, la Vierge de la Soledad.

Elles entrèrent dans l'église. Ici et là, des gens agenouillés confiaient à la Vierge leurs tourments et leurs espoirs. Matilde se sépara de sa mère et approcha de la grande Vierge qui se trouvait au-dessus de l'autel dans une vitrine dorée. Cette Vierge sombre, c'est Marie après la mort de son fils, seule et endeuillée. Tout de noir vêtue, le velours brodé de fleurs de lis et de volutes d'or, couronnée, émouvante.

Le visage de la Vierge apparut à Matilde plus pur que jamais, et ses yeux baissés la laissèrent admirative devant cette sobre résignation à la douleur.

Matilde pria pour les siens, elle pria pour elle, elle demanda à la Dame en noir de lui accorder le visage de sa dignité dans cette tristesse que lui causait l'idée de devoir quitter Oaxaca. De l'empêcher de pleurer.

Elle ferma très fort ses yeux et, quand elle les rouvrit, elle eut l'impression que la Vierge avait légèrement bougé, que la perle accrochée au milieu de son front se balançait imperceptiblement, qu'elle jetait un éclat qui n'était adressé qu'à elle, Matilde, pour qu'elle le gardât au fond de son cœur telle une petite lumière qui la guiderait sur les chemins inconnus de sa nouvelle vie.

Matilde chercha sa mère des yeux, s'agenouilla auprès d'elle, les mains jointes contre sa poitrine. Et elles prièrent toutes deux côte à côte, dans un silence complice.

En se relevant dans un froufroutement de jupons, sa mère lui donna une tape sur l'épaule.

— Bien, allons-y.

Elles firent le signe de croix et sortirent, se frayant un chemin, sur le parvis, entre les mendiants, les vendeurs de breloques, les enfants toujours à attendre. L'air était chargé d'une odeur d'encens et d'épices.

Comme elles marchaient, sa mère lui dit :

— J'espère que tu n'oublieras jamais Notre-Dame de la Soledad.

— Non.

— Quand tu seras plus âgée, tu verras combien on se sent seul. Alors tu te souviendras d'elle et, à l'intérieur de toi, tu lui parleras et elle t'aidera.

— Oui.

— Et puis on dit aussi que plus les villes sont grandes et pleines de monde, plus on risque non seulement de s'égarer, mais de se retrouver très seul, contrairement à ce qu'on pourrait croire…

Matilde n'avait pas envie d'entendre parler de ces choses-là. Elle éprouvait une sorte de peur contre laquelle elle ne pouvait rien.

— … Et quand je ne serai plus là, un jour, elle continuera d'être ta mère. Il est bon d'avoir toujours quelqu'un à qui s'adresser.

Matilde esquissa un grand sourire. Elle se sentait réconfortée.

UNE UNION

*Le chagrin qui est dans le cœur de l'hom-
me l'accable ;
Mais une bonne parole le réjouit.*

La Bible, Proverbes, XII.

C'est à la veille du nouveau siècle que Wilhelm
Kahlo arriva au Mexique et s'installa à Mexico. Il
ignorait qu'il entrait dans un monde qui, depuis ses
racines, avait toujours été profondément violent. Et
le serait encore.

Le pays venait de vivre des décennies de luttes
de libération nationale :

*Guerre sans trêve ni repos, guerre
à nos ennemis, jusqu'au jour où
leur race détestable, impie,
ne trouvera même pas de tombe
sur la terre indignée.*

IGNACIO RAMÍREZ

Aux premières succédèrent, logiquement, des
luttes de pouvoir dont sortit finalement vainqueur
Porfirio Díaz. Avec pour devise : "Peu de politique,

24

beaucoup d'administration", le dictateur parvint à donner au Mexique un temps de paix et de prospérité.

Dans une structure favorable s'il en est aux émigrants, Wilhelm trouva tout de suite du travail. Comme caissier, d'abord, à la *cristaleria*[1] Lœb, puis comme vendeur dans une librairie.

Pas à pas, l'intégration se faisait. Les coutumes, la langue étaient acquises. La vie s'organisait dans sa totalité, le temps passait.

Quelque sept années s'étaient écoulées depuis que Wilhelm, devenu entretemps Guillermo, avait posé le pied sur cette partie du continent américain, lorsqu'il rencontra Matilde Calderón à la bijouterie La Perla où ils étaient tous deux employés.

Guillermo, qui s'était marié en 1894 à une Mexicaine, se retrouva soudain veuf : sa jeune femme mourut en couches, en donnant naissance à leur seconde fille.

> La nuit où sa femme mourut, mon père appela ma grand-mère Isabel, qui vint avec ma mère. (…) Il était très amoureux d'elle et ils se marièrent peu après.

> FRIDA KAHLO

Si Guillermo portait en lui un deuil récent, Matilde avait aussi le sien : un fiancé allemand qu'elle avait eu s'était suicidé sous ses yeux, laissant en elle une marque brûlante comme un tatouage. Et presque indécente.

1. Verrerie.

Il est probable que sa rencontre avec Guillermo Kahlo, autre Allemand, allait inconsciemment sinon remplacer, du moins apaiser cette perte vécue. De plus, Guillermo Kahlo était un bon parti : il avait un emploi convenable et à son avantage le cachet, la patine que l'Europe donnait à ses natifs ; une supériorité indéniable dans l'échelle des valeurs mexicaines. Mais Matilde l'aima-t-elle jamais ? Le pouvait-elle ? Le premier homme ne mourut jamais en elle, et la violence de sa disparition ancra davantage encore le souvenir de lui. Toute sa vie, elle conserva précieusement, dans une pochette en cuir fin, les lettres qu'il lui avait écrites.

Mais ce sont des choses dont il n'aurait pas été correct de parler. Un sale souvenir.

Guillermo, lui, aimait sincèrement Matilde. Il aimait son allure, sa grâce, ses yeux noirs si vifs et cette peau que la terre et le soleil mexicains avaient à jamais teintée. D'un autre côté, c'était une femme droite, solide, il le sentait à chacun de ses gestes. Il aimait ce mélange de sensualité et de rigueur qu'elle dégageait.

Il savait la blessure qu'elle retenait, contrecarrée par une force naturelle. Il voulait cette femme-là.

— Vous n'allez plus retourner dans votre pays ? lui demanda-t-elle un soir où il était venu la prendre pour une promenade.

— Oh ! non. Maintenant, ma vie est ici. J'ai changé de pays, tout à fait.

— Et vous ne vous languissez pas de l'Allemagne, jamais ?

— Je n'y pense pas. Il m'en reste le meilleur : sa musique, ses livres.

— Et votre langue ? Ça ne vous fait pas drôle de ne plus la parler ?

— Je la lis, surtout. Mais il m'arrive de la parler, de temps à autre, avec des amis allemands.

— Elle sonne si dur, votre langue.

— Parfois... Mais elle sait très bien dire les choses belles et graves :

> *Weh spricht vergeh*
> *Doch alle Lust will Ewigkeit*
> *Will tiefe, tiefe Ewigkeit.*
>
> FRÉDÉRIC NIETZSCHE

Guillermo s'arrêta de marcher, ferma les yeux, esquissa un mouvement avec ses mains, comme s'il allait encore réciter, ou seulement parler, mais les mots ne vinrent pas.

— Evidemment, je ne comprends rien, dit Matilde d'un air désolé. Et elle secoua la tête, qui dégagea un parfum de violette. Tandis qu'elle remettait en place une mèche de son chignon, Guillermo poursuivit :

— Ecoutez bien, ce sont des vers écrits pour vous et pour moi :

> *Toute douleur est passagère*
> *Mais toute jouissance requiert l'éternité*
> *La profonde, profonde éternité.*

"Pour vous et pour moi." Matilde resta songeuse. Il faisait sans doute allusion à sa femme morte, à son fiancé mort. Elle essaya de se répéter les vers : "Toute douleur est passagère…" La suite lui échappa.

— Excusez-moi, vous êtes croyant ? demanda-t-elle à brûle-pourpoint.

— Je suis juif de naissance, comme vous savez déjà. Mais athée par conviction. Et romantique par moments…

Il prit un air amusé, souriant pour lui-même.

— Ne vous inquiétez donc pas, finit-il par dire. Je respecte votre religion.

— J'espère bien !

Et Matilde Calderón épousa Guillermo Kahlo. Cela se passait en 1898.

UNE MAISON

*Les liens qui nous unissent à une maison,
à un jardin, sont du même ordre que
ceux de l'amour.*

FRANÇOIS MAURIAC

Lorsqu'il convola en secondes noces, Guillermo
Kahlo plaça ses deux filles issues du premier mariage, Maria Luisa et Margarita, qui avaient respectivement sept et trois ans, dans un couvent.

Et le nouveau couple Kahlo eut une fille, deux,
trois, quatre. Le seul garçon que le Ciel leur accorda
mourut à la naissance.

Peu après son remariage, comme il changeait de
vie, Guillermo Kahlo changea aussi de métier. Sous
l'influence de sa femme et du père de celle-ci, Antonio Calderón, il se mit à apprendre la photographie
et devint à son tour photographe professionnel.

Il acquit sans peine la technique du daguerréotype. Guillermo savait apprendre et s'adapter, il n'en
était pas à son premier métier. Il possédait en outre
une faculté d'observation exacerbée par sa curiosité
d'étranger, par la fascination qu'exerçait sur lui le

Mexique. Cette nouvelle occupation allait lui permettre de satisfaire la soif de nouveau qu'au départ il était parti chercher si loin de chez lui. Pas à pas, il allait découvrir des lieux peu communs, des facettes de cette culture pour lui toujours déroutante.

C'est pourquoi, tout naturellement, Guillermo ne put s'enfermer dans un de ces studios qu'on trouvait dans toutes les capitales et qui faisaient la fierté des photographes conventionnels et la joie des familles. Ces petites cavernes d'Ali Baba en trompe l'œil, avec paysages et costumes qui vous menaient en rêve jusqu'en Extrême-Orient, nuages amovibles et ombrelles en papier de soie, carrosses de façade, baldaquins, trônes de plâtre, animaux artificiels, fleurs en tissu, poses de théâtre et sfumatos généreux. Non qu'il manquât d'imagination, mais Guillermo mit celle-ci au service d'un autre registre de détails captés par les jeux d'ombre et de lumière, dévoilés par la justesse d'un cadrage.

Le photographe Kahlo se tourna donc vers le Mexique, presque exclusivement le Mexique.

> Son beau-père lui prêta un appareil photo et la première chose qu'ils firent fut de parcourir la République. Ils réunirent une collection de photos d'architecture indigène et coloniale et, à leur retour, ils installèrent le premier bureau sur l'avenue du 16-Septembre, ce qui n'est pas peu dire !
>
> FRIDA KAHLO

La chance souriait à Guillermo. En 1904, en effet, on était déjà en train de préparer le futur centenaire de l'Indépendance du Mexique. Le gouvernement de Porfirio Díaz confia à Guillermo Kahlo, alors âgé de trente-deux ans, le soin de regrouper une série de documents qui seraient publiés dans divers ouvrages célébrant l'événement.

L'homme avait une bonne réputation, comme en témoigne un journaliste qui le rencontra pour cette occasion : "(…) Sobre, modéré, il possédait cette qualité si rare de savoir écouter, comprendre ce qu'on attendait de lui et y répondre efficacement en faisant des photographies exécutées avec art."

A la même époque, la famille s'agrandissant, il fallut songer à trouver une nouvelle maison.

Entre deux voyages de Guillermo, ses heures sous le plein soleil et celles qu'il passait dans la chambre noire, les mille et une tâches casanières de Matilde, le couple parvenait à se retrouver pour quelques courts moments de tête-à-tête. Aucun des deux n'était bavard en germe, mais à leur façon ce qui devait être communiqué entre eux l'était toujours.

— Sais-tu, Matilde, que je suis en train de devenir le photographe officiel du patrimoine culturel mexicain ? Je vais finir par connaître ce pays mieux qu'un Mexicain.

— C'est souvent ce que font les étrangers : voyager. C'est pour ça qu'ils sont partis de chez eux, non ?

Guillermo sentit une pointe d'ironie dans le propos de sa femme, mais n'y prêta pas attention ; il n'était pas dans son caractère d'être polémique ni de se montrer belliqueux.

— Tu as peut-être raison, dit-il. De la même façon que tu es tombée juste en me suggérant de devenir photographe…

N'y avait-il pas dans la voix de son mari un ton de moquerie ? Matilde voulut s'en assurer et le regarda rapidement, de biais. Non, le visage était sérieux, comme à l'accoutumée.

— Quand allons-nous trouver le temps de déménager ?

— Le temps et le lieu. Ça s'impose, en effet.

— Je peux te dire quelque chose, Guillermo ?

— Tu peux me dire tout ce que tu souhaites, Matilde. Et depuis quand y aurait-il des interdits de parole ?

— Je ne veux pas habiter à Tlalpan.

— Vraiment ? C'est pourtant plutôt agréable d'habiter hors de la ville.

— Je préfère habiter plus près du centre.

— C'est moins tranquille.

— Justement.

Le mot sonna comme un argument incontournable.

Guillermo regarda Matilde qui lui tournait le dos, s'affairant aux fourneaux, à demi accroupie, un torchon dans la main gauche et la droite éventant la flamme pour l'attiser.

Il comprenait bien qu'elle pût se sentir un peu seule quand il était en déplacement et préférât vivre dans des quartiers plus animés. Mais, bien que confusément, il comprenait surtout combien la maison était un espace qui appartenait davantage aux femmes qu'aux hommes. La maison était le domaine de Matilde, par le simple fait qu'elle s'en occupait, virtuellement, plus que lui-même ne le ferait jamais. La cause lui était tout à fait acquise, sans discussion.

L'hacienda s'appelait El Carmen. Propriété des carmélites, elle était sise au coin de ce que sont maintenant les rues Londres et Allende, dans le quartier de Coyoacán.

Elle fut démolie et son terrain liquidé. Lors de la vente, Guillermo Kahlo réussit à en acquérir une parcelle, de huit cents mètres carrés. Il y fit construire une maison dont le plan initial était rectangulaire, incluant quelques espaces intérieurs à ciel ouvert. C'était la "maison bleue", un nom mais surtout une réalité : elle fut peinte tout en bleu, dehors et dedans. Presque un rêve.

A peine deux décennies plus tard, certaine de ses habitantes allait la rendre célèbre, et nombre de ses hôtes et de ses visiteurs. Un demi-siècle après sa construction – et quelques modifications architecturales – elle deviendrait même un musée.

Mais nous n'en sommes pas encore là.

Qu'est-ce que j'ai pu rire ! Ils n'ont jamais su que faire de ma date de naissance. Est-elle née le 6 juillet 1907 ? Ou bien le 7 juillet 1910 ? Je me suis bien amusée à les regarder se dépatouiller.

Tous, prétendus biographes, universitaires, journalistes, étudiants, amis, se confondaient, se sentaient obligés de justifier. Tantôt ils se plaisaient à imaginer que ma vie, racontée ou non par ma bouche, ne pouvait qu'être fable ou mythe. Ils avaient besoin de se persuader à tout instant que chacun de mes actes, chaque événement survenu devait participer du "personnage Frida Kahlo". D'autres s'angoissaient, leur besoin d'honnêteté effarouché, de ne pouvoir se saisir de la "vérité". A ceux-là, il fallait la *date exacte*, sans quoi leur conscience éprouvait des malaises d'almanach, drôle de vertige ! Ou l'on s'accordait, une manière de résoudre la question, à me taxer d'un peu folle, ce qui avait l'avantage de ne faire de mal à personne et de rassurer tout le monde.

Et moi, tel le lutin. Et moi, espiègle. Et moi, joueuse.

Comme ils oublient tous, sans cesse, que dans ce pays plus de la moitié de la population ne connaît pas sa date de naissance, par pure ignorance ou parce que tout le monde jongle allègrement au gré des intérêts administratifs... Et que j'en suis, de ce pays d'anarchistes de circonstance, d'énigmatiques, de sorciers, d'illuminés, d'escrocs violents. Descendants de Mexicas, de *tonalpouhques* [1], pour qui le jour et l'heure de naissance étaient fonction des augures qui se tramaient entre astres et dieux, forces d'en haut, forces d'en bas, points cardinaux, malignité, sacrifices et rituels.

Comme ils négligent, bizarrement, que la plupart des gens rêvent de changer de prénom, de tête, quand ce n'est pas de peau, de vie. Alors, moi, oui, j'ai troqué ma date de naissance (mais jamais, non, mon prénom, ma peau, ma vie ; je veux dire : avec tout ça je n'ai jamais triché, même si parfois j'aurais bien troqué ma peau contre n'importe quoi, oh ! oui, y compris un épi de maïs).

Je suis née avec une révolution. Qu'on se le dise. C'est dans ce feu-là que je suis née, portée par l'élan de la révolte jusqu'au moment de voir le jour. Le jour était brûlant. Il m'a embrasée pour le reste de ma vie. Enfant, je crépitais. Adulte, j'ai été tout flamme. Je suis bien fille d'une révolution, cela ne fait aucun doute, et d'un vieux dieu du feu qu'adoraient mes ancêtres.

1. Spécialistes, chez les anciens Mexicains, des sorts que réservait chaque jour.

Je suis née en 1910. C'était l'été. Bientôt, Emiliano Zapata, *el Gran Insurrecto* [1], allait soulever le Sud.

J'ai eu cette chance-là : 1910 est ma date.

1. Le Grand Insurgé.

FRIDA KAHLO PETITE

*Frieda a le même nombre de lettres
que F. et la même initiale.*

FRANZ KAFKA

Lorsque Magdalena Carmen Frida Kahlo y Calderón naquit dans la maison bleue de Coyoacán,
un matin de juillet (le 6) 1907, ses grands-parents
paternels, ainsi que son grand-père maternel, n'étaient
déjà plus.

Accouchement tout ce qu'il y a de plus normal
pour la maman, le bébé était beau et bien portant,
et il ne lui manquait rien pour faire la troisième
fille de Matilde et Guillermo, après Matilde junior
et Adriana, leurs aînées.

Rien, à priori, ne laissait présager que Frida aurait,
plus tard, une vie extraordinaire. La seule chose
qu'elle eût de particulier alors, c'était son prénom.

Guillermo tenait à ce que cette enfant-là eût un
prénom allemand. Mais, au moment du baptême,
le curé s'offusqua.

— Vous voulez l'appeler Fri... Comment dites-
vous ?

37

— Frieda.

Le curé fronça les sourcils et prit un air absorbé. Il réfléchissait à la meilleure réponse à apporter. Enfin, il avança :

— Ce prénom ne se trouve pas au calendrier des saints, je regrette.

Matilde tremblait à l'idée que sa fille ne fût pas baptisée. Voilà une chose pour elle impensable : les démons parsèmeraient la vie de l'enfant et elle ne pourrait échapper à l'enfer. Non, ce n'était pas possible.

Il y eut discussion, concession, arrangement.

Guillermo avait insisté :

— Je veux qu'elle s'appelle Frieda. Ecrivez-le à l'espagnole si vous voulez, faites-le précéder de cinq noms de saints s'il vous les faut, monsieur le curé… *Friede*, en allemand, c'est la paix. C'est un très joli prénom, vous savez. Il y a de la force dans sa phonétique et n'importe qui rêverait de son contenu. C'est bien d'avoir un prénom qui ait une signification. Il y a des pays, et c'est aussi écrit dans certains livres, où l'on dit que le prénom détermine la personnalité. Si nous n'avons pas les moyens de vérifier ici la justesse de telles considérations, rien ne nous empêche de penser qu'elles peuvent être vraies.

— Rien ne vous empêche alors de l'appeler Maria Paz[1], par exemple, dit le curé. Ce n'est pas déplaisant.

1. Paix, en espagnol.

La grand-mère Isabel, qui était aussi présente à l'église et tenait le bébé dans ses bras, essaya de tempérer les passions.

La petite se prénommerait Magdalena Carmen Frida. Les deux premiers prénoms pour cause de fonts baptismaux, le troisième pour la vie.

Frida avait deux mois à peine lorsque sa mère retomba enceinte. Onze mois après sa naissance, Cristina venait au monde.

Pauvre Frida ! Elle n'eut pas le temps de profiter de son statut de petite dernière. Pas d'excès de cajoleries pour elle, d'excès de pouponnage, de câlineries, de gâteries, pas d'états d'étonnement superflus des parents face à leur progéniture benjamine, pas d'enfantillages exacerbés de la part de cette dernière.

Frida n'en fut pas malheureuse pour autant. On la confia à une nourrice indienne qui sentait la galette de maïs et le savon, qui ne parlait pas beaucoup mais chantait des chansons de chez elle, du Yucatán. Sa peau était aussi brune que celle de Frida était blanche, elle était aussi tranquille que l'enfant se montrait impétueuse.

Et puis, de n'être pas trop choyé, c'est bien connu, cela vous dégourdit plus vite. L'enfant était dégourdie, en ce sens qu'elle était vive, alerte, coquine, plutôt autonome et par moments, plus tard, presque solitaire – autant que faire se peut dans une famille de quatre enfants.

Cristina était relativement moins éveillée. Mais Frida se chargeait de l'être pour deux. Elle aidait sa petite sœur, la protégeait, l'entraînait, la malmenait un peu, quelquefois, s'en moquait, s'en jouait, l'adorait.

Cristina parlait par onomatopées, ce qui agaçait Frida mais à la fois lui permettait d'être un élément indispensable dans la communication entre Cristi et ses parents. Elle écoutait attentivement les balbutiements articulés et s'en faisait la grande interprète.

Elles étaient presque toujours ensemble, dans le patio, durant leur bain, pendant le dîner. Frida inculquait à Cristina toutes sortes de choses, Cristina imitait Frida avec bonheur. Lorsque Frida courait dans la maison, Cristina la suivait, poussant des cris. La première se cachait, la seconde se cachait aussi et il fallait recommencer le jeu…

— Frida ne porte pas très bien son prénom, fit remarquer Matilde à Guillermo.

Guillermo, assis sur une chaise dans la cuisine, leva lentement les yeux vers sa femme.

— J'avais dit que c'était un prénom qui à mon sens impliquait la force. Paix ne veut pas dire tranquillité végétative. C'est peut-être une capacité à se concentrer. Un refuge, finalement, pour une excessive vitalité.

Matilde haussa les sourcils. Un peu par incompréhension, un peu par défi.

— Frida sera très intelligente, tu verras. Elle l'est déjà.

— Il faut se garder du favoritisme, Guillermo. Devant Dieu, nous sommes tous égaux.

— Je porte la même affection à mes filles. Et Dieu aussi, j'espère. Mais il faut dire ce qui est, et je me sens tout à fait objectif en le disant : Frida est plus intelligente que les autres, et le sera davantage encore.

— Ce n'est pas parce qu'un enfant est plus remuant...

— En effet. Ça dépend à quoi il va employer ses mouvements, dans quel sens il va canaliser son énergie.

— Tu vois...

— Frida utilise très bien son potentiel.

Matilde haussa les épaules. Pas par méchanceté. Parce que, décidément, cet homme parlait trop bien pour elle. Ses propos avaient toujours l'air d'être pertinents alors que ses phrases à elle semblaient toujours inachevées. Mais tant que son autonomie domestique ne s'en trouvait pas entachée ni contestée...

Elle servit son mari. Tandis qu'il défaisait les feuilles qui enveloppaient les *tamales* [1] fumants au poulet, Matilde le regardait, appuyée contre le rebord de l'évier. Les gestes de Guillermo, y compris lorsqu'il mangeait, étaient incroyablement posés. C'était une habitude dans la maison : Guillermo dînait toujours seul pendant que sa femme le regardait en

---

1. Pâte de maïs assaisonnée, mélangée à de la viande, le tout enveloppé d'une feuille de maïs.

silence. Matilde avait déjà dîné, en même temps que les enfants, ou dînait après lui. Sitôt son repas fini, l'homme s'enfermait dans le salon et jouait du piano un long moment sur un vieil instrument de fabrication allemande. Quelquefois, il s'enfonçait dans un fauteuil, un livre à la main, et restait des heures à lire. Il lui arrivait aussi de recevoir un ou deux amis avec lesquels il jouait des parties de dominos interminables. Tard dans la nuit, on entendait le bruit des dominos en ivoire s'entrechoquant.

De cette agonie sans fin qu'a été ma vie, je dirais : j'ai été comme un oiseau qui aurait voulu voler et qui ne pouvait pas.

Et qui ne peut accepter son désarroi. D'autant que, instinctivement, par un réflexe incontrôlable partant du plexus solaire et irradiant son système musculaire et nerveux, il essaie de soulever la pointe de son aile, de déployer l'éventail de ses plumes. L'élan vital étant là. Le corps ne répondant pas. Les ailes, frémissantes, ne pouvant s'ouvrir, retombant lourdement sur le sol.

Rien de plus triste à regarder qu'un oiseau tombé à terre, dont les ailes (dès lors anormalement disproportionnées en comparaison avec ses pattes miniatures) ne lui servent plus à prendre l'envol sinon à douloureusement prendre appui pour marcher. Des ailes si légères, se confondant un instant plus tôt aux nuages bas, devenues soudain si lourdes qu'elles sont aimantées sans merci par le grès d'une rue gris plomb ou par le fond caillouteux d'un patio.

Enfant, je demandai un jour à avoir le modèle réduit d'un avion. Je me retrouvai avec un déguisement d'ange, je ne sais par quel enchantement (sans doute une idée de ma mère : transformer un avion en ange, c'est plus catholique). J'enfilai la longue robe blanche, de coupe sommaire (probablement cousue par maman, je ne m'en souviens plus), parsemée d'étoiles d'or. Dans mon dos, de grandes ailes en paille tressée, vous savez, comme tant d'objets utilitaires et de jouets fabriqués partout au Mexique, dans tous les pays pauvres.

Quel bonheur, j'allais m'envoler !

Mais ce ne fut pas possible. Je restais désespérément collée au sol, sans comprendre. Mes ailes ne m'élevaient pas dans les airs, elles pesaient affreusement. Rien à faire pour me soulever, contre tout l'espoir contenu dans mon cœur d'enfant.

Je regardais autour de moi, mes yeux interrogeaient. On répondait à demi-mot à mon questionnement, à mon angoisse. On riait un peu, aussi. Bientôt, je ne compris plus ce qui se disait. Les adultes devinrent encore plus grands qu'ils n'étaient en vérité (et moi qui aurais tant voulu pour un moment, avec mes ailes, par mon vol, les avoir au-dessous de moi). Ils me semblèrent tous incohérents, comme des êtres de cauchemar. Leurs visages, leurs mimiques, des bribes de leurs propos se mélangeaient dans ma tête. Je ne savais plus moi-même ce que j'étais ni ce que je faisais là. Ce qui m'entourait se troubla. De toute façon, je me mis à verser un torrent de larmes et, derrière leur buée, je jetai tous les mauvais sorts qu'une petite fille peut inventer sur les gens qui se trouvaient de l'autre côté du miroir, dans leur réalité, et qui n'avaient rien compris.

(J'ai peint cet épisode de ma vie, en 1938, dans le tableau intitulé *On leur demande des avions et ils vous donnent des ailes en paille*, où je me représente, le visage déçu, portant dans les mains l'avion dont j'avais rêvé, les ailes dans mon dos accrochées par des cordons au ciel, mon corps retenu, attaché par des liens cloués au sol.)

Comme les ailes fondantes d'Icare, les miennes étaient feu de paille. Les unes et les autres ne tenaient qu'à l'illusoire.

C'était sans doute un signe du destin. Une répétition des scènes que le futur, mon chapelet de handicaps, me réservait.

ENFANCES

(...) ce qui m'a fait aller de l'avant, c'est qu'on ne pouvait pas me calmer. Vous savez bien, on peut voir chez certains petits enfants qu'ils sont calmes, on leur donne des bonbons et ils sont contents. Certains d'entre nous en revanche, même dans leur enfance, ont toujours voulu autre chose : ce que la vie offre vraiment.

LOUISE NEVELSON

A l'école maternelle, Frida et Cristina allèrent ensemble. Elles n'étaient déjà plus toutes petites, c'était l'année qui les préparait à l'école primaire.

Longtemps les sœurs Kahlo se souvinrent de leur première institutrice. Elle était tellement vieux jeu dans sa manière de se vêtir, dans sa coiffure, dans ses façons que les enfants n'arrêtaient pas de la dévisager, intriguées. Elles la trouvaient "bizarre".

— Elle a des cheveux faux, disait Frida à Cristina.

— Pourquoi faux ?

— Parce que ça se voit.

— Tu es sûre ?

— Tu vois bien.

— …

— Mais si. Regarde la drôle de couleur.

— C'est jaune ou c'est marron ?

— Marron et blanc… Ses nattes n'ont pas l'air vraies.

— Elle a un drôle de costume.

— Ce n'est pas un costume, Cristi. C'est une robe avec une veste.

— C'est de quelle couleur d'après toi ?

— Mmmm… Noir très clair.

— Il faudra demander à maman, dit Cristina, préoccupée. Ce n'est peut-être pas une vraie maîtresse.

"Au commencement, Dieu créa les cieux et la Terre. Or la Terre était informe et vide. Et les ténèbres étaient à la surface de l'abîme, et l'Esprit de Dieu se mouvait sur les eaux. Et Dieu dit : Que la lumière soit ; et la lumière fut. Dieu vit que la lumière était bonne ; et Dieu sépara la lumière d'avec les ténèbres. Et Dieu nomma la lumière, jour ; et il nomma les ténèbres, nuit. Et il y eut un soir, et il y eut un matin…"

Cela semblait durer des heures. L'institutrice racontait des histoires qui n'en finissaient pas de se dérouler, comme un écheveau de fil. Elle prenait un ton grave et les enfants sentaient que ce qu'elle disait devait être très important, même si elles ne pouvaient pas tout comprendre. Le silence dans la classe était lourd de questions non posées, les yeux s'écarquillaient, les petites bouches s'ouvraient d'étonnement.

— Dieu créa la Terre. La Terre, c'est une planète. C'est sur la Terre que nous vivons. La Terre est ronde comme un ballon, ou comme une orange...

L'institutrice avait recouvert à demi les carreaux des fenêtres avec des feuilles de journaux pour que la classe fût plongée dans la pénombre.

— Vous allez comprendre, dit-elle.

Elle roula un petit cylindre de papier journal et l'enflamma. Dans sa main gauche, elle tenait une orange qu'elle faisait tourner autour de la flamme. Et elle continuait d'expliquer. Mais sa voix était devenue très basse et mystérieuse. Pour sûr, elle était en train de raconter des choses qu'il ne faudrait pas oublier.

Le jour, la nuit, le Soleil, les ténèbres, la Terre, le ciel et la Lune. Et une multitude d'étoiles. Soudain, Frida pâlit. Elle prit peur. Sa culotte en fut toute mouillée et il y eut instantanément une flaque sous son siège, qui ne pouvait passer inaperçue.

A grand-peine, on lui ôta sa culotte pour lui en enfiler une autre, propre, qui appartenait à une petite fille habitant rue Allende. Frida résistait, poings fermés et lèvres serrées. Elle avait tellement honte d'elle que la colère la raidissait pour masquer son humiliation. Ce n'est pas qu'on l'avait grondée, mais c'était insupportable d'être exhibée de la sorte devant ses petites camarades.

A dater de ce jour, Frida nourrit une haine farouche à l'encontre de la petite fille de la rue Allende. Un après-midi, Frida la vit sur le trottoir, devant elle. Elle ne put s'en empêcher : elle courut, se précipita sur la petite et se mit à l'étrangler. La petite hurla, se débattit, devint toute rouge et tira la langue comme si elle allait vomir. Par chance, un commerçant du quartier passait par là qui sépara l'assaillante de la victime.

Matilde alla présenter ses excuses aux voisins et tout rentra dans l'ordre.

— Tu te rends compte de ce que tu as fait, Frida ? dit-elle à sa fille.

— Je-ne-l'ai-me-pas.

— Ce n'est pas une raison.

— C'est-une-rai-son.

— Elle aurait pu mourir et tu aurais pu aller en enfer. Tes parents et tes sœurs seraient morts de chagrin. Quelle catastrophe !

Frida levait la tête au plafond, les yeux fermés. Elle faisait semblant de ne pas écouter.

— Frida, est-ce que tu te rends compte ? Si tu ne veux pas être punie, il va te falloir être très gentille et beaucoup prier pour te faire pardonner...

— Je-ne-l'ai-me-pas.

— On ne parle pas sur ce ton-là à sa maman. Quelle petite fille insupportable. Si tu continues, je vais faire cadeau de toi à quelqu'un.

Frida rouvrit lentement ses paupières et prit son air le plus sérieux pour regarder sa mère droit dans les yeux.

Des bêtises, il y en aurait d'autres.

> Un jour, ma demi-sœur Maria Luisa était assise sur
> un pot de chambre. Je la poussai et elle tomba en
> arrière, avec le pot de chambre et tout. Furieuse, elle
> me dit : "Toi, tu n'es pas la fille de ta maman et de
> mon papa. Toi, on t'a trouvée dans une poubelle."
> Cette affirmation me fit un tel effet que je devins
> une créature complètement introvertie.
>
> FRIDA KAHLO

"Introvertie", c'était peut-être un peu exagéré.
De même qu'il est difficile de déterminer la cause
à effet. Ce qui est certain c'est que, vers cette époque,
Frida commença à apprécier les longs moments de
solitude. Même lorsqu'elle n'était pas physiquement seule, elle était capable de s'extraire de ce qui
l'entourait pour se plonger dans des histoires qu'elle
s'était fabriquées, dans un monde imaginaire qu'elle
se créait chaque jour.

Ainsi s'était-elle inventé une amie. Pour arriver
jusqu'à elle, le chemin était long.

Un long rêve, palpitant. D'abord, il fallait, comme
Alice, passer "de l'autre côté du miroir". Il suffisait de souffler sur un des carreaux de la chambre
et, dans la buée qui s'y collait, de dessiner une petite
porte de sortie, tantôt rectangulaire, tantôt à demi
ovale. C'est par cette porte que Frida – ou son
esprit – s'échappait. Elle avait des ailes aux pieds
lorsqu'elle courait dans la rue, jusqu'à arriver à
une épicerie qui affichait en grosses lettres le nom
PINZÓN. Avec ses mains, elle écartait un peu le

O de PINZÓN et se faufilait à l'intérieur de ce qui était le début d'un long puits l'amenant jusqu'au centre de la Terre. Il suffisait de s'y laisser glisser, emportée par la peur et le vertige qui faisaient battre le cœur à tout rompre.

Tout en bas, dans l'obscurité et la chaleur qui rendaient les contours des choses plus flous, où l'on chutait comme dans un film au ralenti, il y avait la demeure de l'amie, qui l'attendait. Elle était muette mais très démonstrative, silencieusement gaie. Chaque jour, Frida lui racontait par le menu sa vie et ses tourments : ses histoires de classe, ses sœurs et ses parents, la rougeole et la varicelle, les espiègleries, ses rêveries, ses questionnements. Son amie l'écoutait attentivement, ses yeux, dans l'ombre, brillaient comme des étoiles, et ses gestes la réconfortaient… puis, elles dansaient toutes deux jusqu'à l'ivresse dans ce lieu hors du temps. L'amie était aussi légère qu'immatérielle. Elle s'évaporait aussitôt que Frida, revigorée et exaltée, forte de posséder un secret immense qu'elle seule connaissait, décidait de remonter à la surface, plus légère elle aussi d'avoir pu vider son cœur et délivrer sa fantaisie.

Elle repassait par le O de PINZÓN et franchissait de nouveau la porte dessinée dans la buée, effacée ensuite du revers de la main.

Je courais avec mon secret et ma joie jusqu'au fin fond du patio de ma maison, et, dans un coin, toujours le même, au pied d'un grand cèdre, je criais et

51

riais… Dans l'étonnement de me trouver *seule* avec mon grand bonheur et le *souvenir* si vivant de la petite fille.

FRIDA KAHLO

Et la vie reprenait, comme si de rien n'avait été. Et, avec elle, les prières que Matilde exigeait que ses enfants récitent avant chaque repas, les fous rires irrépressibles de Frida et Cristina à table, faisant semblant de prier mais articulant tout autre chose, les escapades des mêmes durant les heures de caté-chisme auquel elles préféraient les fruits chapardés dans un verger de Coyoacán, le monde intrigant des insectes, les roulades dans l'herbe.

Contre toute attente, le premier drame qui sur-vint dans la famille Kahlo ne fut pas causé par une des benjamines, mais par l'aînée, Matilde, de sur-croît la préférée de sa mère.

Amoureuse, mais n'ayant que quinze ans, elle s'en ouvrit à Frida.

— Est-ce que tu es capable de tenir ta langue, Friduchita ?

— Je ne suis pas bête !

— Il ne s'agit pas de ça. J'ai un fiancé et je veux partir avec. Mais il ne faut pas que nos parents l'apprennent.

— Comment est-ce possible ? Comment vas-tu faire ?

— Je vais partir au milieu de la nuit. Je passe-rai par le balcon. Il faut seulement que tu refermes la fenêtre derrière moi, sans faire de bruit.

— Tu vas faire ce que font les vilaines filles dans les histoires qu'on raconte…

— C'est ça. Et les héroïnes de tous les contes… Frida, est-ce que tu as bien compris ?

— Ce n'est pas difficile.

— Et si on te demande quelque chose, tu ne dis rien pour tout l'or du monde. Tu peux le jurer ?

Frida resta songeuse quelques minutes et finit par hocher la tête affirmativement, tendant la main.

— Tu n'es pas heureuse ici, Matita ? Où est-ce que tu vas habiter ?

— Ce n'est pas pareil. Je suis amoureuse et je ne peux pas faire autrement. Je pars pour Veracruz.

— Tu es folle ! C'est loin.

— Je t'expliquerai quand tu seras grande.

Le tour fut joué. Lorsqu'ils se rendirent à l'évidence de la fugue, Guillermo ne dit pas un mot et s'enferma dans le salon, Matilde passa par tous les états de la colère et du désespoir.

Matita ne réapparut pas durant quatre années.

Quand j'y repense, ce fut un après-midi chargé d'horreur.

Mon père m'avait emmenée avec lui marcher dans les bois de Chapultepec, un endroit qu'il affectionnait particulièrement, à cause des vieux cèdres. Comme tant d'autres fois, nous allions bras dessus, bras dessous, il me faisait remarquer certains coins, les gens, des situations inusuelles, les couleurs. Peu de choses échappaient à son regard. J'ai beaucoup appris de la façon dont il observait. Cet homme à l'apparence si placide, aussitôt qu'il se retrouvait dehors semblait être tous sens en éveil, presque aux aguets.

Soudain, il tomba de toute sa hauteur, le corps convulsionné, le visage congestionné, se violaçant, les yeux fixes et la bave aux commissures des lèvres. Ce n'était pas la première crise d'épilepsie que je voyais. J'en avais l'habitude (si l'on peut appeler habitude la répétition d'une chose à chaque fois aussi inquiétante). Heureusement, parce qu'il fallait coordonner tous les mouvements sans perdre une minute. Ouvrir vite la petite fiole d'éther qu'il portait toujours sur lui et lui en faire respirer le contenu ; lui enlever l'appareil photo des mains et enrouler la lanière autour de mon poignet libre pour qu'on ne nous volât pas l'objet dans l'affolement ; adresser deux mots à l'attroupement qui se formait inévitablement autour de nous. Puis l'aider doucement à se relever quand la crise était passée, le soutenir, le réconforter comme je pouvais car l'homme avait l'air d'en sortir toujours très éprouvé, épuisé. Pâle comme un revenant. Oui, je crois que c'est ça. Il devait se sentir comme un revenant.

Un moment après, au cours de la même promenade, pas de chance, je me pris les pieds dans les grosses racines apparentes d'un arbre et me fis très mal en tombant.

Le lendemain matin, quand je voulus me lever, j'eus l'impression que des flèches traversaient ma cuisse et ma jambe droites. C'était une douleur terrible, je ne pouvais pas m'appuyer sur la jambe. La peur de ne plus jamais pouvoir marcher m'envahit aussitôt, mes émotions ont souvent eu raison de moi. Je hurlai et ma mère accourut.

Un médecin diagnostiqua une "tumeur blanche". Un autre fut catégorique : poliomyélite. Je fus bonne pour plusieurs mois d'alitement, bains d'eau de noyer et compresses chaudes, un pied légèrement atrophié, une jambe désormais plus maigre et plus courte que l'autre, des bottes orthopédiques. Tout pour plaire.

Quelque temps plus tard (un an, deux ans ?), je n'ose pas avancer une date – on me dit souvent que j'ai l'art de les confondre – il me semble pourtant

me souvenir que ça se passa lors de la Dizaine tragique (que d'aucuns appelèrent la Dizaine magique),
par la fenêtre donnant sur la rue Allende, je vis un
rebelle tomber à genoux au milieu de la chaussée,
une jambe atteinte par une balle. C'était très impressionnant. Le soir tombait et l'homme était vêtu de
blanc, il se détachait parfaitement dans l'ombre. Il
regarda autour de lui, aux abois, mais il n'avait pas
d'échappatoire. Les gens couraient dans tous les
sens. Le sang semblait gicler du tissu blanc et coulait jusqu'à terre. Sa sandale en était recouverte.
C'était un homme pauvre. Ma mère réussit à le
secourir, une fois l'agitation passée. Il ne fut d'ailleurs pas le seul qu'elle secourut à cette époque-là.

Le fait est que, rien qu'à regarder sa blessure,
j'arrivais à retrouver la douleur que j'avais sentie à
ma jambe lors de ma maladie. Sa jambe devenait
la mienne. Ou la mienne la sienne. Je savais avec
précision ce qu'il pouvait ressentir. Pour moi, ç'avait
été violent. Ça l'était pour lui.

Je ne sais pas la relation qui peut être établie entre
ma chute à Chapultepec et ce que je vécus ensuite.
Ce qui est sûr c'est que, ce jour-là, la douleur entra
pour la première fois dans mon corps.

QUELQUES NOUVELLES
DE DIX ANS DE RÉVOLTES
ET RÉVOLUTION

El Diario, vendredi 18 novembre 1910

MANIFESTE (extraits)
de Francisco I. Madero au peuple américain

"Avant-hier, j'ai posé le pied sur votre sol libre.
Je fuis mon pays, gouverné par un despote qui ne
connaît d'autre loi que son caprice. Je viens d'un
pays qui est votre frère par les institutions républi-
caines et par les idéaux démocratiques, mais qui,
en ce moment, se soulève contre un gouvernement tyrannique et lutte pour reconquérir ses
droits tout comme ses libertés chèrement payées.
Si j'ai fui mon pays c'est que, en ma qualité de
chef du mouvement de libération et de candidat
du peuple à la présidence de la République, je me
suis attiré la haine et les persécutions de la part de
mon rival, le despote mexicain, le général Porfirio
Díaz. (…)"

El Diario, samedi 19 novembre 1910

PUEBLA A ÉTÉ LE THÉÂTRE
DE SCÈNES SANGLANTES
PROVOQUÉES PAR UN GROUPE DE PARTISANS
DE DON FRANCISCO I. MADERO

El Diario, vendredi 25 novembre 1910

RÉVOLUTIONS ET MUTINERIES

El Imparcial, jeudi 11 mai 1911

CIUDAD JUÁREZ EST TOMBÉE
AUX MAINS DES REBELLES
APRÈS AVOIR RÉSISTÉ HÉROÏQUEMENT

El Diario, mardi 16 mai 1911

PACHUCA EST TOMBÉE HIER SOIR
AUX MAINS DES RÉVOLUTIONNAIRES

El Imparcial, jeudi 18 mai 1911

SIGNATURE AUJOURD'HUI
D'UN ARMISTICE GÉNÉRAL POUR CINQ JOURS

"La démission de MM. les Président et Vice-Président de la République sera présentée à la Chambre des députés avant la fin du mois de mai."

El Diario, lundi 22 mai 1911

LES GROUPES INSURGÉS
ONT FAIT LEUR ENTRÉE
DANS LA VILLE DE CUERNAVACA
DANS L'ENTHOUSIASME GÉNÉRAL

"Les troupes fédérales ont évacué les lieux à cinq heures du matin."

"La population est restée plus de douze heures sans police et l'ordre a régné."

"Les prisonniers se sont tous évadés."

El Tiempo, vendredi 26 mai 1911

LA DÉMISSION DU GÉNÉRAL DÍAZ

El Imparcial, jeudi 8 juin 1911

LA CAPITALE A VÉCU HIER UNE JOURNÉE DE
GRAND BONHEUR PATRIOTIQUE

"Partout, des drapeaux et des banderoles étaient déployés, souhaitant la bienvenue à Francisco I. Madero."

Le 16 octobre 1912, le général Felix Díaz se soulève à Veracruz. Le 23, il est emprisonné.

Le 9 février 1913 commence la Dizaine tragique.

Nueva Era, lundi 10 février 1913

SOUS LES APPLAUDISSEMENTS DES LOYALISTES
ET UNE PLUIE DE BALLES TRAÎTRES,
LE PRÉSIDENT MADERO,
UN DRAPEAU A LA MAIN,
A TRAVERSÉ LA VILLE
POUR SE RENDRE AU PALAIS NATIONAL

El País, jeudi 20 février 1913

L'EX-PRÉSIDENT F. MADERO
QUITTERA LA CAPITALE
D'UN MOMENT A L'AUTRE

"Après que le Congrès eut accepté la démission de don Francisco Madero, président de la République, il a été convenu que l'ex-magistrat suprême de la nation devrait abandonner le pays."

El Diario, 23 février 1913

MESSIEURS MADERO ET PINO SUÁREZ
ONT ÉTÉ ASSASSINÉS
LA NUIT DERNIÈRE
AUX ABORDS DE L'ÉCOLE MILITAIRE

Victoriano Huerta prend le pouvoir... et prend la fuite en juin 1914, après avoir largement malmené le pays. Venustiano Carranza lui succède.

Après bien des luttes internes, ce dernier est assassiné en 1920 alors qu'il tentait de fuir.

En 1920, Alvaro Obregón est élu président de la République.

PANCHO VILLA
EMILIANO ZAPATA

Les chefs les plus importants étaient Carranza, Villa et Obregón, au nord, et Zapata au sud. Carranza voulait les commander tous. Villa ne se laissa pas commander, Zapata non plus. Ensuite, les quatre chefs se battirent entre eux, non sans avoir au préalable liquidé Victoriano Huerta. Obregón en finit plus tard avec Villa lors de combats terrifiants. Zapata continuait d'être invincible, quoique bien caché dans ses montagnes.

JOSÉ CLEMENTE OROZCO

Lorsque la nouvelle République sera établie, il n'y aura plus d'armée au Mexique. L'armée, c'est le plus grand appui de la tyrannie. Sans armée, pas de dictateur. Nous mettrons l'armée au travail. On établira dans toute la République des colonies militaires, formées de vétérans de la révolution. Ils travailleront trois jours par semaine, et durement, car le travail honnête est beaucoup plus important que la guerre, et seul celui-ci peut former de bons citoyens. Les autres jours, ils recevront une instruction militaire qu'ils diffuseront à leur tour au sein du peuple pour lui apprendre à se battre. De sorte que, en cas d'invasion, un coup de téléphone donné du Palais national de Mexico mettra en une demi-journée le peuple mexicain tout entier sur le pied de guerre, dans les champs et dans les usines, bien armé, bien équipé, bien organisé pour défendre ses femmes et ses enfants. Mon ambition, c'est de finir ma vie dans l'une de ces colonies militaires, au milieu de mes camarades que j'aime, et qui comme moi ont tant souffert. Je crois que j'aimerais que le gouvernement crée une usine pour tanner le cuir ; nous pourrions y faire de bonnes selles, c'est un travail que je connais bien. Le reste du temps, j'aimerais bien travailler dans ma petite ferme, élever du bétail, semer du maïs. Oui, je crois que ce serait magnifique d'aider le Mexique à devenir un pays heureux.

PANCHO VILLA, cité par John Reed

Emiliano Zapata fut un des hommes les plus contestés de son époque.

Tantôt dénommé l'"homme-bête", tantôt le "chacal", l'"Attila du Sud", l'"homme libérateur", le "Nouveau Spartacus", Zapata avait représenté, dès 1909, le groupe de défense d'Anenecuilco, son village.

Cette cause le porta à défendre la protection des droits des paysans de la province de Morelos, puis d'autres provinces.

Les luttes des paysans cherchant à récupérer leurs terres remontaient, en fait, à l'époque coloniale.

Le zapatisme s'opposa à tous les gouvernements ne tenant pas leurs promesses en matière agricole.

Ainsi Zapata et les siens, auxquels se joignirent quelques intellectuels, s'insurgèrent-ils successivement contre les gouvernements de Porfirio Díaz, Francisco León de la Barra, Madero, Victoriano Huerta, Francisco Carbajal, Venustiano Carranza.

Victime d'une trahison, Emiliano Zapata fut assassiné le 10 avril 1919 par le colonel Jesús Guajardo.

El Universal, vendredi 11 avril 1919

DÉFAITE ET MORT D'EMILIANO ZAPATA, TUÉ PAR LES TROUPES DU GÉNÉRAL PABLO GONZÁLEZ

"Les troupes du général Pablo González ont obtenu un succès dans leur campagne contre Zapata. Les soldats du colonel Jesús Guajardo, en faisant croire à l'ennemi qu'ils se révoltaient contre le gouvernement, sont parvenus jusqu'au campement d'Emiliano Zapata qu'ils ont surpris, mis en déroute et tué."

El Demócrata, vendredi 11 avril 1919

EMILIANO ZAPATA EST MORT AU COMBAT

"Emiliano Zapata, "Attila du Sud", semblable par ses crimes au roi des Huns qui saccagea Rome ; Zapata, le vagabond maraudeur qui depuis 1910 portait atteinte à la République dans ses montagnes de

Morelos en apportant le deuil à tant de foyers ; Emiliano Zapata, supérieur par ses attentats à l'Attila légendaire ; Zapata, le destructeur de Morelos, le voleur de trains, le sanguinaire qui buvait dans des coupes en or. (…)"

El Pueblo, samedi 12 avril 1919

COMMENT EST MORT LE CHEF E. ZAPATA

"Le torse de Zapata présentait sept perforations, correspondant aux sept balles qui provoquèrent sa mort presque instantanément.

On n'a retrouvé aucune blessure sur le visage ni ailleurs sur le corps, ce qui suggère que les balles furent tirées avec une sérénité étonnante de la part des officiels."

Excelsior, dimanche 13 avril 1919

UNE FEMME A FAILLI DÉTRUIRE LES PLANS POUR TUER ZAPATA

"Elle avait informé l'Attila du Sud qu'une embuscade allait lui être tendue et qu'il lui fallait se méfier du colonel Guajardo, qui voulait le tuer."

Le bruit courut que "Miliano" n'était pas mort : "Zapata a pris la fuite sur son cheval blanc et est parti vivre en Arabie."

C'était un temps de folie.

Meurtres à tous les coins de rues, à la lumière du jour, au cœur de la nuit. Pillages en tous lieux, saccages, vols à mains nues, à main armée. Carnages sur les routes, dans les campagnes. Les gares étaient des plaies ouvertes, où agonisaient les réchappés de quelque convoi militaire ou paramilitaire.

On fusillait jusque dans les églises, la morale était criblée de balles, on ne reconnaissait plus son voisin. L'homme est un loup pour l'homme, dit-on : au Mexique, ce fut plus que jamais le cas.

Intrigues, règlements de compte faisaient rage, rien n'était pardonné, personne n'était à l'abri. "Est-ce que je sais comment Huerta se fait raser ? écrivait Jack London. C'est simple : il se tient debout avec une main sur le revolver qu'il a dans la poche afin de descendre le barbier si ce dernier s'avise de lui trancher la gorge." Le monde politique était un vaste champ de bataille où l'on se piétinait, sans discernement, sans scrupules, où l'on s'entretuait sauvagement sans ciller. Sans foi ni loi.

(…) Des coups de fusil dans les rues sombres, la nuit, suivis de hurlements, de blasphèmes et d'injures impardonnables. Bris de vitrines, coups secs, plaintes de douleur, de nouveaux tirs.

JOSÉ CLEMENTE OROZCO

LIEBE FRIDA

Le précepte de Freud est que l'homme ne peut parvenir à donner un sens à son existence que s'il lutte courageusement contre ce qui lui paraît être des inégalités écrasantes.

BRUNO BETTELHEIM

"*Liebe* Frida, *liebe* Frida, viens ici. Tu ne dois pas te faire de souci pour ça, disait Guillermo à sa fille, tentant de l'apaiser. Tu as tellement d'autres ressources, tu le sais. Quand tu étais alitée, je te racontais des histoires pour te distraire, rappelle-toi. Maintenant, je vais t'apprendre à faire de la photo, tu veux bien ? Ou peut-être préférerais-tu venir peindre des aquarelles avec moi, dans la campagne ?"

Guillermo était très attentionné envers Frida, très doux, comme il ne le serait jamais avec aucune autre de ses filles.

Frida avait à présent un air farouche.

"Un air de garçon manqué !", se désespérait sa mère. "C'est vraiment une petite fille très laide !",

67

s'exclamaient les commères du quartier. Et elles la regardaient passer, sans dissimuler leur mépris.

Après sa maladie, Frida était devenue la risée des autres enfants. *"Frida pata de palo* [1] *!"* criaient-ils à son adresse ; puis ils se jetaient des coups d'œil de connivence et se mettaient à glousser, rentrant la tête dans leurs épaules.

Chaque fois, elle se retournait en tendant le poing. "Vous allez voir ! les menaçait-elle. Bande de peigne-culs, de minables, vous êtes nés crétins, ma parole !… Abrutis que vous êtes…" La rage montait en elle ; elle se mordait jusqu'au sang la lèvre inférieure pour essayer d'endiguer la vague d'injures qu'elle avait envie de leur jeter au visage. "Un jour, j'aurai votre peau. Vous verrez : je ne vous raterai pas. Espèces de…" Tous ses membres se crispaient. Ses yeux jetaient des éclairs sous la frange rebelle. Sa colère ne faisait pas fuir les enfants, mais elle les faisait taire.

Le docteur avait prescrit : "Beaucoup de sport, toutes sortes de sports."

Il fallait du cran pour forcer le corps, pour affronter les autres dans les jeux. En tout, Frida avait décidé de redoubler ses efforts pour être la meilleure. Elle courrait plus vite coûte que coûte, elle deviendrait championne de natation, elle ferait du vélo jusqu'à l'épuisement…

Et quelle patience devait-elle trouver en elle, chaque jour, pour lacer et délacer des lacets qui n'en

1. Frida jambe de bois.

finissaient pas d'être longs ! "Il faut que le pied soit bien tenu" : c'est ce qu'avait dit le docteur. Sans oublier la superposition de chaussettes pour masquer la maigreur anormale du mollet, sans oublier la chaleur qu'elles lui donnaient.

Frida s'était pourtant imaginé, au tout début, qu'aucun sarcasme ne la toucherait. Mais elle dut se rendre très vite à l'évidence : souvent, les piques l'atteignaient de plein fouet ; souvent, elle se trouvait à deux doigts de l'abattement. Comment réussir à oublier, comment ne serait-ce que s'habituer à une infirmité que des remarques désobligeantes, cruelles viennent toujours vous rappeler ? N'est-on pas déjà assez son propre bourreau ?

Frida haussait les épaules.

De plus, tout coûtait de l'argent, en particulier la rééducation intensive à laquelle était soumise Frida. Or, les soucis matériels étaient entrés dans la maison bleue avec les cris des premiers soulèvements du pays. Guillermo n'était plus le photographe officiel du patrimoine national mexicain. Il ne pouvait plus, désormais, échapper à cette photo commerciale de studio qu'il aurait préféré laisser à d'autres le soin de réaliser. Et la concurrence dans ce domaine, les techniques se perfectionnant de jour en jour, était inévitablement dure. Toute l'ingéniosité d'un décor ne suffisait pas à vous faire faire fortune.

Guillermo était devenu plus soucieux, Matilde plus nerveuse. Frida pensait que sa mère se vengeait de l'insatisfaction de sa vie en commettant des excès. Ainsi, avec les difficultés naissantes, auxquelles elle n'avait pas été habituée, Matilde s'était-elle mis dans la tête d'organiser par le menu chaque événement, chaque épisode de la vie de la maisonnée. Le jeu tournait presque à l'obsession. Dès lors, Frida décida d'appeler sa mère "le Chef". Guillermo cependant, plus las mais toujours aussi serein, n'avait pas délaissé ses heures de piano quotidiennes.

L'entrain des valses de Strauss s'élevait dans l'air, on eût cru un défi lancé à la face du monde. Puis il retombait et, doucement, c'est Beethoven qui se coulait en chaque chose, en chacun.

Frida, appuyée contre le mur, les paupières à demi closes, écoutait son père jouer derrière la porte. Indistinctement, les sons lui parvenaient telles des couleurs : noir, bleu, jaune... Ou des éléments en désordre : arbre, route, feu, hamac. Il y avait aussi des transparences, de l'eau d'un ruisseau jusqu'aux cascades, des vagues, la pluie. Une note isolée pouvait avoir la consistance d'une larme ou se déployer comme un sourire. Parfois, les accords devenaient des caresses que Frida recevait dans la pénombre, devant le salon, au milieu des guéridons de différentes hauteurs sur lesquels s'entassaient des pots de plantes vertes, fournies et verdoyantes, et un bouquet de grosses marguerites ou d'œillets d'Espagne. Frida se laissait emporter loin, très loin.

> Un jour, comme nous étions dans un tramway, mon père me dit : "Nous ne la retrouverons jamais !"

Je le consolai, et c'est vrai que mes espoirs étaient sincères. J'avais douze ans lorsqu'une camarade du lycée me dit : "Vers la rue des Docteurs habite une femme qui te ressemble beaucoup. Elle s'appelle Matilde Kahlo." Au fond d'un patio, dans la quatrième pièce qui donnait sur un long corridor, je la trouvai.

FRIDA KAHLO

Frida retourna chez elle, pleine d'excitation.

— Maman, maman, j'ai retrouvé Matita ! Papa est rentré ?

— Pas encore. Tu as vu tes chaussures, Frida ? Où as-tu donc été traîner ?

Frida dévisagea sa mère, incrédule. Celle-ci faisait comme si de rien n'était, ordonnant les plis de sa longue jupe.

— Tu m'as entendue, maman ? Je te dis que j'ai retrouvé Matita. Elle va venir nous voir. Elle habite avec un homme qui s'appelle Paco Hernández, rue…

— Ça ne m'intéresse pas, Frida, et je ne veux pas la voir. Tu lui feras savoir. Maintenant, fais tes devoirs, et dépêche-toi de prendre ton bain avant le dîner.

— Mais, maman…, protesta Frida.

— Chut ! J'ai dit que je ne veux pas en entendre parler.

Frida se laissa tomber sur un vieux tabouret de la cuisine, les bras ballants. Sa mère sortit dans le patio, l'arrosoir à la main.

Le lendemain, Frida revint chez Matita pour l'informer de ce qui s'était passé. A l'air abattu de Frida, Matita comprit tout de suite.

— Allez, ne t'en fais pas, Friduchita ! s'exclama-t-elle en ébouriffant les cheveux de sa sœur du bout des doigts. Tu verras, maman changera d'avis et tout sera bien… Et qu'a dit papa ?

— Il a dit : "Il faut être heureux de la savoir vivante. C'est la seule chose importante." Il n'a pas sauté de joie, mais je crois qu'il était content. Maman aussi, au fond, je crois qu'elle est contente.

— Tiens, ma belle, mange un peu de pâte de goyave. J'ai préparé une petite boîte de confiseries pour vous tous. Tu l'apporteras chez nous.

Par la suite, et durant quelques années encore où elle ne vit pas ses parents, Matilde prit l'habitude de déposer régulièrement, sur le perron de la maison bleue, des corbeilles de fruits, des gâteaux enveloppés dans un torchon, des petits cadeaux pour sa famille.

ENTRÉE A L'ÉCOLE
PRÉPARATOIRE NATIONALE

Frida était une fille extraordinairement inquiète et
d'une intelligence très rare et particulière dans le
milieu d'alors.

ALEJANDRO GÓMEZ ARIAS

De la même façon que Guillermo n'avait pas hésité
à payer à Frida les meilleurs centres sportifs pour
sa rééducation, il ne voulait pas lésiner sur le choix
de l'école préparatoire à l'université, qui succédait
au collège. Frida demeurait pour lui la plus intelligente de ses filles, celle à qui, à l'égal d'un fils dans
n'importe quelle autre famille, il fallait donner tous
les moyens de réussir dans la vie.

Matilde, peu habituée à des idées qu'elle jugeait
très européennes, s'était montrée pour le moins
réticente.

— Une école si loin de la maison ? Est-ce bien
nécessaire, Guillermo ?

— C'est la seule de cette qualité-là.

— Mais elle est mixte !

— Cela n'a aucune espèce d'importance. Je dirais
même : tant mieux. Frida saura plus tard autrement
se défendre dans la société.

— On m'a dit qu'il y avait une proportion de cinq filles pour trois cents garçons ?

— Ça ne l'empêchera pas de réussir. De quoi as-tu donc peur ?

— Ce n'est pas très convenable, tous ces garçons…

— Frida n'a rien d'une tête en l'air. Tu ne vas tout de même pas lui interdire de parler aux garçons ?

— C'est pourtant ce que conseillent leurs mères aux jeunes filles qui vont dans cette école…

— Absurde. Ce n'est pas en empêchant le dialogue que les progrès s'accomplissent.

— Guillermo, tu sais ce que ça représente, une heure de trajet pour y aller ?

— Une école de cette qualité vaut bien qu'on s'y rende à pied, à cheval ou en voiture, quel que soit le temps que ça prenne.

Matilde soupira.

— Ecoute, Matilde, dans peu de temps, Frida passera l'examen d'admission. Si elle échoue, nous reparlerons de tout ça. Si elle réussit, nous devrons en être fiers.

Matilde joignit les mains et s'exclama, tout en s'enveloppant d'une étole pour sortir :

— Elle va nous revenir complètement athée !

Guillermo sourit.

En 1922, Frida passa l'examen d'entrée à l'Ecole préparatoire nationale, antichambre obligée d'études universitaires sérieuses. Et le réussit.

Ancienne et très honorable école jésuite, berceau de quelques générations de scientifiques, universitaires, intellectuels, responsables de la nation, l'Ecole préparatoire nationale avait subi quelques modifications depuis 1910.

Sous influence européenne durant le règne de Porfirio Díaz, elle avait, depuis, pris le coche des vagues de nationalisme entraînées par les révolutions.

L'école était devenue un des foyers de la renaissance du sentiment patriotique mexicain. Le retour aux sources était exalté, toute appartenance à des racines indigènes valorisée. Parallèlement, il y avait une incitation à puiser dans l'héritage occidental, grâce à une politique dont l'ambition en matière de culture était de mettre les classiques, dans tous les domaines, à la portée de chacun. Ainsi des bibliothèques étaient ouvertes çà et là, des tirages populaires des grands auteurs étaient faits, des concerts s'organisaient dont l'entrée était gratuite, ou à prix modiques, des gymnases étaient ouverts au public. C'était, aussi, le grand essor des premiers muralistes mexicains, José Clemente Orozco, Diego Rivera, David Alfaro Siqueiros, qui devaient contribuer à mettre l'art, moyen de transmission d'idéaux et témoignage de l'histoire, au service des masses. Les photographes eux-mêmes s'obligèrent à introduire dans leurs studios des décors composés de paysages, vêtements, accessoires typiquement mexicains...

Epoque de vitalité, les années vingt au Mexique considérèrent l'art, au même titre que la science, comme une dynamique essentielle du progrès.

> Ils [les artistes] étaient parfaitement conscients du moment historique dans lequel ils étaient portés à agir, des relations entre leur art et le monde et la société environnants. Par une heureuse coïncidence se trouvaient réunis, dans le même champ d'action, un groupe d'artistes expérimentés et des gouvernants révolutionnaires qui comprenaient quelle était la part qui leur revenait.
>
> JOSÉ CLEMENTE OROZCO

C'est dans ce contexte d'effervescence que Frida Kahlo, adolescente, allait entrer à l'Ecole préparatoire nationale.

Frida était alors une jeune fille élancée et fine, dont tout le monde soulignait l'extrême grâce. Elle n'avait plus sa frange d'enfant ; ses cheveux étaient coupés au carré, répartis de part et d'autre de son visage qui en paraissait d'autant plus sérieux. Elle était belle, d'une beauté à la fois sauvage et sobre, loin des coquetteries qu'affichaient déjà nombre de filles de son âge.

Dans l'établissement qu'elle allait fréquenter, le port de l'uniforme n'était pas en vigueur. Il fut décidé que Frida serait vêtue à la façon des lycéennes allemandes : une jupe à plis bleu marine, une chemise blanche et une cravate, des chaussettes à revers et des bottines, un petit chapeau à rubans.

Matilde s'était finalement faite à l'idée que sa fille allait être élève de cette école réputée avantgardiste et avait participé de bon cœur aux derniers préparatifs.

A genoux devant un tabouret sur lequel Frida était perchée, elle marquait avec des épingles l'ourlet de la jupe bleue.

— Tourne-toi, tout doucement, que je voie si tous les plis sont à la même hauteur... tout doucement...

— Dis-moi, de quoi ai-je l'air ?

— D'une bonne élève. D'une jeune fille comme il faut.

— Ciel ! Ça va être dur de faire des bêtises, alors !

— Frida ! Quand cesseras-tu d'être diable !

— Mmmm... Jamais, peut-être. Quel drame, maman !

Frida regardait sa mère avec un mélange d'amusement et de tendresse.

— Dans une école où il y a des garçons, il te faudra faire très attention.

— Attention à quoi ?

— Il y a des choses qu'une jeune fille de ton âge doit bien se garder de faire. Tu dois être une jeune fille respectable... et ne jamais oublier l'enseignement de Notre-Seigneur...

— Juré-craché : j'aurai toujours ma bible dans mon cartable... "Il y avait à Ramathaïm-Tsophim un homme de la montagne d'Ephraïm, nommé Elkana, fils de Jéroham, fils d'Elihu, fils de Tohu, fils de Tsuph, Ephraïmite..."

Matilde la regarda réciter par cœur le passage de la Bible en pensant que son mari avait raison : cette fille était intelligente, et particulière. Puis elle se ressaisit :

— Ne te moque pas de ta mère...

— C'est mon passage préféré. Tu te rends compte de tous ces noms ? C'est aussi beau qu'une généalogie aztèque !... Maman, maman, ne me regarde pas comme ça, tu sais bien que je t'adore !

— Allez, descends de là et enlève ta jupe... Attention aux épingles !

Le jour où Frida partirait pour sa nouvelle école, son monde serait bouleversé. Une coupure, inévitable, allait s'établir avec son univers familial, doux et protégé.

Une coupure géographique entraînant l'éveil d'une conscience, de multiples aspects insoupçonnés d'une culture.

Une coupure formative. L'enfance serait laissée derrière.

Le mot-clé de mon adolescence fut : euphorie.

Une aubaine : le contexte historique dans lequel nous évoluions nous concernait, donnait un sens à l'énergie de notre jeunesse. Il y avait de justes causes, pour lesquelles nous devions nous battre, et qui nous forgeaient le caractère.

Nous étions extrêmement curieux de tout, avides de comprendre, de savoir. Nous avions sans cesse envie d'apprendre, notre soif était inépuisable. Et c'était bien.

Nous sentions tous, au plus haut point, combien nous faisions partie intégrante d'une société. Nous nous épanouissions individuellement, mais chacune de nos richesses était mise en commun, au service d'un avenir meilleur, si ce n'était pour l'humanité entière, du moins pour notre pays.

Nous étions les enfants d'une révolution et quelque chose d'elle reposait sur nos épaules. Elle était notre mère nourricière, notre mère porteuse. Un sens historique incontestable vibrait dans notre cerveau, antérieur, moyen et postérieur, dont nous avions pleinement conscience et dont nous étions fiers.

Nous avions la spontanéité de la jeunesse, avec son ingénuité parfois – la réceptivité immédiate –, conjuguée à une certaine maturité. (Parce que, indiscutablement, notre réflexion sur le monde, à chaque instant, nous faisait mûrir.)

Ce qu'avait été l'ensemble des facteurs culturels qui nous avaient précédés, nous le mesurions, et nous remontions loin dans le temps. Sachant que nous étions la conséquence d'individus et d'événements, leur poids était une force attractive. Il était difficile de les contourner.

C'était vraiment une belle époque. Mes amis eux aussi étaient beaux (et le sont encore : preuve que ce que nous vécûmes ne nous livra pas les uns et les autres au hasard). Nous trouvant tous dans un état d'ébullition permanente, ce que nous touchions en était, nous semblait-il, aussitôt imprégné.

Je n'eus pas à souffrir des "qui suis-je ?" de certaines adolescences. Chaque pas *était*. Et j'*étais* avec.

Ma vie étant résolument tournée vers l'universel, je finissais même par oublier ma jambe. Jamais plus je n'entendis le bruit sourd d'un caillou jeté contre le cuir raide de ma bottine, en signe de mépris inutile. Ces piques lancées par les gens qui n'ont que faire de leur vie et s'amoindrissent encore en cherchant à atteindre la vôtre, par des enfants en mal d'imagination et de jeux, à qui on a appris que la force de soi s'acquiert avec l'humiliation de l'autre… Alors que toute véritable force porte le masque de la vulnérabilité ; une aisance, presque un luxe.

J'étais entourée de gens qui avaient des aspirations supérieures, généreuses, et cela m'aidait aussi, je n'en doute pas. Ma jambe n'intéressait personne et c'était tant mieux.

Nous avions foi et espoir. Nous croyions en nos forces pour changer ce qui devrait l'être sur cette terre et nous avions raison : nos forces nous dépassaient presque.

Et, surtout, notre élan était vital. Nous étions purs, pas encore contaminés.

ZÓCALO, ÉCOLE, "CACHUCHAS"

Vis, et qu'à ton âge
le soleil qui l'assiste
ne le comptabilise pas
mais l'illumine, seulement.

SOR JUANA INÉS DE LA CRUZ

L'école se trouvait dans le quartier du Zócalo.
Au cœur de la ville.

Centre, aussi, de ce qu'avait été l'ancienne cité
aztèque de Tenochtitlán, dont les langues de terre
empiétaient sur les eaux lacustres et supportaient
nombre de pyramides et de temples, le nom de
Zócalo fut donné à la Plaza Mayor (grand-place)
hispanique lorsque, en 1843, on voulut y élever un
monument à l'Indépendance.

On commença par ériger, au milieu de la place, le
socle *(zócalo)* destiné à supporter ledit monument.
Le socle brillait, imposant, de tous les éclats de la
grandeur à laquelle il allait être associé… Le socle
devint une structure de jeux pour les enfants, une
estrade propice aux badauds, un "reposoir" occa-
sionnel pour les marcheurs. Le socle commença à

trouver le temps long, à en avoir assez de n'être toujours que socle sans honneurs. L'attente entreprit son travail d'usure. Le socle se ternit. Il attendit longtemps la suite… D'une certaine façon, il finit par se confondre avec ce qui l'entourait. L'humour mexicain n'en fit qu'une bouchée en dénommant désormais la place, puis tout le quartier, Zócalo. Nomination étendue d'ailleurs sans tarder à chaque place centrale, ou simplement au centre, de toutes les villes mexicaines, fussent-elles importantes ou modestes.

Autour de la place du Zócalo, la cathédrale, l'ancien Palais du gouvernement où avaient vécu en leur temps quelques vice-rois, des immeubles sinon cossus du moins trapus, le mont-de-piété, puis les rues environnantes commerçantes, animées et bruyantes.

Des architectures, une circulation, un brouhaha auxquels Frida n'avait pas été accoutumée. Loin du "village" de Coyoacán. Frida apprenait à voir une société, à s'y mouvoir.

Le parvis de la cathédrale, à lui seul, ramassait une foule hétéroclite : des hommes d'affaires en costumes sombres, un air de dignité trop souvent forcé, une préoccupation constante de l'heure, des employés de tout bord profitant de quelques minutes de désinvolture, des étudiants affichant leur savoir au nombre de livres qu'ils transportaient, des écoliers à la mine lasse ou ravie ; les cireurs de chaussures et les marchands de journaux, vrais petits hommes aux pieds nus et au visage sale, hauts comme trois pommes, alertes au possible ; les mendiants qui n'avaient plus la force de se mettre debout, qui levaient la tête vers le passant en mettant leur main devant leurs yeux pour les protéger du soleil, quémandant "une piécette, s'il vous plaît, au nom de Notre-Dame de Guadalupe" ; des femmes indiennes agenouillées devant trois ou quatre citrons, un poivron ou une tomate, une poignée de graines de tournesol, une bobine de fil, une image pieuse posés sur un bout de tissu chiffonné, berçant, collé à leur sein, un bébé enveloppé dans une étole en même temps qu'elles hélaient le client pour lui vanter leur marchandise ; des camelots vendant toutes sortes d'onguents et de pansements, des fers à friser, des peignes incassables…

Çà et là, des échoppes improvisées proposaient aux passants des galettes de maïs vendues à la dizaine, encore chaudes au fond des paniers, enveloppées dans un torchon. Ou, plus complets, des *tacos*[1]. L'odeur forte de l'huile bouillante réutilisée, dans laquelle avaient été trempés les petits morceaux de viande de porc ou de poulet, parfois de bœuf, et les lamelles d'oignons, s'élevait, mêlée aux spirales de fumée.

Les braseros étaient des points de ralliement précieux pour quiconque fréquentait le quartier. Tout comme les marchands de glace ambulants, en fait toujours postés chacun à leur place attitrée. Et les orgues de Barbarie.

1. Galettes de maïs farcies.

Non loin du Zócalo, le grand marché de Mexico, la Merced, lieu privilégié de toutes les ventes, de tous les trafics, de tous les trocs ; quartier général d'une multitude de petits voleurs qui se glissaient avec délectation dans la foule, compacte, et les mouvements qu'elle imprimait dans les allées. La Merced des petit-bonheur-la-chance, de quelque menu danger, au gré de l'œil avisé, du plus-prenant, de la minute d'inattention, du porte-monnaie, de mains agiles.

Frida découvrait un monde jusqu'alors pratiquement insoupçonné. Dont ce qu'elle préférerait serait les *mariachis* [1] de l'Alameda, ces musiciens de charme dans leurs costumes festonnés, galonnés, le sourcil taquineur, enjôleur, suggestif, et la voix abusant du trémolo sous les moustaches épaisses, noires jusqu'à en être irisées. Et leurs guitares, ah, leurs guitares ! de toutes les tailles vraiment, leur caisse de résonance souvent inversement proportionnelle à la bedaine de celui qui jouait de l'instrument.

Il va sans dire que lorsque Frida arriva à l'Ecole préparatoire nationale, rien que par son habillement, elle contrastait avec les autres élèves, vêtues déjà comme de petites bonnes femmes pomponnées. Aussitôt, Frida les trouva ridicules et ne se départit plus de ce jugement.

1. Musiciens traditionnels mexicains.

Très vite, elle comprit comment s'établissait le réseau des relations entre les élèves. L'école était divisée en groupes, aussi nombreux que leurs aspirations étaient différentes, voire divergentes.

Certains groupes s'investissaient exclusivement dans les activités sportives, un bon matériel étant mis à leur disposition dans l'école pour les satisfaire. D'autres se concentraient sur les questions religieuses. D'autres rejetaient sans merci les précédents. D'autres formaient un groupe de travail journalistique et imprimaient leur petit journal. D'autres tournaient leur réflexion exclusivement vers la philosophie. D'autres débattaient sur l'art et leurs poches étaient pleines de croquis, crayons, gommes, pinceaux, feuillets manuscrits pliés en quatre, tachés d'encre. Certains préconisaient un activisme politique social et s'organisaient pour.

Frida hésita un temps entre les "Contemporáneos" et les "Maistros", deux groupes littéraires qui donneraient, plus tard, quelques noms célèbres. Mais, finalement, elle devint membre à part entière et sans regrets des "Cachuchas" – du nom de leurs casquettes, signe de reconnaissance –, un groupe plus hétéroclite, à la fois plus créatif et plus ouvert, plus original, provocateur, insolent, hardi, semeur de troubles… anarchiste dans l'âme.

Ils étaient neuf, dont deux filles. Alejandro Gómez Arias, José Gómez Robleda, Manuel González Ramírez, Carmen Jaime, Frida Kahlo, Agustín Lira, Miguel N. Lira, Jesús Ríos y Valles, Alfonso Villa. La plupart d'entre eux tiendraient à l'âge adulte le haut du pavé intellectuel et universitaire mexicain. En attendant, la gloire était acquise à force de calembours et de bêtises les unes plus grosses que les autres. Frida y excellait. L'espièglerie naturelle (sa "méchanceté", selon sa mère) qu'elle traînait depuis son enfance comme une chose indue trouva là son terrain d'accueil. Elle apprit avec bonheur que, dans l'amitié, il existait la complicité.

Si les bêtises allaient bon train et si "monter des coups" était de loin l'activité préférée du groupe, s'il ne pouvait concevoir de s'enfermer dans des dogmes, d'où une mise à l'écart d'un certain militantisme politique jugé "étroit d'esprit", il n'en demeurait pas moins qu'il ne désirait nullement être perçu comme apolitique. Les "Cachuchas" se revendiquaient d'un socialisme qui voulait faire ses preuves en passant par le fameux retour aux sources. Et ils se cultivaient, en lisant de tout, sans distinction : philosophie, littérature et poésie étrangères ou hispano-américaines, journaux, manifestes contemporains.

Les uns racontaient aux autres ce qu'ils avaient lu et chaque histoire rivalisait avec la précédente ou celle qui allait suivre avec force détails, amplifications, mimiques, profondeur, dérision. Et les discussions éclataient pour savoir lequel d'entre eux en une semaine avait lu plus vite et davantage que les autres, si Bartolomé de Las Casas avait été un progressiste ou un humaniste, peut-être les deux, un anthropologue avant la lettre, ou simplement un homme qui avait saisi avec justesse, en analysant la "destruction des Indes", le message du christianisme… Les "Cachuchas" poussaient des cris d'indignation, approuvaient du chapeau, se chamaillaient pour ne pas tous parler en même temps (sans succès), se donnaient quelques coups de pied ou coups de poing en riant lorsque l'excitation était à son comble. Ils parlaient de Hegel ou de Engels comme s'ils les avaient connus au berceau, de Dumas, Hugo ou Dostoïevski comme s'ils avaient été de vieux copains, se posaient mille et une questions (et apportaient quelques réponses, évidemment) sur tous les pays qui forment la surface de la terre, qu'ils connaîtraient peut-être un jour, ou peut-être pas. Ils inventaient, aussi, brodaient, subodoraient.

Frida apprit aussi à jouer tout à pile ou face, et à gagner (sans ruse, mais nous ne pouvons en avoir la preuve). Et, par la même occasion, tout ouïe lors de promenades dans le Zócalo et les rares parcs ou placettes alentour, elle s'imprégna avec délices du langage argotique qu'il lui arrivait d'entendre. En outre, parce que des mots, il n'y en a jamais assez ou d'assez justes pour exprimer ce qu'on a à dire, elle inventa un vocabulaire à usage "fridesque".

UN PEINTRE

El Tiempo, mardi 22 novembre 1910

L'EXPOSITION DE TABLEAUX DE DIEGO RIVERA

"Dimanche dernier, à l'Académie de San Carlos, a été inaugurée l'exposition de tableaux du peintre mexicain Diego Rivera, lequel, boursier de notre gouvernement, a vécu plusieurs années dans les principaux centres d'art d'Europe, se consacrant entièrement à l'étude. (…) Diego Rivera n'est plus un espoir ; c'est un artiste déjà formé et possédant son inspiration propre.

Les tableaux méritent d'être vus et aucun amateur d'art ne devrait manquer de faire une visite à l'Académie des beaux-arts. (…)"

En 1922, Diego Rivera était un peintre célèbre dans son pays – où, depuis longtemps déjà, il s'était imposé – et mondialement connu. Il fut désigné par le ministre de la Culture pour peindre un mural dans l'amphithéâtre Bolivar de l'Ecole préparatoire nationale.

De sa renommée, les "Cachuchas" n'avaient que faire. Ils rêvaient de brûler les chutes de bois ayant servi à édifier l'échafaudage pour que tout, y compris fresque et peintre, flambât. Ou bien ils faisaient des plans pour faire tomber l'artiste de la construction, pots de peinture par-dessus tête.

La plus efficace fut encore Frida, aux premières lignes de toutes les bêtises, qui, un matin, vola subrepticement à Diego Rivera le panier contenant son déjeuner...

Le peintre se liait facilement d'amitié. Il était exubérant et bon parleur. N'importe qui pouvait aller le voir pendant qu'il exécutait son travail : il bavardait avec plaisir, commentait, lançait des boutades, racontait des histoires passionnantes sur les premiers Mexicains, sur les frasques des conquistadores, sur l'Europe où il avait longtemps résidé : la France et sa sale guerre, Paris et le gris de son ciel, à croire que votre cœur lui-même du carmin allait virer au gris par mimétisme, Montparnasse et ses cafés à génies (étrangers, pour la plupart), tous fous et brillants (d'où l'appellation "Ville lumière" pour Paris, cela va de soi), le Louvre, une des merveilles du monde, l'Espagne de *sol y sombra* [1], la peinture italienne, beauté absolue. Il était intarissable sur les femmes, toutes irrésistibles autant qu'intrigantes... et sur lui-même, une histoire à épisodes, fabuleuse.

Son allure à elle seule était tout un poème. Un homme immense et très gros, les yeux globuleux,

1. Soleil et ombre.

une grande bouche à l'éclat de rire sonore et communicatif. Ses habits étaient toujours chiffonnés comme s'il n'en changeait pas, ni le jour ni la nuit ; un chapeau très haut et à large bord, dont il ne se séparait jamais, ajoutait à sa taille.

> Je te revois avec ta taille monumentale, ton ventre te devançant toujours, tes chaussures sales, ton vieux chapeau gondolé, ton pantalon froissé et je pense que personne ne pourrait porter avec une telle noblesse des affaires aussi amochées.

> ELENA PONIATOWSKA

Que faisait-il de son argent ? Il le dilapidait allègrement et sans regrets avec ses amis. Un faux clochard sous le soleil mexicain.

Frida, non contente de lui avoir subtilisé son repas, combina une bêtise majeure. Sans être vue, elle savonna consciencieusement une partie du sol et les marches d'un escalier. Diego Rivera ne pourrait manquer de s'étaler sur une telle patinoire.

La jeune fille se cacha derrière un pilier, à l'heure où Rivera arrivait, pour assister au résultat de sa diablerie. Mais le peintre était vraiment lourd et son pas, par conséquent, particulièrement lent et posé. Il passa à travers l'embûche un sourire aux lèvres, sans même sourciller : il ne s'aperçut de rien. Il se mit au travail comme à son habitude, après avoir ôté son chapeau et posé sa veste sur des pots de peinture fermés, et être monté précautionneusement sur l'échafaudage. Deux ou trois badauds vinrent s'asseoir sans tarder, non loin, pour le regarder faire. Frida l'injuria en silence et repartit, en colère.

Le lendemain, un professeur, moins gros, glissa sur les marches savonnées.

Un soir, après ses cours, Frida fut prise, elle aussi, par la curiosité de regarder le peintre à l'œuvre.

L'amphithéâtre était silencieux et vide, excepté la présence de Diego Rivera perché et d'une femme lui tenant compagnie. Frida demanda au peintre si elle pouvait rester un moment. Ayant obtenu son consentement, elle s'assit dans un coin, sans autre façon.

Le visage appuyé sur une main, très sérieuse, elle observait les traits évoluer sur le mur, les couleurs être intégrées au mouvement d'ensemble. Elle en oublia la pendule. Une heure était passée lorsque la femme qui se trouvait là, qui n'était autre que l'épouse de Diego Rivera, Lupe Marin, en ayant assez de cette intruse, s'approcha de la jeune fille, l'invitant à partir. Comme Frida ne bougeait pas, ne daignant ni répondre ni même regarder son interlocutrice, Lupe Marin en fut piquée au vif. "Voyez-moi ça, pensa-t-elle, elle ne fait aucun cas de ce qu'on lui dit. Quelle insolence, à son âge !" Frida suivait attentivement le pinceau de Diego Rivera. Lupe Marin s'excitait. Le peintre ne s'intéressait qu'à ce qui se déroulait devant ses yeux. Lupe Marin continua d'insister. Frida resta obstinément immobile et silencieuse.

Lorsque, enfin, elle se décida à quitter les lieux, elle se leva sans faire de bruit, lissa sa jupe, étira les bras et ramassa son cartable posé à ses pieds, contenant les derniers vestiges de son enfance et quelques traces de son adolescence : poupée en chiffon, breloques, grigris, osselets, feuilles séchées, petits dessins cornés, pastels effrités, carnets, livres, bribes de poèmes. Cartable d'écolière, poche à secrets, lourd au bras, Frida ne quittait jamais son sac.

> La fille resta environ trois heures. Quand elle partit, elle dit seulement : "Bonne nuit."
>
> DIEGO RIVERA

Dans les rues de Coyoacán qui semblaient se calciner sous le soleil, Frida et ses amies cherchaient un marchand de glaces.

— Vous entendez sa clochette ? Il n'est pas loin.

— Le voici !

Elles approchèrent de la petite voiture blanche à deux roues. Dessus se détachaient en couleurs les inscriptions : "ananas", "pêche", "mangue", "citron vert", "banane", "noix de coco"…

Elles choisirent et payèrent, et tout en mangeant leurs glaces, elles se remirent en route, nonchalantes, au hasard d'une promenade.

Tout d'un coup, Frida dit :

— Moi, j'aurai un enfant de Diego Rivera. (Elle le dit d'un air détaché, qui ne voulait pas porter à conséquence, tout à la dégustation de son sorbet,

sans même regarder ses amies. Les autres se tournèrent vers elle, éberluées.)

— Tu es folle, ma pauvre.

— Tu parles d'un prince charmant !

— Un génie, ça vaut mieux qu'un prince charmant… Et qui vous dit que ce n'est pas un prince
charmant *et* un génie ?

— C'est un géant, tu veux dire !

— Il n'y a pas beaucoup de différence entre un
géant et un prince charmant. Ça dépend du sens
qu'on veut donner aux mots.

— Diego Rivera ? C'est un excentrique. En plus,
on dit qu'il aime les femmes.

— Tant mieux, répliqua Frida.

— Ne fais pas l'idiote : il aime *trop* les femmes.
Il en a en veux-tu, en voilà.

— Et puis tu as toujours dit que tu voulais être
médecin, docteur Kahlo. Les artistes n'aiment
que les artistes… Je crains que tu ne fasses pas
l'affaire.

— Oh ! ça ne veut rien dire. Pour le bébé, il suffit
que j'arrive à le convaincre de coopérer. Pour le
reste… L'amour ? Ces choses-là ça va et ça vient,
tout le monde le sait… Aujourd'hui, il ne fait pas
attention à moi. Mais un jour, vous verrez…

— Au fond, si tu disais vrai, ça serait à peine
étonnant. Toi, tu es capable de tout, c'est bien connu.
Il n'y a pas de raison que tu changes…

Les filles s'esclaffèrent. Frida finit de manger sa
glace, imperturbable, se tenant droite comme un
piquet.

Ce n'est probablement pas pour Diego Rivera, ni pour quelqu'un d'autre d'ailleurs, que Frida écrivit le poème qui parut, quelques mois plus tard, dans *El Universal ilustrado*, en date du 30 novembre 1922. Sans doute l'écrivit-elle comme un rêve, pour "l'amour de l'amour", un pressentiment d'adolescente :

J'avais souri. Rien de plus. Mais la clarté fut en moi, et au plus profond de mon silence.
Lui, il me suivait. Telle mon ombre, irréprochable et légère.
Dans la nuit, un chant sanglota...
Les Indiens semblaient s'allonger, sinueux, dans les ruelles du village.
Ils allaient au bal, enveloppés dans des sarapes [1], *après avoir bu du mezcal. Une harpe et une* jarana [2] *pour toute musique, et pour toute gaieté, les brunes souriantes.*
Au loin, derrière le Zócalo, le fleuve scintillait. Et il s'écoulait, comme les minutes de ma vie.
Lui, il me suivait.
Je finis par pleurer. Blottie dans un coin du portique de l'église, protégée par mon rebozo [3] de bolita [4], trempé de larmes.

Frida n'était pas ce qu'on appelle une excellente élève. Sa soif de lire, d'apprendre lui permettait d'être bonne dans toutes les matières sans avoir à

1. Sorte de poncho.
2. Petite guitare.
3. Etole.
4. Fil de coton.

trop étudier. Par-dessus tout, y compris à travers les livres, Frida s'intéressait aux gens en général, à ses amis en particulier.

Son préféré ? Alejandro Gómez Arias. Ce jeune homme, à peine plus âgé qu'elle, bourgeois, intelligent et cultivé, jouissait de surcroît d'une renommée d'orateur ; il était admiré et respecté. Il devint peu à peu le meilleur ami de Frida. Ils étaient souvent ensemble et étaient fiers d'une amitié qui étonnait leurs camarades, plus portés par leur âge à "s'aimer d'amour" qu'à "s'aimer d'amitié", selon les expressions consacrées.

Une insinuation sur autre chose que leur "pure" amitié, et Frida éclatait de colère, comme si on eût porté atteinte à ce qu'elle avait de plus profond.

Pourtant, à son corps défendant peut-être, l'amour survint... avec Alejandro.

Le premier amour arriva à pas de chat.

Je ne l'entendis ni ne le vis arriver. Il m'envahit peu à peu, habita en moi un moment avant de jeter sa flèche de Cupidon dans ma conscience. Avant que j'eusse le temps de m'apercevoir de sa présence. Avant de cerner cette dernière comme telle, de me l'avouer.

Il était mon meilleur ami.

Le glissement vers l'amour s'opéra à mon insu. Comme la superposition accidentelle de deux négatifs photographiques.

Je me mis à ne plus penser qu'à lui. Chaque fois que mon esprit se libérait de ses petites préoccupations quotidiennes.

Il était, avant tout, extrêmement beau. Je conviens que l'apparence ne soit pas ce qu'il y a de plus important chez un individu. Mais je ne peux nier que ce sont son image, son visage, ses expressions, ses gestes qui me venaient en premier. Et encore aujourd'hui, lorsque je pense à lui. Personne ne me contredira : l'image précède la pensée.

Au Moyen Age, il était admis sans discussion par quiconque qu'"un feu émanait des yeux, se communiquait par le regard et descendait jusqu'au cœur". J'ai lu ça quelque part. Et je le crois. Ses yeux à lui étaient noirs, très beaux.

Son être respirait un certain romantisme, beaucoup de sensibilité et de sensualité. Il parlait extraordinairement bien : il disait des choses passionnantes et savait les communiquer. Avec brio. Il avait tout un auditoire, à juste titre, qu'il savait aussi écorcher avec mordant à l'occasion.

Très raffiné, de surcroît, et élégant. Un peu hautain, certes, mais cela lui seyait si bien qu'on ne pouvait le lui reprocher, surtout pas moi. Un côté un peu espagnol, *caballero* [1].

Je ne pensais plus qu'à lui.

J'avais l'impression que mon cœur allait sortir de ma poitrine lorsque je le regardais, et plus encore lorsque ses beaux yeux se posaient sur moi. J'essayais de déchiffrer un code amoureux dans la plus petite étincelle de ses iris, dans le moindre battement de ses cils.

Ce que je viens de dire n'est pas tout à fait exact. Le rythme cardiaque s'accélérait même lorsqu'il n'était pas là : aussitôt que son image remplissait ma tête, que l'envie de le voir, comme des vagues, se mouvait dans mon corps, lorsque je lui écrivais une lettre ou attendais un mot de lui, lorsque je lisais un livre qu'il m'avait recommandé ou regardais la reproduction d'un tableau dont il m'avait parlé, lorsque j'essayais d'approfondir la réflexion sur

1. Cavalier. On dirait, aujourd'hui, un "gentleman".

les thèmes qu'il avait développés une heure auparavant, lorsque quelqu'un simplement le nommait.

Je crois que c'est à la découverte des battements
du cœur, ces pulsations si fortes, charnellement
réelles, que je reconnus l'amour.

Tout d'abord, je m'en défendis. Je me sentais
bête puisque je n'existais plus par moi-même. A la
fois accompagnée et démunie. Une invraisemblance
pour mon orgueil. Je le chassais de mon esprit par
mille moyens, je parcourais des labyrinthes intérieurs fourmillant d'entraves, de sorts et de prières
pour le semer. Je redevenais enfant ou me projetais
dans ma vie d'adulte d'un air détaché. Il s'agissait,
ni plus ni moins, d'échapper au moment présent.
Sans succès. Il n'avait de cesse d'être en moi, fondu
à toute ma personne, à tous mes actes, à tous mes
mots. Ce que j'étais dans mon entité semblait n'exister plus que pour lui, n'être adressé qu'à lui ; quels
que fussent mes buts apparents, ils se détournaient
de moi. Je me dépersonnifiais, d'un autre côté j'étais
investie d'une force surnaturelle à chaque pas. Une
véritable obsession, un plaisir agaçant, comblant.
Une mue de printemps, peut-être bien, aussi. Voilà
comment c'était.

QUINZE, SEIZE, DIX-SEPT ANS...

> *Mais qu'importe l'éternité de la dam-*
> *nation à qui a trouvé dans une seconde*
> *l'infini de la jouissance.*
>
> CHARLES BAUDELAIRE

L'été, les choses n'ont pas la même odeur.

A Mexico, la chaleur, sèche le jour, soulève une odeur de poussière mêlée au goudron réchauffé. Les marchands ambulants de nourriture dégagent des bouffées de fritures épicées et de fruits mûrissant au soleil. Le soir, à cinq heures, il pleut et, sous l'eau, tout semble rentrer dans l'ordre, y compris bruits, odeurs, sens éveillés depuis le printemps.

Durant l'été 1922, Frida avait eu quinze ans. Un âge, en Amérique latine, considéré comme capital pour les femmes. Les "fêtes des quinze ans" sont répandues, qui consacrent, tel un baptême, l'entrée en religion et en vie, l'"entrée en femme".

Pour Frida, avoir quinze ans fut marqué par la découverte de l'amour. Parallèlement aux premiers émois, et aux premières lettres qui en découlèrent, elle perdit peu à peu son air de garçon manqué.

Dès cette première expérience, Frida témoigne d'une exigence amoureuse dont elle ne se départira plus : loin d'elle les demi-mesures. Elle ne ressemblait en rien aux demoiselles rougissantes qui ne savent comment avouer leur amour alors qu'il transparaît dans chacun de leurs gestes. Aussitôt le phénomène identifié, Frida ne s'encombra d'aucune supercherie pour exprimer ce qu'elle sentait et ce qu'elle attendait.

Elle avait jeté son dévolu sur Alejandro Gómez Arias, le plus brillant des "Cachuchas", et rien de ce qui pouvait se poser en obstacle ne l'arrêtait dans l'échange amoureux auquel elle tendait.

C'est à cette époque-là qu'elle commença de tricher avec sa date de naissance. Alejandro étant approximativement du même âge qu'elle, mais plus avancé dans ses études, elle éprouva la nécessité de se rajeunir. Précaution intellectuelle, atout supplémentaire ? Elle décida, par la même occasion, d'orthographier son prénom Frieda, et non plus Frida, affirmation adolescente d'une spécificité, d'une identité. Conséquence de ses amours, aussi, le jeu des mille et un petits mensonges et tricheries à l'égard de sa famille pour vivre avec le minimum d'entraves la relation avec Alejandro. Non que les parents Kahlo fussent foncièrement intolérants, mais la cachotterie permettait une protection préventive, sait-on jamais, contre d'éventuelles foudres familiales. Et cela donnait la sensation de vivre plus fort.

Ses rencontres avec Alejandro étaient donc tenues secrètes ; elle attendait, pareillement, l'ombre de la nuit, ou choisissait l'anonymat d'un lieu public pour écrire ses lettres – toujours agrémentées ou illustrées de dessins, empreintes de baisers, signes de reconnaissance, accompagnées parfois de photos – et lire ou relire les réponses. Il lui arrivait aussi d'utiliser Cristina comme messager, mais celle-ci n'était pas toujours fiable – c'est en tout cas ce que prétendait Frida. Manque de confiance passager en sa sœur, plutôt, que son état amoureux amplifiait.

L'épistolaire allait bon train, et, du reste, sa vie durant, Frida y aurait abondamment recours pour communiquer avec les siens et ses amis.

Les lettres à Alejandro portent trace de cet amour absolu auquel elle aspire :

(…) Bien, Alex, écris-moi souvent et longuement, plus long c'est et mieux c'est, et, en attendant, reçois tout l'amour de

Frieda.

(…) Dis-moi si tu ne m'aimes plus, Alex, moi je t'aime même si tu ne m'aimes pas plus qu'une puce. (…)

(…) Mais même si nous allons nous voir, je ne veux pas que tu cesses de m'écrire, et si tu ne le fais pas je ne t'écrirai plus, et si tu n'as rien à me dire envoie-moi 2 pages blanches ou répète-moi la même chose 50 fois cela me montrera au moins que tu penses à moi…

Bien, reçois beaucoup de baisers et tout mon amour.

Ta
Frieda.

(…) je te salue et t'envoie 1 000 000 000 000 de baisers (avec ta permission) (…)

Un jour, après avoir communié, Frida se plaignit de croire de moins en moins. De toute façon, avoua-t-elle, les péchés qu'elle aurait dû confier étaient tellement énormes…

Passent l'été, l'automne et l'hiver. Passent deux années. Les amours avec Alejandro se poursuivent.

1ᵉʳ janvier 1925

réponds-moi	réponds-moi	réponds-moi	réponds-moi	réponds-moi	réponds-moi
"	"	",	"	"	"
"	"	"	"	"	"
"	"	"	"	"	"
"	"	"	"	"	"

Et si Alejandro manifeste avoir eu ou avoir une liaison avec quelqu'un d'autre, Frida déclare aussitôt qu'elle aime cette autre personne, puisqu'elle aime si fort Alejandro qu'elle ne peut qu'aimer quiconque l'aimerait également… Elle lui demande simplement de ne pas l'oublier pour autant.

Frida a à présent des cheveux longs ramassés dans un chignon et elle porte des bas et des chaussures à hauts talons, preuves d'une féminité affichée. Elle a du caractère, est très drôle et expansive. Elle ne passe pas inaperçue.

Ses parents lui interdisent bien quelques sorties, mais l'incitent à gagner de l'argent en même temps qu'elle poursuit sa scolarité. Pleine de bonne volonté, elle répond à leur désir, d'autant qu'elle projette de partir pour les Etats-Unis avec Alejandro.

> Comme mes parents n'étaient pas riches, je dus travailler dans une menuiserie. Mon travail consistait à contrôler combien de poutres en sortaient chaque jour, combien y entraient, quelles étaient leur couleur et leur qualité. Je travaillais les après-midi, et les matins j'allais à l'école. On me payait soixante-cinq pesos par mois, desquels je ne touchais pas un centime.
>
> FRIDA KAHLO

Elle aidait quelquefois son père au studio photographique où il lui avait appris à tirer et à retoucher les photos. Mais elle manquait de patience pour ce type de travail, trop minutieux pour son caractère d'alors. Elle postula donc un poste d'employée à la bibliothèque du ministère de l'Education.

— C'est génial ! s'empressa-t-elle d'aller raconter à ses amis. Ça sent bon les livres, il y en a des murs entiers, je vais apprendre plein de choses... Et puis les gens qui viennent là ne sont pas des imbéciles, ce qui n'est pas pour me déplaire. Il faut que je perfectionne un peu mes connaissances de dactylographe et que j'apprenne à faire du charme. Ce ne doit pas être très difficile…

Si elle reprit sans tarder des cours de dactylographie qu'elle avait arrêtés quelque temps auparavant, la question du charme lui joua un mauvais tour. Une employée de la bibliothèque s'avisa de la séduire, et l'affaire fut assez importante pour parvenir aux oreilles de la famille, qui cria au scandale. Frida en fut très mortifiée et passa un mauvais moment ; surtout, l'emploi lui fila sous le nez. Elle se mit à la recherche d'un autre travail. L'amour pour Alejandro n'en fut pas entaché.

C'était de nouveau l'été.

— J'ai l'impression que la chaleur rend les choses plus denses mais que les pistes se brouillent, confiat-elle à Cristina.

— Ne bouge pas, je vais chercher un éventail. Tu ne veux pas boire quelque chose ?

— Non, ça va.

Cristina se leva, tandis que Frida continuait de se balancer sur son fauteuil à bascule. Elle repensait au visage d'Arthur Schopenhauer, qui trônait dans le studio de son père, au-dessus de son bureau.

"Ce sera toujours mon principal maître à penser, lui avait dit Guillermo. Schopenhauer «le grand», comme disait Nietzsche, à juste titre… On peut considérer que je suis profondément athée, mais certaines œuvres font pour moi presque office de Bible. Elles montrent des chemins, aident à vivre

105

et à appréhender la mort, orientent certains actes. Il faut toujours trouver des moyens d'approfondir sa pensée et celle des autres. C'est une clé pour comprendre le monde. On ne peut vivre sans essayer de comprendre, sans s'efforcer de trouver une réponse à certaines questions."

Guillermo était déjà rentré, il reprenait pour la troisième fois le même passage au piano. Non parce qu'il s'était trompé, mais par amour de la musique.

"Maître à penser... trouver une réponse..." Les mots lui revenaient entre accords et arpèges. Le visage d'Alejandro flottait lui aussi dans sa tête, et son sourire, une phrase d'Oscar Wilde, lu récemment, des bribes de son futur de médecin, Alejandro de nouveau, l'envie de le voir...

A chaque balancement du fauteuil, et entre deux grincements, les lignes d'un poème de Ramon Lopez Velarde qu'elle était en train de lire tremblaient, se chevauchaient devant ses yeux :

> *Ainsi traverses-tu le monde*
> *le pied léger, et dans une transparence*
> *d'extase ton profil se dessine,*
> *et tu dis : Je marche dans la clémence,*
> *je suis la virginité du paysage*
> *et l'ivresse claire de ta conscience.*

Cristina, sur le seuil de la porte qui donnait sur le patio, lançait à sa sœur :

— Mais enfin, Frida, rentre vite, tu as l'intention de prendre un bain naturel ?... Frida ! Tu ne sens donc pas la pluie ?

Frida réagit enfin, mais elle était déjà toute mouillée. Avec son jupon, elle essuya le livre.

L'averse tombait, violente et tiède. Le ciel, gris
plomb, semblait lui aussi vouloir tomber.

Je n'aime pas beaucoup, évidemment, me ressouvenir de l'accident. Peut-être parce qu'il a été tellement présent, depuis, que c'est comme si un peu de sa douleur s'écoulait dans chaque jour qui passe, jusqu'à l'infini. Ma vie ne cesse d'être le calque translucide qui fut posé sur son image crue.

Se ressouvenir… Certains mots perdent leur sens, oui. On éprouve le besoin de repenser à ce qu'on a failli oublier. Ce qui est en vous pour la vie ne procède plus de la mémoire, mais de l'évidence quotidienne. Le souvenir ne me vient pas à l'esprit comme on essaierait de retrouver, de s'accrocher à une image passée à préciser dans le temps. Mon corps est tous temps confondus.

Il n'en demeure pas moins vrai qu'il y eut un commencement. Le brise-lames qui fragmenta. Le cauchemar devançant le rêve, les liquidant tous. L'imagination ou l'inconscient sont peu à côté de ces ravages causés par la réalité. La réalité peut aller au-delà de tous nos rêves, de tous nos cauchemars. De toutes nos pacotilles, de nos grandeurs, même, qui nagent aveugles dans notre mental en cinémascope.

Et le monde alentour devient insignifiance. Et le monde au-dedans devient indicible. Un hurlement silencieux crevant le mur du corps à chaque instant. La vie, ce chef-d'œuvre, en péril permanent. Frida écartelée en tous sens entre vie et mort. Un supplice chinois sans préméditation ; Quetzalcoatl[1] réclamant son dû, une victime jamais tout à fait morte, toujours, encore, un peu vivante. Ecartelée, disais-je. Sacrifiée du XXe siècle avec les instruments de son époque. Et, comme pleureuses, les sirènes d'ambulance.

L'accident lui-même ? Des données, des coïncidences, peut-être des méprises, et un cortège de conséquences. Un constat, net comme un rapport de police, suivi d'un plongeon au bord de la déraison. (A tel "mode d'emploi", tel risque, aurait pu diagnostiquer la médecine pour faire sérieux. Mais c'est tout. Sa pratique : le sauvetage. A cor et à cri, même embourbé jusqu'à la moelle : le sauvetage, vindicatif.)

La tête ne pouvait plus, dès lors, répondre du corps. Le corps me submergea, chacune de ses fibres culmina au monstrueux, dépassant les frontières du fonctionnement qui lui était imparti.

Et la sensation, qui ne m'a pas quittée depuis, que mon corps ramasse les plaies, toutes les plaies.

1. Principale divinité aztèque.

ACCIDENT

*Tout se résume peut-être en un bout
d'étoffe rouge cloué sur un mur blanchi à la chaux : haillon de sang brûlant
contre la prison des os.*

MICHEL LEIRIS

Fin de l'été. Une chaude luminosité dans les rues,
une certaine douceur dans l'air, un souffle de brise.

L'après-midi du 17 septembre 1925, joyeuse
comme à l'accoutumée, heureuse aussi d'être en
compagnie d'Alejandro, Frida monta avec son
"fiancé" dans un de ces bus mis quelque temps plus
tôt en circulation dans la ville. Un bus avec des ban-
quettes en bois verni se faisant face sur toute sa lon-
gueur, un plancher, des portes et un tableau de bord
en bois eux aussi. Des images pieuses, des chape-
lets, un scapulaire, une petite couronne de gousses
d'ail encadrant le visage d'une Vierge, accrochés au
rétroviseur, protégeant les présents contre tout accident. Un bus bien rempli, à l'heure où, juste avant
que le soleil ne se couche, l'on rentre chez soi. Via
Coyoacán.

Assis l'un près de l'autre, Frida et Alejandro se taquinaient tendrement, profitant du dernier moment à passer ensemble avant de regagner chacun son foyer. Le petit train de Xochimilco arrivait lentement sur ses rails que le bus s'apprêtait à franchir. Le petit train n'allait pas vite, le bus avait peut-être le temps de passer.

Peut-être pas.

Le petit train n'allait pas vite, mais il ne put freiner. Comme un taureau, il était porté par son poids et son élan. Il heurta en son centre le bus et, toujours doucement, commença à le déporter. La tôle du bus se pliait peu à peu, sans toutefois céder. Les genoux des passagers d'une banquette touchèrent les genoux des passagers de l'autre. Par les fenêtres brisées, des cris jaillissaient de ce bus prenant, sans apparente difficulté, la forme d'un arc de cercle. Soudain, il vola en éclats et des passagers furent éjectés. Le petit train, quoique entravé, continuait d'avancer.

> Les bus de mon époque n'étaient pas du tout fiables ; ils commençaient à circuler et ils avaient beaucoup de succès ; les tramways étaient vides. Je montai dans le bus avec Alejandro Gómez Arias. (…) Peu après, le bus et un train de la ligne de Xochimilco se choquèrent. (…) Ce fut un choc étrange ; il ne fut pas violent, mais sourd, lent, et il malmena tout le monde. Et moi plus que les autres. (…) Nous avions pris un premier bus ; mais j'avais perdu une petite ombrelle ; nous redescendîmes pour la chercher, c'est pourquoi nous eûmes à prendre cet autre bus

qui me démolit. L'accident eut lieu à un carrefour, en face du marché San Juan, exactement en face. (…)

Il est faux de dire qu'on se rend compte du choc, faux de dire qu'on pleure. Je n'eus aucune larme. Le choc nous déporta vers l'avant et la main courante me traversa comme l'épée le taureau.

FRIDA KAHLO

Alejandro se retrouva sous le train. Il se releva comme il put et chercha Frida des yeux. Elle gisait sur ce qui restait de la plate-forme du bus. Nue, recouverte de sang et d'or. Image hallucinante qui fit à certains s'écrier : "La ballerine, regardez la ballerine !"

Comme le torero blessé recouvert de sang et de l'or de son costume de lumière en lambeaux, Frida essayait vainement de se relever : à la fois taureau transpercé par l'épée et torero pris par une corne.

Elle ne sentait rien, ne voyait rien ; elle pensait seulement à récupérer ses affaires projetées un peu plus loin. Un homme qui la regardait s'effondrer tandis qu'Alejandro accourait en boitant cria :

— Mais elle a quelque chose dans le dos !

— Oui, c'est affreux, je le sens…

— Pose-la là, vite… On va lui enlever ça… On peut pas la laisser comme ça… Vite… Doucement, petit, là… là…

Alejandro l'avait transportée dans ses bras jusqu'à une table de billard, sortie précipitamment d'un café. Vert, rouge, or. L'homme, sans perdre une minute son sang-froid, dans une opération sauvage

et rapide, arracha du corps de Frida l'énorme morceau de ferraille qui le traversait de part en part.

> Quand il le lui retira, Frida se mit à hurler si fort
> que lorsque l'ambulance de la Croix-Rouge arriva
> son cri réussit à couvrir la sirène.

ALEJANDRO GÓMEZ ARIAS

Alejandro était livide et il tremblait de tous ses
membres. En manches de chemise, seul au milieu
des cris, des débris, de la cohue, du va-et-vient des
brancards transportant les blessés, et peut-être des
morts, paralysé, dans ce second temps, par l'horreur du spectacle, il ne parvenait qu'à se dire :
"Elle va mourir… Elle va mourir…"

A l'hôpital de la Croix-Rouge, Frida fut immédiatement transportée en salle d'opération. Les
médecins hésitaient à agir ; ils ne se faisaient
aucune illusion : elle mourrait sans doute pendant
l'intervention. Son état était trop désespéré. Il fallait prévenir la famille sans tarder.

> Matilde apprit la nouvelle par les journaux et fut la
> première à arriver. Elle ne me quitta pas durant trois
> mois, jour et nuit à mes côtés. Le choc frappa ma
> mère de mutisme pendant un mois et elle ne vint pas
> me voir. En apprenant la nouvelle, ma sœur Adriana
> s'évanouit. Mon père éprouva un tel chagrin qu'il
> tomba malade et je ne pus le voir que vingt jours
> plus tard.

FRIDA KAHLO

Après avoir rendu visite à sa jeune sœur, Matilde demanda à parler aux médecins. On la pria de patienter dans une salle d'attente grise et bruyante, où chaque personne présente était en proie à l'inquiétude. Des bébés pleuraient, de vieilles femmes priaient, des hommes restaient assis, tête baissée, le chapeau posé sur leurs genoux. Une femme allaitait son enfant, d'autres causaient entre elles en décrivant leurs maux ou ceux de leurs proches, des infirmières allaient et venaient, grondant au passage quelque petit dissipé jouant par terre ou courant partout.

— Nous avons fait notre possible, mademoiselle, dit le médecin à Matilde tout en reprenant place derrière son bureau.

— Excusez-moi, docteur, je voudrais savoir ce qu'il faut penser de son état.

— Elle va pour le mieux de ce que son état lui permet. Nous ne pouvons faire plus.

— Que voulez-vous dire par "pour le mieux" ? Ma sœur va-t-elle s'en tirer ?

— Je ne peux me prononcer davantage, mademoiselle. Nous sommes dans l'expectative, comme vous.

— Veuillez excuser mon ignorance, docteur, mais je ne suis pas médecin et mes moyens pour juger de son état sont vraiment limités. Je vous demande d'être franc.

— Ecoutez, vu la quantité de blessures dont elle souffre, sa survie relèverait du miracle. Je suis pour ma part assez pessimiste. Nous faisons le nécessaire, mais je ne peux présager de rien.

— Ce sera votre dernier mot ?

— Ce sera mon dernier mot pour le moment.

Matilde sortit acheter quelques fruits avant de retourner au chevet de sa sœur. Puisque les autres membres de la famille se trouvaient dans l'incapacité de se rendre auprès de Frida, Matilde prit la décision de rester avec elle le temps qu'il faudrait ; elle ne manquait ni de patience, ni de bon sens, ni de vitalité. Sa présence auprès de Frida dans ces moments si difficiles allait être pour cette dernière un soutien précieux autant qu'un élément stimulateur. Réconfortante, chaleureuse, enjouée, Matilde allégea indiscutablement, durant les mois qui suivirent, les souffrances de sa cadette.

Frida, dont la presque totalité du corps était bandée, ne cessait de répéter :

— Matita, je vais mourir. Je crois que je vais mourir.

— Frida… Oui, c'est dur, mais tu vas t'en sortir. J'en suis convaincue. Dès qu'ils te retireront le pansement de la main gauche, nous regarderons de près les lignes. Pour sûr, celle de vie ne doit pas s'arrêter là !

Frida sourit et murmura :

— Mmmm… même sourire me fait mal.

— Il faut dire que tu es un peu esquintée, ma toute jolie.

— Et Alejandro ?

— Il est chez lui. Il ne peut marcher pour l'instant, mais il va s'en remettre.

— Il faudra penser à lui rendre sa veste… l'infirmière l'a rangée à mon arrivée… Tu sais, il m'a recouverte avec lorsque l'ambulance est arrivée…

— Chchchut ! Je sais, je sais tout ça.

— Mon visage doit bien être la seule chose de mon corps qui n'a pas été atteinte…

— Heureusement, je me demande comment tu ferais s'il te fallait tenir ta langue, dit Matilde dans un grand sourire, se penchant sur Frida pour l'embrasser.

— … et mon esprit : j'ai l'esprit sain, reprit Frida. Ça ne fait pas beaucoup, tu avoueras… *"Pata de palo !"* Toute de bois, oui, je vais finir… Et les autres fous qui criaient : "La ballerine !"… C'était vraiment déplacé…

— Un paquet de poudre d'or s'est répandu sur toi.

— Mmmm… Un paquet de malheur, oui, tu veux dire… Matita, je crois bien que je vais mourir… Je vais mourir ! Je vais mourir… Il ne faudra pas m'en vouloir… Je n'arriverai jamais à tenir le coup…

Et elle se mit à pleurer à chaudes larmes.

Matilde faisait des allers-retours entre l'hôpital, la maison parentale à laquelle elle apportait les nouvelles et où elle prenait des affaires, des livres pour Frida, et sa maison à elle où elle se changeait en quatrième vitesse, préparait une petite gamelle, un gâteau que Frida et elle mangeraient plus tard – la nourriture de l'hôpital étant immangeable autant qu'insuffisante.

C'est Matilde qui me remonta le moral : elle me racontait des histoires drôles. Elle était grosse et plutôt laide, mais elle avait un grand sens de l'humour qui faisait rire tous ceux qui se trouvaient dans la chambre. Elle tricotait et elle aidait l'infirmière à soigner les malades.

FRIDA KAHLO

Les "Cachuchas" venaient rendre visite à Frida et lui apportaient des petits cadeaux, des journaux, des dessins, des marques de leur affection. Les commères de Coyoacán, celles-là mêmes qui l'avaient décriée quelques années plus tôt, se mirent à défiler à son chevet, apportant des fleurs et toutes sortes de gâteries. Elles priaient pour elle à l'hôpital, chez elles et, bien sûr, à l'église où elles faisaient brûler des cierges et déposaient des ex-voto, des images représentant toutes les parties du corps atteintes.

Jamais de sa vie encore Frida n'avait été aussi chérie, aussi cajolée. Moralement, cela l'aidait. Physiquement, les semaines passaient qui n'apportaient guère d'amélioration. Elle se plaignait beaucoup, principalement du dos.

— Que veux-tu que je te dise, Frida, soupirait Matilde, les médecins soutiennent que tu n'as rien au dos. Ce sont les autres douleurs qui influent sur lui, m'ont-ils répété. Ils assurent que la colonne vertébrale n'a rien.

— Faut-il que je leur fasse un dessin ? Je sens bien, moi, *où* j'ai mal. J'ai mal au dos ! C'est à mourir ! Médecins, mon œil ! Ce sont de pauvres types, oui… Ils n'y connaissent rien. Rien de rien…

Le premier diagnostic sérieux intervint seulement un mois après l'accident, par la bouche d'un

nouveau médecin, au moment où elle quittait l'hôpital de la Croix-Rouge :

"Fracture de la troisième et de la quatrième vertèbre lombaire, trois fractures du bassin, onze
fractures au pied droit, luxation du coude gauche,
blessure profonde de l'abdomen, produite par une
barre de fer qui est entrée par la hanche gauche et
ressortie par le sexe, déchirant la lèvre gauche.
Péritonite aiguë. Cystite nécessitant une sonde
pendant de nombreux jours."

Il fut alors prescrit à la malade le port d'un corset de plâtre durant neuf mois, et le repos total au
lit durant au moins les deux mois suivant son séjour
à l'hôpital.

"Ils se croient permis de me répéter que je verse
des larmes de crocodile, sanglotait Frida. Croco-
diles, eux !… Caïmans… Bêtes insensibles, capa-
raçons ambulants, ignorants !"

S'ensuivit une période de cauchemars. Des bribes de phrases martelaient mon sommeil.

Reculez… La ballerine !… N'approchez pas… Attention à la fille… Vite, vite… Poussez-vous… Vite… La ballerine ! La ballerine !

Des images lancinantes derrière mes paupières, comme se mouvant dans des eaux marécageuses. Lourdes, poisseuses, me collant à la peau.

Moi, me relevant après le choc, telle une somnambule, et étant aussitôt aspirée vers le sol, me débattant, retombant, rebondissant, retombant… Tendant tous mes muscles pour me relever de nouveau, essayant de m'agripper à un blessé qui me repoussait… Retombant, rebondissant comme un jouet de caoutchouc, et, chaque fois que mon corps en boule touchait le sol, une douleur sourde n'épargnant aucune de mes cellules… Rebondissant, retombant, encore et encore.

Ma voix appelait Alejandro. Elle était répercutée par l'écho dans un paysage raviné. Et soudain, il apparaissait, se tenant debout, là, devant moi. Immobile, muet. "Alejandro !" J'amorçais un geste qui restait suspendu au vide : mon corps, même avec d'infinies précautions, ne parvenait pas à bouger, rivé par la douleur au lit métallique de la Croix-Rouge de San Jeronimo.

Dans mon rêve, mes membres se paralysaient et, essayant d'échapper à cet engourdissement et à ce froid, je heurtais un mur, y laissant l'empreinte de mon corps, rouge et or.

Cauchemars et cauchemars. Souvent, j'étais poursuivie. Je courais en boitant, je me sauvais loin… De quoi ? De la douleur, des piqûres de Sedol ou de cocaïne, d'une nausée qui n'avait pas de nom… Prise dans une tempête de larmes, à en vomir. Haut-le-cœur dans une planète blanche, chloroforme, barreaux blancs d'un lit d'hôpital, couloirs n'aboutissant qu'à l'accident…

Moi, me relevant, retombant, rebondissant, retombant, m'agrippant au vide… Glissant sur la plate-forme désagrégée du bus… Boule de nerfs, caoutchouc, roulant, roulant, toute douleur… Courant, échevelée, courant, pauvre boiteuse, courant éperdument. Courant pour échapper à l'épée qui allait me transpercer, à la blessure béante. Métal et chair. Courant pour essayer d'échapper à la mort, tout simplement.

La ballerine ! Ah oui, j'ai tourné en rond dans ces heures de sommeil glauque. Pas Nijinski tournoyant, "Oiseau de feu" s'envolant, pas Anna Pavlova un après-midi d'avril 1919 au Théâtre Granat, déployant son art en arabesques et fantaisies sublimes, disant adieu à Mexico comme une déesse, magnifique. Non, ballerine Frida Kahlo, pour vous servir, ayant échoué dans un vertige qui ne connaît pas l'apesanteur. Entre chloroforme et cocaïne, sang et sang, pleur et pleur. Danseuse ? la mort, autour de mon lit.

J'ai souvent dit, et même écrit : "Pourquoi voudrais-je des pieds pour marcher puisque j'ai des ailes pour voler !" Dérision absolue, sœur du désespoir. Je n'ai ni ailes ni pieds.

Ballerine ? Maintenant, je serais capable d'en rire. Un de ces rires noirs et stridents qui font taire mon entourage, ou le font sourire, gêné.

Mais je n'ai plus envie de parler de ces cauchemars. Assez.

L'IMAGE DANS LE MIROIR

Mardi 13 octobre 1925
Alex de ma vie, tu sais mieux que personne comme je me suis sentie triste dans cette cochonnerie d'hôpital, tu peux l'imaginer, de plus les copains ont dû te le dire. Ils me disent tous de ne pas être aussi désespérée ; mais ils ignorent ce que représentent pour moi trois mois au lit – c'est le temps que je dois y rester – alors que j'ai été toute ma vie une fille des rues de première classe. Mais que faire, la faucheuse ne m'a pas emportée. Qu'en penses-tu ? (…)

Friducha
JE T'ADORE.

5 novembre 1925
(…) … si tu ne viens pas, c'est parce que tu ne m'aimes plus du tout, hein ? En attendant, écris-moi et reçois tout l'amour de ta sœur qui t'adore.

Frieda.

5 décembre 1925
(...) La seule chose bien qui m'arrive, c'est que je commence à m'habituer à souffrir.

Le 17 octobre 1925, Frida fut transportée chez elle. Condamnée non seulement à rester au lit, mais à rester en position allongée, qu'elle le souhaitât ou non. Par moments, avec beaucoup de précautions, on parvenait à lui glisser quelques oreillers derrière le dos et elle se tenait aux trois quarts couchée. En tout état de cause, la position assise lui était interdite. Instinctivement, elle essayait de se redresser, mais la douleur avait aussitôt raison d'elle, qui éclatait en sanglots. On avait souvent dit qu'elle avait la larme facile ; l'expression valait ici par sa vérité.

A Alejandro, elle écrivait encore, à l'automne 1925 :

Tu n'as pas idée de combien j'ai mal, chaque élancement déclenche des larmes au litre. (...)

Les médecins continuaient à "donner des versions différentes" pour un même symptôme et les soins étaient primaires : bains, compresses, massages, et quelques piqûres pour soulager les douleurs par trop violentes. Entre des diagnostics approximatifs et une famille, à cette époque, nécessiteuse, les soins ne pouvaient espérer être plus sophistiqués. On s'accordait à dire que, tant bien que mal et progressivement, Frida "allait mieux".

Son transfert de l'hôpital de la Croix-Rouge à la maison eut pour conséquence que ses amis de l'Ecole préparatoire nationale ne vinrent presque plus la voir. Coyoacán se trouvait trop loin de l'école et, pour la majeure partie d'entre eux, trop loin de leurs foyers. Et puis, elle était dans un si piteux état…

Un jour, un "Cachucha" vint lui rendre une visite, mais la famille, jugeant que Frida était trop malade, ne le laissa pas entrer. La même mésaventure arriva un autre jour à Alejandro, rétabli, qui fut poliment éconduit avec cette excuse aberrante : "Frida ne se trouve pas ici." Cette fois-là, c'est de rage que Frida pleura.

Un des médecins avait dit aux parents : "Elle a besoin d'air et de soleil." Clouée au lit comme elle l'était, c'était une des choses les plus difficiles à lui apporter. De plus, durant cette période, la maison bleue, en partie à cause de Frida qui causait aux siens tant d'inquiétudes (Matilde mère vivait dans les affres de l'angoisse et manifestait une nervosité déraisonnable, Guillermo était plongé dans un silence dont il ne sortait pas, les sœurs Kahlo agissaient sous tension), était triste à mourir. Elle était, selon le mot de l'écrivain Henry James parlant de sa propre maison familiale, "aussi vivante que l'intérieur d'un tombeau".

Dans son lit, Frida essayait, au milieu de ses souffrances, de tirer ses idées au clair. De toute évidence, la première chose sur laquelle il lui faudrait tirer un trait était ses études de médecine, et sans doute ses études tout court. L'argent, englouti par les soins – fussent-ils modestes –, ne pouvait payer une nouvelle inscription à l'Ecole préparatoire nationale ni les frais de scolarité qu'elle aurait impliqués. Et puis, comment savoir ce qui, en elle, resterait valide au sortir de ces longs mois d'immobilité ? On avançait déjà l'hypothèse qu'elle ne pourrait plus étirer un de ses bras, le tendon s'étant rétracté. Quant à la jambe la plus atteinte, au bas-ventre, au dos, on ne pouvait présager de rien. Frida comptait ses heures d'incertitude, de tourments, ces mois où, et dans une certaine mesure elle en avait conscience, une part majeure de sa destinée était en train de se jouer. Par moments, l'imminence de sa disparition lui semblait encore plausible. Lorsque toute tentative pour se rassurer, pour rassurer les siens, pour s'intéresser aux nouvelles du dehors, pour lire un livre, faire ou recevoir une plaisanterie s'avérait vaine face à la douleur qui la submergeait sans merci. Lorsqu'elle sentait qu'Alejandro s'éloignait, sous prétexte, lui avait-on dit, qu'elle avait eu, quelques mois plus tôt, une liaison avec un dénommé Fernández… Comment, à distance, s'expliquer avec lui, comment détourner ou dédramatiser les bruits qui couraient sur elle, comment lui exprimer son amour, comment le retenir ?

Désespérément, elle continuait d'écrire à Alejandro son attachement, de l'assurer qu'il durerait en tout temps, contre vents et marées, qu'il le voulût ou non, qu'il la désirât ou la rejetât sans autre égard. Que, même, s'il le fallait, elle était prête à se changer, à refaçonner son caractère, pour qu'il l'aimât de nouveau.

Silence d'Alejandro, encore quelque temps. Tristesse de Frida.

Contre tout espoir, elle se rétablit. Ou peut-être est-il plus juste de dire : elle survécut. A la mi-décembre, Matilde fit paraître dans un journal les remerciements de la famille Kahlo à la Croix-Rouge qui avait sauvé leur fille.

"Grâce à Dieu, nous passerons un Noël heureux, disait Matilde à Cristina. Nous ne Le remercierons jamais assez de l'avoir sauvée. Toute une vie n'y suffirait pas." Et elle incita ses filles à prier, beaucoup et longtemps.

Le 18 du mois, très exactement, Frida fit sa première promenade. Le corps encore pansé, çà et là, faible malgré son côté athlétique, elle se posta à l'arrêt d'un bus qui allait au centre. Elle s'assit devant et, à chaque coup de frein qui secouait un peu tout le monde, son cœur s'accélérait et elle se sentait défaillir. Elle avait peur de s'évanouir mais elle s'efforçait de contrôler ce trop-plein d'émotion, parce qu'elle pensait que le pire venait d'être surmonté, que réapprendre la vie quotidienne ne devait être qu'une formalité.

Elle marcha un moment sur la place du Zócalo et dans les rues alentour. Elle marchait lentement, comme si elle craignait de tomber. Les jours auparavant, elle avait bien fait quelques pas dans la maison et le jardin, mais ce ne fut que là, au cœur de Mexico, qu'elle se mit à sentir chacun de ses membres avec précision. Elle sentait chaque muscle s'étirer, chaque articulation jouer, elle percevait chacun de ses gestes comme le résultat des rouages de la mécanique qu'était son corps. Son corps lui apparaissait comme une machinerie magique. Elle flottait tout en pensant que les miraculés ne devaient pas ressentir autre chose que cette légèreté, renaissance après l'apocalypse, être nouveau réchappé des flots meurtriers de la tempête.

Frida était heureuse. Elle humait les odeurs familières du Zócalo, regardait si les marchands ambulants n'avaient pas changé de place, de couleurs. Tout était inchangé, y compris la femme borgne qui demandait la charité devant le mont-de-piété, avec sa jupe en satin vert déchirée, un joueur d'orgue de Barbarie et son costume trois-pièces, qui tournait la manivelle de l'instrument en fermant les yeux et balançant sa tête ronde, la vendeuse de fruits déjà coupés en quartiers et saupoudrés de *chile*[1] qui appelait toujours Frida *"bonita*[2]*"* et lui signifiait le prix à payer avec ses doigts, jamais avec des mots.

Le ciel était gris, délavé, mais elle sentait, comme jamais elle ne l'avait fait avant ce jour, qu'il était bon de vivre. Sur le pas de la cathédrale, elle acheta un petit cœur en fer-blanc, à peine plus grand qu'une lentille. A l'intérieur, elle l'accrocha avec une épingle

1. Piment.
2. Jolie.

à une sorte de coussin plat en velours, posé près de la statue de la Vierge de Guadalupe, en faisant un vœu pour elle et pour Alejandro. Puis, elle alla allumer six cierges : pour elle, ses sœurs et ses parents. En ressortant, elle racheta un petit cœur.

"Je vais le lui envoyer avec une lettre, pensa-t-elle. Mais je vais d'abord pousser jusqu'à San Rafael voir s'il est chez lui... De toute façon, le Chef sait que je ne rentre pas déjeuner... Je déjeunerai avec Agustina Reyna..."

19 décembre 1925
Alex, hier je suis allée à Mexico seule, pour marcher un peu ; la première chose que j'ai faite, c'est d'aller chez toi (je ne sais pas si c'était une bonne ou une mauvaise idée) et j'y suis allée parce que je voulais vraiment te voir, je suis venue à dix heures et tu ne te trouvais pas là, j'ai attendu à la bibliothèque jusqu'à une heure et quart et je suis retournée chez toi dans l'après-midi aux alentours de quatre heures et tu n'étais toujours pas là, je ne sais pas où tu pouvais bien te trouver, ton oncle est-il encore malade ? (...)

Cet après-midi-là, son amie Agustina lui laissa entendre qu'elle, Frida, d'après les dires, ne valait pas un sou, et qu'il n'était pas recommandable de la fréquenter. A quoi elle répliqua qu'elle valait infiniment plus qu'un sou et que si ses anciens amis, pour des raisons aussi obscures qu'injustifiées, ne daignaient plus lui accorder leur confiance, eh bien elle trouverait des gens à sa hauteur.

Mais au fond, elle se sentait blessée, plus encore que par les bruits qui couraient sur elle, quand bien même Alejandro en fût probablement le principal instigateur, par le fait que celui-ci pût lui retirer complètement son amour.

Et les lettres succédaient aux lettres, où elle lui demandait de ne la quitter sous aucun prétexte, jamais, où elle le suppliait de croire à sa sincérité, où elle l'assurait d'une affection que le temps ne démentirait pas, où elle lui donnait tous les jours des rendez-vous auxquels il ne venait pas. Le 27 décembre, elle lui écrivit :

(…) Pour rien au monde je ne pourrais cesser de te parler. Je ne serai plus ta fiancée mais je te parlerai toujours même si tu ne me réponds pas (…). Parce que maintenant que tu me quittes, je t'aime plus que jamais (…)

Le nouvel an arriva qui ne fit pas revenir l'absent. Le printemps arriva à petits pas, sans qu'aucune brise ramenât Alejandro. Frida, toujours convalescente d'un accident que ses cauchemars nocturnes rendaient présent, subissait le contrecoup de la "maladie d'amour", le chagrin du même nom. Mais elle ne pouvait s'incliner. Elle défendait son amour, l'embellissait, s'y accrochait, le livrait dans des lettres-fleuves, espérait, n'abandonnait rien et offrait tout.

Malgré la peine, malgré son corps esquinté, elle n'était pas toute larmes, mais toute force. D'un côté, elle déployait des trésors d'énergie pour se remettre d'aplomb, de l'autre, des trésors de tendresse pour être aimée.

Guillermo ne cessait de se répéter en silence que, vraiment, sa fille possédait une vitalité hors du commun. Il l'avait dit à sa naissance en lui choisissant son prénom. Il l'avait soutenu plus tard lorsque l'enfant était jugée trop remuante par les siens, les enseignants ou même les voisins. Il l'observait et se sentait confiant : cette force et cette intelligence conjuguées la tireraient toujours d'affaire. Quand bien même il lui faudrait se rendre à l'évidence qu'il ne réussirait pas à trouver assez d'argent à la fois pour les soins et pour les études de Frida. La santé passerait impérativement avant le reste. Il ignorait de quelle façon elle s'en tirerait, mais il était convaincu qu'elle ferait de sa vie quelque chose dont il pourrait être fier. "Elle n'est pas comme les autres et c'est son atout. Elle saura en tirer avantage."

Un matin à l'aube, Frida se réveilla. Personne dans la maison n'avait encore ouvert l'œil. Frida ne parvenait pas à dormir, peut-être avait-elle fait un de ces mauvais rêves dont elle chassait de toutes ses forces le souvenir mais qui laissaient dans le corps une sensation de fatigue inhabituelle dès la première heure du jour.

Elle rabattit son drap et se leva sans faire de bruit. Sa chemise de nuit en coton toute froissée, pieds nus, elle passa près de Cristina qui dormait poings serrés, traversa la maison, ouvrit la porte donnant sur le patio et respira profondément l'air encore frais. Elle descendit ensuite les quelques marches et alla s'asseoir au pied du cèdre de son enfance.

La terre était humide, quelques oiseaux chantaient dans le silence du lever du jour, dans cette lumière en camaïeu. Frida s'adossa au tronc rugueux. Elle frissonna, se recroquevilla un peu plus sur elle-même. Elle avait envie de pleurer. *Lagrimilla* [1], l'appelait Alejandro. "J'ai peut-être la larme facile, pensait-elle, mais bon sang, elle est justifiée ! Si je n'avais même plus la force de pleurer, je serais morte, probablement. C'est comme ça, j'ai encore envie de pleurer. De joie, de tristesse, je n'en sais rien moi-même…"

Une angoisse l'envahissait lentement, incontournable. Frida dessinait, sur la terre sèche, des formes géométriques avec son index. Puis l'idée lui traversa l'esprit, comme une flèche : "L'enfant !" Elle ne pourrait sans doute pas avoir d'enfants. Une question que personne n'abordait jamais. Ou du moins, pas en sa présence. On lui parlait de sa jambe, de son dos, de son bras. De ses orteils. D'un problème urinaire. D'un avenir d'étudiante désormais compromis. La matrice

1. Petite larme.

déchirée ? Le bassin en morceaux ? Des choses pas assez importantes pour qu'on les nommât. Ou le contraire. On lui avait certes appris que l'accident lui avait fait perdre la virginité. Et on s'était empressé de la rassurer sur la gravité de l'événement.

Mais l'enfant ? Serait-il possible de le concevoir, de le porter ? Avec un bas-ventre déchiqueté comme il l'avait été ? Sujet tabou.

Frida broyait du noir. Non, elle n'aurait pas d'enfant. *Lagrimilla*, à juste titre. Puis, elle se ressaisit en pensant qu'après tout rien n'était encore prouvé, que les médecins ne savaient jamais ce qu'ils racontaient, qu'anticiper de la sorte ne servait de rien et que, de toute façon, dans l'éventualité la plus noire, eh bien elle adopterait des petits Indiens démunis. Elle irait les chercher au fin fond du Quintana Roo, dans un village perdu dans la jungle, ou bien dans la région d'Oaxaca, au bord du Pacifique, des enfants qui sentiraient le sel et le vent du large, natifs de Paraiso Escondido, par exemple – des angelots.

Rien n'étant joué, il lui fallait donc envisager le pire, précaution élémentaire pour éviter les mauvaises surprises. "Fais-toi à l'idée de ne jamais avoir d'enfant, va, ça vaudra mieux pour toi."

Le soleil doucement réchauffait ses membres que le contact de la terre avait refroidis. Elle se redressa et s'étira, retourna dans la maison. Dans le salon, elle trouva une carte en vélin crème et un stylo-plume appartenant à Guillermo. Elle s'installa

à la table de la cuisine et écrivit, d'une écriture calli-
graphiée, fleurie, raffinée :

LEONARDO
NÉ A LA CROIX-ROUGE EN L'AN DE GRÂCE
1925 AU MOIS DE SEPTEMBRE ET BAPTISÉ
DANS LA VILLE DE COYOACÁN L'ANNÉE SUIVANTE
AYANT POUR MÈRE
FRIDA KAHLO
POUR PARRAINS
ISABEL CAMPOS
ET ALEJANDRO GÓMEZ ARIAS

Elle mit la carte dans une enveloppe, sans trop
savoir pourquoi elle l'avait écrite ni si elle allait
l'expédier. Dans sa tête, les images se troublaient :
l'hôpital de la Croix-Rouge et l'accident, un accouchement fictif, le possible ou l'impossible bébé, la
robe de baptême que Matilde aurait cousue, les
embrassades après la cérémonie, les félicitations des
amis, leur curiosité à connaître le père de l'enfant.

"Secret, se disait Frida, secret."

Matilde trouva sa fille accoudée à la table de la
cuisine, perdue dans ses pensées.

— Qu'est-ce que tu fais là ? lui demanda-t-elle.

— Rien, je suis venue boire un verre d'eau.

Matilde la scruta, sceptique.

— Tu pourrais mettre ta robe de chambre.

— Mmmm… j'y vais… je vais m'habiller.

— Tu ne te sens pas mal, dis-moi ? Tu n'as pas
mal quelque part ?

— Pour ne rien te cacher, j'ai mal partout.

— Frida, arrête ! On ne joue pas avec ces choses-
là. As-tu mal à un endroit précis ?

— Précis ? Voyons… Le plus précis que je peux trouver… ce pourrait bien être le cœur. Le cœur a le spleen… Le corps peut-être aussi…

— Qu'est-ce que tu racontes ?

— C'est dans la poésie française.

— Je te parle de questions sérieuses, tu me parles de poésie !

— Je vais m'habiller… Je vais étudier un peu d'allemand… et lire les livres de Proust. Ça fait une éternité qu'Alejandro me les a prêtés.

Tout en s'habillant, Frida songeait qu'elle allait, en effet, entreprendre de lire Proust. Elle le dirait à Alejandro, elle ne lui parlerait plus d'amour, elle lui parlerait de ce qu'il aimait, la Renaissance italienne, tous ces Français, les auteurs russes…

Elle s'approcha de Cristina, s'agenouilla devant son lit, près de la tête endormie sur l'oreiller, et commença à lui chanter :

Una paloma cantando pasa
Upa mi negro que el sol abrasa
Una paloma cantando pasa
Upa mi negro que el sol abrasa [1]…

Cristina entrouvrit les yeux, les frotta en souriant, les referma. Frida poursuivit :

Ya nadie duerme ni hasta en su casa
Ni el cocodrilo ni la yaguasa

1. "Une colombe passe en chantant / Debout, mon Noir, le soleil brûle…"

Ni la culebra ni la torcaza
Coco cacao [1]...

Cristina finit pas s'asseoir sur son lit, tout à fait réveillée. Frida ouvrit les volets et se mit devant le miroir.

— Je crois que je n'arriverai jamais à faire correctement ce foutu nœud de cravate, dit-elle.

— A-t-on idée, aussi, de s'habiller comme un homme !

— Ça fait tellement romantique... Tu ne vas pas me dire que ce costume n'est pas magnifique... Regarde donc ce pantalon à revers, ce petit gilet... Attends, il manque la pochette à la veste... Je me coiffe d'un chignon divin et le tour est joué... Ecoute, Cristina, tu ne peux pas me dire que ce n'est pas beau ou...

— C'est sûr, ça te va très bien... Tu vas encore faire jaser. Et tu vas faire hurler maman.

— Ecoute, sa fille souffre assez pour mériter quelques compensations... Est-ce que tu crois que je peux envoyer à Alejandro la photo que papa a faite de nous, où je suis habillée comme ça, avec la canne ?

— Tu me poses de ces questions !

En même temps qu'elle faisait son chignon, tenant les épingles entre ses dents, Frida s'était approchée de la photo, posée sur la commode.

1. "Plus personne ne dort, même chez soi, / Ni le crocodile, ni le canard sauvage, / Ni la couleuvre, ni la colombe, / Coco cacao..."

— Moi, je l'aime beaucoup, cette photo. Adri la fille parfaite, Cristi la coquette avec ses accroche-cœurs et son regard charmeur, Frida la terrible, la cousine Carmen toujours un peu coincée, le petit Carlos qui se demande ce qu'il fout sur une photo où il y a autant de filles…

— Fais voir, demanda Cristina. Avant que tu ne tires seule la conclusion que tu es la plus belle.

Frida se mit à rire.

— Ça se pourrait bien, en effet, dit-elle. Mais en apparence seulement.

Quelques jours plus tard, Frida rechuta. C'était la fin de l'été. 1926. Un an presque jour pour jour après son accident, elle se trouvait de nouveau immobili-sée, au lit. On constata qu'elle avait trois vertèbres déplacées et des complications à la jambe droite. Il fut prescrit un corset de plâtre pour plusieurs mois et un appareil de prothèse à la jambe.

Les heures de pleurs et de gémissements recom-mencèrent et, les premières semaines, ce fut de nou-veau l'affolement général. Matilde était nerveuse, Guillermo se taisait, Frida se plaignait de son iso-lement, Cristina était trop sollicitée, Adriana et Matilde faisaient ce qu'elles pouvaient. Mais les exigences de la douleur dépassaient la meilleure des bonnes volontés.

Peu à peu, Frida se calma et, quoique alitée, elle reprit goût à la vie. Elle lisait, écrivait des lettres à ses amis, remplissait des pages de petits dessins représentant des scènes de sa vie, des désirs, des émotions qu'elle joignait souvent à sa correspondance. Elle plaisantait avec ses sœurs, maudissait les médecins qu'elle traitait de voleurs.

Ses moments de désespoir, vertigineux, étaient aussi forts que la seule chose qui pouvait les contrecarrer, des élans de vie indescriptibles qui laissaient son entourage pantois.

Frida lisait Proust, comme elle se l'était promis. Le dos corseté calé tant bien que mal par deux ou trois oreillers, elle se plongeait dans sa lecture, essayait de se concentrer sur le texte malgré toutes les incommodités qu'elle vivait :

> Et même si je n'avais pas le loisir de préparer les cent masques qu'il convient d'attacher à un même visage… ma liaison avec Albertine suffisait à me montrer qu'il fallait représenter non pas au-dehors mais au-dedans de nous-mêmes.
> Je le regardais, de ce regard qui n'est pas que le porte-parole des yeux, mais à la fenêtre duquel se penchent tous les sens, anxieux et pétrifiés, le regard qui voudrait toucher, capturer, emmener le corps qu'il regarde et l'âme avec lui.

Entre les phrases, les pages, les volumes, Frida réfléchissait, s'efforçait de comprendre, de rapprocher cette littérature de quelque chose qu'elle pouvait connaître. Avant tout, ces livres lui apparaissaient comme une photographie panoramique, précise, interminable. Elle l'écrirait à Alejandro. Ou elle lui dessinerait.

Un de ces longs dimanches où toute la famille se réunissait, Matilde entra dans la chambre de Frida, suivie de Guillermo, de son oncle, d'Adriana, d'une caisse à outils et de grands morceaux de bois. L'idée était venue à Matilde de transformer le lit banal de Frida en une couche beaucoup plus sophistiquée, royale : un lit à baldaquin. On déplaça la malade et tout le monde se mit à l'ouvrage avec entrain. Dans la journée, le nouveau lit fut prêt. Le clou de la construction ? Un miroir accroché au plafond du lit. "Ainsi, ma fille, au moins tu pourras te regarder", avait dit Matilde, satisfaite de son initiative.

Quand Frida vit son image dans le miroir, elle ferma les yeux, effrayée, à défaut de pouvoir se retourner dans le lit et esquiver le reflet. A quoi devait-elle se confronter ? A sa seule image, plate, à la mise en place de son chignon chaque matin, au désordre du lit où s'entassaient carnets, feuilles éparses, crayons, livres, lettres, une poupée en chiffon chérie ? Ou à son corps traqué par le corset, à son visage sérieux masquant la douleur, le rictus figé pour ne pas éclater en sanglots ? Etait-elle censée, face à son double, se sentir moins seule ?

Il lui semblait être soudain encore plus livrée à elle-même. Aucune échappatoire possible. Aussitôt qu'elle levait les yeux, Frida regardait Frida, observait son désarroi silencieux, s'abattait sur elle. Frida souriait, Frida-miroir souriait elle aussi, apaisée. Frida se haïssait d'être de la sorte handicapée, l'œil de Frida-miroir se durcissait sans complaisance. Frida se languissait d'Alejandro, Frida-miroir se désolait et pâlissait. Frida griffonnait quelques mots sur un papier, Frida-miroir lisait tout par-dessus son épaule. Miroir implacable, compagnon voyeur. Présente, inévitable. Une seule solution pour vivre avec : l'adopter d'une façon ou d'une autre, l'amadouer, en tirer le meilleur profit. Trouver le moyen de cohabiter ensemble, se creuser la cervelle, mais trouver.

Le miroir ! Bourreau de mes jours, de mes nuits. Image aussi traumatisante que mes traumatismes eux-mêmes. Sans cesse cette impression d'être montrée du doigt. "Frida, vois-toi." "Frida, regarde-toi donc." Plus d'ombre véritable où se cacher, plus de tanière où se retirer, livrée au chagrin, pour pleurer en silence sans marques sur la peau. Je réalisai que chaque larme creuse un sillon sur le visage, fût-il jeune et lisse. Chaque larme est une fragmentation de la vie.

Je scrutais mon visage, mon moindre geste, la pliure du drap, son relief, les perspectives des objets épars qui m'entouraient. Des heures durant, je me sentais observée. Je me voyais. Frida dedans, Frida dehors, Frida partout, Frida à l'infini.

Ce n'avait pas été une mauvaise plaisanterie de ma mère. Tout le contraire : à son sens, une idée ingénieuse, utilitaire. Je ne me sentais pas le courage de la lui reprocher. Il me fallait vivre avec en avalant ma salive de travers pour étouffer mon déplaisir, violent.

Depuis longtemps, j'avais pris l'habitude de représenter dans mes lettres des scènes de ma vie courante, mes souhaits. Mes amis disaient toujours, déjà à l'école : "Encore en train de gribouiller !" Dessiner, non, pas vraiment, c'étaient en effet des gribouillages.

Mais soudain, là, sous ce miroir oppressant, l'envie devint impérieuse de *dessiner*. Le temps m'était offert, non plus seulement pour tracer des traits, mais pour leur inculquer un sens, une forme, un contenu. Comprendre d'eux quelque chose, les concevoir, les forger, les tordre, les délier, les rattacher, les remplir. A la façon classique, pour apprendre je me servis d'un modèle : moi. Ce n'était pas facile, on a beau être son sujet le plus évident, on est aussi à soi-même le plus difficile. On croit connaître chaque fraction de son visage, chaque trait, chaque expression, or tout se déjoue sans cesse. On est soi *et* un autre, on croit se savoir jusqu'au bout des doigts, et soudain on sent sa propre enveloppe s'échapper, devenir complètement étrangère à ce qui emplit au-dedans. Au moment où l'on sent qu'on n'en peut plus de se voir, on s'aperçoit que l'image, en face, ce n'est pas vous.

On m'a beaucoup questionnée sur cette persistance à l'autoportrait. D'abord, je n'eus pas le choix, et je crois que c'est la raison essentielle de cette permanence du moi-sujet dans mon œuvre. Qu'on se mette cinq minutes à ma place. Au-dessus de votre tête, votre image, et plus précisément votre visage, le corps étant généralement enfoui sous les draps. Votre visage, donc. Obsédant, harassant, presque. Ou l'obsession vous dévore, ou vous la prenez de front. Il faut être plus fort qu'elle, ne pas se laisser engloutir. Avoir de la force, du doigté.

De la manière la plus académique qui soit, je fis de moi mon propre modèle, mon sujet d'étude. Je m'appliquai.

Mon père me rapporta des tubes de peinture et je glissai peu à peu de l'esquisse à la couleur. La couleur me devint indispensable. C'était peut-être symbolique, dans cette ombre au milieu de laquelle ma vie, petite luciole haletante, essayait de se frayer encore un chemin. La couleur fut une réelle découverte, une joie absolue. Le monde s'éclairait. Mon temps prenait une autre dimension. On ne me contredira pas : l'art a besoin de temps. Pour réfléchir, pour œuvrer, pour approfondir. Je disposais – cadeau de l'accident ! – donc de ce facteur, sinon indispensable, du moins précieux : le loisir de travailler à ma guise, à mon rythme.

Jamais jusqu'à ce moment, je n'ai souvenir d'avoir pensé à peindre. Je voulais être médecin. La peinture, je m'y intéressais comme tous les "Cachuchas" : elle faisait partie d'un univers culturel que nous avions le souci d'assimiler. C'est vrai que j'avais éprouvé un réel plaisir à regarder Diego, par exemple, peindre le mural de l'Ecole préparatoire nationale. C'était fascinant, grandiose. Mais de là à peindre moi-même…

J'avais tout à apprendre de la technique. Je ne sais d'ailleurs pas si je l'ai, à ce jour, réellement acquise. Je me suis vraiment beaucoup appliquée, avec patience et minutie. Je n'ai rien copié ni personne. Tout est dans l'œil. Aigu, kaléidoscopique.

Je m'étais mis en tête, à cette époque, de lire Proust. Je fus très impressionnée par la manière dont il parlait de Zéphora, la fille de Jétro, représentée par Botticelli, qui se trouve dans la chapelle Sixtine. J'avais eu la curiosité de chercher une reproduction de la fresque dans un livre. Longuement, j'avais contemplé ce visage, légèrement incliné, d'une émouvante beauté. L'écrivain mettait en parallèle le visage peint avec celui de la femme aimée. Je comprenais, et comment, l'importance d'un visage. Comme jamais auparavant. Un visage est une clé. Un visage dit tout. Ce fut une révélation, je crois que c'est le mot. Je dois beaucoup à ces lignes de l'écrivain français, à ce visage de Botticelli. Ils interférèrent sur mon image dans le miroir, comme des éléments sacrés. Une confirmation. La boucle était bouclée.

Mon premier tableau fut pour Alejandro. Evidemment.

Je me représente, buste et visage, élancée, sobre, calme, posée. Raffinée, sereine, rien ne transparaît de la tumultueuse Frida. Je regarde le spectateur, en l'occurrence Alejandro, je l'attends. Au dos de la toile, j'écrivis :

Frieda Kahlo à l'âge de 17 ans,
en septembre 1926. Coyoacán.
Heute ist Immer Noch [1].

Je lui joignis une note où je lui disais qu'il avait là son "Botticelli". Je lui demandais d'en prendre

1. "Aujourd'hui encore."

143

soin, de le mettre en bonne place, de le regarder. Une façon ingénue de me rappeler à lui, l'esthète.

Je ne brisai donc pas le miroir qui au premier abord m'avait tant torturée. Mon intégrité même en aurait été effritée. Et, poussant plus loin l'analyse, ce n'est pas simplement refléter mon image que j'ai fait en la peignant, mais recoller l'autre image, la réalité de mon corps, brisée, elle, vraiment.

Je volai l'image au miroir, lui qui avait failli me dérober mon identité, à force de me persécuter, de me remettre tout le temps en question.

EUROPE, RÊVE LOINTAIN

> Et sans y prêter vraiment attention, je commençai
> à peindre.
>
> FRIDA KAHLO

Lorsque Frida peint son premier tableau, cadeau d'amour à Alejandro, elle a dix-neuf ans.

La peinture ne naît donc pas, chez elle, de ce qu'on appelle une "vocation précoce". Elle éclôt sous une double pression : un miroir qui, au-dessus de sa tête, la harcèle, et tout son fond à elle de douleur qui remonte à la surface. Deux éléments essentiels conjugués… et la peinture vient. Laborieusement, doucement, elle affleure.

L'initiative de Matilde est perfectionnée. Une sorte de planche à dessin, suspendue par des cordages au toit du lit, vient compléter l'usage du miroir. C'est grâce à ce stratagème audacieux que Frida, corsetée, handicapée dans ses mouvements, presque paralysée par ordre médical, travaille à son tableau.

Soigneusement exécuté, ce premier autoportrait donne d'elle l'image d'une jeune femme parfaite. Belle, impassible mais présente, portant une robe lie-de-vin à col châle brodé, elle regarde droit dans les yeux celui qui la regardera. Sa main droite, fine, allongée, se détachant à l'avant du tableau, est lisse comme l'ivoire. Frida semble l'offrir à qui voudra la prendre. Une invite à Alejandro.

Le tableau ne peut passer à côté de la sensibilité artistique du jeune homme. Il touche la bonne corde. L'œuvre, surgie du jour au lendemain de l'ombre, tel un diamant, brille d'un éclat rare, inattendu. Après une longue période d'indifférence affichée, quoique peut-être seulement apparente, la peinture de Frida sert à renouer une relation qu'elle ne supportait pas de voir se casser. Alejandro regarde ce cadeau peu ordinaire, don total ; il l'émeut, il est adopté.

La main offerte est bien prise par le destinataire.

Toutefois, Frida ne peut bouger de son lit et Alejandro reste géographiquement loin, dans ses occupations. Mais le lien, un temps effiloché, de nouveau les rattache l'un à l'autre, irrésistiblement, fût-ce à distance.

Le dernier trimestre de l'année 1926 s'écoule dans ce contexte. Frida coincée dans son lit, Alejandro, du moins symboliquement, davantage présent. Frida et ses lettres, ses heures d'attente, ses espoirs, ses élans d'excessive gaieté qui essaient d'endiguer peines et douleurs, sa peinture qui voit le jour avec soin, tendresse, force. La vie est vécue au jour le jour, aucun projet d'avenir n'ose être formulé.

Peu avant Noël, à l'heure du déjeuner, comme elle tentait de se placer mieux dans son lit, Frida s'affola :

— Maman ! maman ! Je ne sens plus rien…

— Comment ça ? Qu'est-ce que tu dis ?

— Je ne sens plus rien dans mon bras, ma jambe, mon corps…

— Est-ce que ça fourmille ?

— Rien, je ne sens rien… c'est en train de mourir, j'en suis sûre.

— Allons, Frida, un peu de bon sens… Je reviens.

Matilde enfila une petite veste et se précipita chez une voisine pour lui demander de prévenir le médecin, vite. Elle avait les larmes aux yeux et tordait ses mains en parlant, l'inquiétude la ravageait.

Le médecin arriva sans tarder. Tout le côté droit de la malade était profondément engourdi, sans réaction. Il la massa, lui fit des piqûres. Une heure passa, une heure et demie, interminable. Soudain, une sensation de fourmillement envahit le corps de Frida. Le médecin massa de nouveau, ce qui n'était guère aisé avec un corset et un appareil orthopédique à la jambe.

— Mon Dieu, comme ça picote ! s'exclama Frida.

— Tout est irrigué, vous voyez, rien ne meurt aussi facilement, dit le médecin.

— Mais à quoi c'est dû, une chose pareille ?

— Vous savez, c'est un peu normal, avec ce long temps d'immobilité que vit votre corps.

— Ça va m'arriver souvent ?

— Je ne sais pas… le genre de chose qu'il est difficile de savoir.

La sensation ne se reproduisit pas.

L'année 1927 commença par un voyage d'Alejandro à Oaxaca. Frida lui écrivit :

8 janvier 1927
Rapporte-moi si tu peux un peigne d'Oaxaca,
de ceux qui sont en bois, hein. Tu vas dire que je
suis très quémandeuse, n'est-ce pas ?

Au retour de ce voyage, Alejandro partit pour l'Europe, sans plus attendre. Un long séjour décidé par ses parents dont le but avoué était qu'il poursuivît là-bas des études, et le but inavoué qu'il fût éloigné de Frida, trop originale pour leur goût et de surcroît handicapée.

Frida supporta le choc, impuissante à réagir, ne pouvant bouger, seulement encore une fois pleurer. Et puis elle avait cet orgueil inattaquable qui, passé les premiers mouvements d'humeur violents, lui rendait un visage de dignité totale. Elle avait pourtant rêvé de partir avec Alejandro aux Etats-Unis et peut-être ailleurs. Alejandro s'embarquant seul, une grande partie de son monde adolescent tombait en ruine.

Alejandro prit le bateau, à Veracruz.

Frida, aussitôt, commença de lui écrire de longues lettres, témoignage unique de ce qu'elle était, vivait.

10 janvier 1927

Je me sens comme d'habitude, mal, tu vois comme tout ça est ennuyeux, moi je ne sais plus quoi faire, ça fait plus d'un an que je suis dans cet état et j'en ai par-dessus la tête, d'avoir toutes ces infirmités, comme une vieille, je ne sais pas comment je serai lorsque j'aurai trente ans, tu devras m'emmener toute la journée enveloppée dans du coton et me porter, parce qu'il n'y aura pas moyen, comme je te l'ai dit un jour, de me mettre dans un sac, je n'y rentrerais pas même à coups de trique (…) Je m'ennuie buten buten [1] *!!!!!! (…) Cette pièce qui me sert de chambre, j'en rêve toutes les nuits et j'ai beau chercher et chercher, je ne sais pas comment m'ôter de la tête son image (qui d'ailleurs chaque jour ressemble davantage à un bazar). Bon ! que faire, attendre et attendre… (…) Moi qui ai si souvent rêvé d'être un navigateur et un voyageur ! Patiño me répondrait que c'est* one *ironie du sort. Ahahahah ! (ne ris pas). (…) Enfin, après tout, connaître la Chine, l'Inde et d'autres pays vient en second lieu… en premier, quand reviens-tu ? Je crois qu'il ne sera pas nécessaire que je t'envoie un télégramme te disant que je suis à l'agonie, n'est-ce pas ? (…)"*

10 avril 1927

En plus de toutes ces choses qui me peinent, ma maman est malade elle aussi, mon papa n'a pas

1. Beaucoup, épatant.

d'argent, je souffre, sans te mentir, parce que même Cristina ne fait pas attention à moi (…).

25 avril 1927
Hier, je me suis sentie très mal et très triste, tu ne peux imaginer le désespoir dans lequel on est plongé avec cette maladie, je sens une gêne épouvantable que je ne peux exprimer et en plus accompagnée parfois d'une douleur que rien ne soulage. Aujourd'hui, on allait me poser le corset de plâtre, mais ça sera reporté à mardi ou mercredi car mon papa n'en a pas eu les moyens – et ça coûte soixante pesos – et ce n'est pas tant une question d'argent, ils pourraient très bien le trouver ; mais principalement parce que personne ne croit chez moi que je suis vraiment malade, je ne peux même pas en parler parce que ma maman, qui est la seule que cela afflige un peu, tombe alors malade, et on dit que c'est ma faute (…). Je suis donc la seule à souffrir, à me désespérer et tout. Je ne peux pas beaucoup écrire parce que je peux à peine me courber, je ne peux pas marcher parce que la jambe me fait horriblement mal, je suis fatiguée de lire – je n'ai rien de bien à lire –, je ne peux rien faire d'autre que pleurer et quelquefois, même ça, je ne peux pas le faire (…).

Un corset remplaçait l'autre. Le nouveau lui fut mis à l'hôpital des Dames françaises. Il fallut quatre heures pour mener à bien l'opération. Quasiment suspendue par la tête, pour bien étirer son dos, à tel point qu'elle se tenait sur la pointe des pieds, la pose du corset fut un martyre pour Frida. Le plâtre, humide, était moulé à même le corps, une soufflerie mécanique vrombissante servait de séchoir.

Quatre heures de souffrance extrême, et aucun proche autorisé à être présent. Frida fermait les yeux, mordait sa lèvre inférieure jusqu'au sang, pensait que son être allait se casser, tout simplement, qu'il n'allait rester d'elle que des morceaux épars, corps et plâtre mêlés gisant sur le sol.

A une heure de l'après-midi, elle sortit de l'hôpital des Dames françaises. Sa sœur Adriana la ramena à la maison. Le corset était encore humide.

Ce nouveau corset, si longuement attendu, tortura Frida, au début, encore plus que les précédents. Non seulement il lui faisait mal, mais elle avait l'impression que ses poumons n'avaient plus de place pour respirer, tout enserrés qu'ils étaient. Elle ne parvenait pas à toucher sa jambe droite. Elle ne pouvait pas marcher. Elle ne pouvait pas dormir.

Elle désespérait, elle maigrissait à vue d'œil.

La maisonnée n'était pas bien gaie. Guillermo avait des crises d'épilepsie, Matilde se mit elle aussi à faire des "crises" à répétition dont les symptômes étaient les mêmes que ceux de la maladie de son mari. La situation financière était au pire. On était loin de la maison bleue florissante.

Frida était tellement à bout qu'elle répétait à qui voulait l'entendre qu'elle allait mourir si, lorsque le moment serait venu de lui enlever le corset, elle devait souffrir autant.

En dépit de tout ce qu'elle endurait, elle n'abandonna pas la correspondance avec Alejandro. D'une certaine façon, il la rattachait à la vie, son existence lui donnait espoir, courage. Elle lui écrivait chaque semaine, parfois chaque jour. Elle lui faisait part de ses lectures du moment (Jules Renard, Henri Barbusse), de ses projets de peinture aussitôt qu'elle pourrait se mouvoir un peu mieux, s'asseoir, se lever de son lit qu'elle appelait "cette caisse", "ce cercueil", univers clos sur elle-même.

Un soir, de retour de son travail, après avoir dîné et joué du piano comme à son habitude, Guillermo entra dans la chambre de Frida.

Elle posa à côté d'elle un livre, ouvert, et regarda son père.

— Alors, comment vont les affaires, grand homme ?

Guillermo fit un geste évasif de la main. Il s'assit sur le lit.

— Ma fille, dès que tu iras mieux, je te promets de t'emmener en voyage. Ensuite, nous nous occuperons de ton avenir.

Les yeux de Frida brillèrent.

— Et avec quel argent, s'il vous plaît ?

— Que tu ailles mieux entraîne que certaines dépenses pourront être effacées de l'ardoise. Voilà mon calcul.

— Moi, je ne demande rien d'autre. Enfin, sortir de cette prison !… Et pour quelle destination ?

— A l'intérieur du Mexique, où tu voudras.

Guillermo se releva et s'approcha d'un portrait de jeune homme, encore frais, posé sur une chaise à côté du lit.

— C'est le portrait de "Chon Lee", un copain, dit Frida.

Guillermo l'observa attentivement.

— Alors ? demanda Frida.

— J'étais en train de penser au temps où je t'apprenais la photographie… Tu n'avais aucune patience, alors que tu en fais preuve lorsque tu peins.

Frida sourit, chercha une réponse.

— C'est parce qu'à la photographie il manquait la couleur. Alors que là… Je ne te cache pas que je me régale.

Guillermo se rassit sur le lit.

— C'est une réponse, en effet. Mais je ne sais pas si c'est la bonne.

— Supposons que ce soit la bonne.

— Supposons.

Ils restèrent silencieux un moment. Frida reprit :

— Pour mon avenir, tu sais, il ne faut pas trop t'en soucier. Maintenant, je ne vois pas ce que je pourrais faire d'autre que peindre.

— Ah ! ah ! fit Guillermo, ironique.

— *A* comme artiste…

— Et tu te nourriras avec quoi ? Avec du bleu cobalt et du jaune canari ?… Quelques pigments par-ci par-là suffiront comme vitamines à cette *liebe* Frida ?

— Je me débrouillerai, papa, je t'en donne ma parole d'honneur.

Guillermo ne poursuivit pas le dialogue. Il demanda à Frida si elle avait besoin de quelque chose pour la nuit, et comme elle répondit par la négative, il s'éloigna après l'avoir embrassée.

Faire un voyage, sortir de sa chambre de malade : le rêve ! Frida avait envie de sauter de joie, de courir le crier partout… Mais l'envie elle-même causait des élancements. L'émotion semblait être interdite. Frida se concentra, tâcha de contenir ses émois dans son corset. Elle respira profondément et en cadence, jusqu'à décontracter tout son corps. Alors, son esprit se mit en marche.

Où aller ? Vers la mer, sans doute. Pour éprouver cette sensation de départ pour un pays lointain. Donc, voir un port. Côté Pacifique ? Non, il y avait peu de chances qu'elle s'embarquât un jour pour le Japon. Cela allait de soi : ce serait Veracruz. Pour rêver à l'Europe, ce dédale de pays et de richesses différents les uns des autres. Pour essayer de retrouver ce qu'avait pu ressentir son père en venant de l'Allemagne. Pour essayer de revivre ce qu'Alejandro avait éprouvé, quelques mois plus tôt. Et qu'elle vivrait un jour à son tour.

Frida referma son livre, puis éteignit la lumière. Mais elle ne s'endormit pas ; elle continua de rêver éveillée, tard dans la nuit.

Je ne pensais plus que j'allais mourir. Ou, disons, je le visualisais moins que quelques mois plus tôt. La mort ne tramait plus le fil de mes heures quotidiennes, elle s'était dissoute dans la douleur que j'endurais, dans l'ennui que me causait le simple fait de n'être pas libre de mes actes, de ne pas pouvoir bouger et sortir selon mon bon plaisir, de ne presque rien pouvoir faire sans l'assistance d'un proche. Dépendance envers les autres, insupportable, et épuisement permanent : un fardeau à moi-même. La peur panique de la mort était reléguée au second plan, certes, mais j'étais sans cesse à bout. Et dans ces moments-là, oui, j'aurais souhaité mourir. Il y a une différence entre redouter et désirer quelque chose, l'image bascule dans la tête. Dans un cas, on érige des remparts, dans l'autre le paravent tombe de lui-même... Je ne sais pas, je n'aurai jamais fini de disserter sur ces questions...

Quand je n'y croyais plus, le ciel s'éclaircissait soudain, lorsque tout me semblait possible l'horizon s'assombrissait comme pour un vilain orage.

De la lumière à la chape de plomb, de la chape de plomb à la lumière. Le déséquilibre, à moins que ce ne soit l'équilibre, justement.

Alejandro, durant toute cette époque, m'apparaissait comme étant au fond le seul élément me rattachant à la vie. Mais il était loin. Je m'y raccrochais avec d'autant plus de force. Loin. Parti sans rien dire, comme un voleur – ou pour nous éviter une scène déchirante, pénible (allez, laissons aux choses terribles le bénéfice du doute). Je l'appris un matin au réveil, par une lettre de lui que Cristina posa négligemment sur mon dessus-de-lit. Aïe. Il n'y avait que ça : aïe. Tout se résumait à ce mot, que j'eusse voulu crier à l'infini : aïe. Aaaaaaaaaaaïe. Fébrile, j'attendais son retour d'un voyage qu'il avait fait à Oaxaca, voilà que j'apprenais son départ pour l'Europe. Aaaaaaaaaaaïe jusqu'à ce qu'il m'entendît, où qu'il se trouvât.

Les projets de voyage que nous formions ensemble, s'il pouvait m'arriver de douter qu'ils se réalissent un jour, ne me laissaient en rien présager qu'Alejandro allait partir. Ou peut-être, survivante, étais-je aveugle : il m'était si vital, comment aurais-je pu envisager son éloignement ?

Dans sa lettre, il me disait qu'il ne serait parti que quatre mois, mais je craignais qu'il ne mentît pour m'épargner des tourments supplémentaires. Au fond, il venait de me mentir : me méfier de ses propos était tout à fait justifié.

Mais, bon, on continue de rêver, un peu malgré soi on saisit cette bouée de sauvetage, l'échappée imaginaire. On va se noyer, mais quelque chose miroite à la surface de l'eau qui vous fait émerger. Dans mes lettres, je lui demandais de me dire comment était le Rhin, de quelle couleur et de quelle largeur, s'il était bordé de châteaux hantés, comment était la cathédrale de Cologne, à quoi ressemblaient les tableaux de Dürer et de Cranach vus de près. Je lui demandais s'il avait l'intention de visiter l'Italie de Léonard de Vinci et de Michel-Ange, s'il irait à Paris user ses yeux au Louvre, rêver d'Esmeralda sur le parvis de Notre-Dame, danser à Versailles, se prélasser sur la Côte d'Azur. Je lui demandais de me décrire Mona Lisa en détail, tout ce qu'il verrait sur la toile. Et de me parler encore de la belle *Eleonore de Tolède* avec son fils Jean de Médicis peint magnifiquement par Agnolo Allori dit le Bronzino.

Je lui manifestais beaucoup de joie pour chacun de ses projets. Une façon peut-être de réduire la distance, d'être plus près de lui, de participer à sa vie. Une façon de n'être pas exclue de son univers par une simple traversée de bateau. Quand bien même j'avais l'impression parfois de lui avoir trop écrit, trop souvent, l'envahissant peut-être, j'étais à mes yeux tout excusée puisque je ne l'envahissais pas *en vrai*.

La distance rend les choses fictives... Oui... Non... plus une chose s'éloigne, plus elle se rapproche en même temps, puisqu'elle n'appartient plus qu'à soi seul, à son propre monde.

A chacun de ses pas, mon cœur était avec lui, moins lourd. Et, entre lui et moi, ce n'était plus l'Océan, mais mes tableaux qui peu à peu se fabriquaient dans mon esprit. J'avais bien dit que j'étais son petit Botticelli. *A* comme aïe. *A* comme ah ! ah ! ah !

VINGT ANS, HORS DU TEMPS

> *Mais arrivé à la hauteur du Bergstein,*
> *la pensée de mon avenir lointain se*
> *présenta à son tour. Comment ferais-je*
> *pour le supporter avec ce corps em-*
> *prunté à un cabinet de débarras ?*
>
> FRANZ KAFKA

Au fur et à mesure que les mois passaient, l'évidence que Frida serait peintre se confirmait.

Cela se joua sans qu'elle pensât aux embûches d'un tel chemin ou à la possible gloire. C'est du fond d'elle que la peinture lui vint. Elle coulait de ses eaux mentales, de sa mémoire, de son imagerie intérieure, des images extérieures que son histoire avait intégrées. De son corps, par ses plaies ouvertes, la peinture débordait, sortait de Frida.

La jeune femme correspondit, dès le départ, à la définition de l'artiste œuvrant par nécessité. Elle possédait par là même l'atout majeur pour réaliser un travail fort et personnel. Puisant en elle, choisissant un langage, celui de la peinture, elle allait pouvoir se sauver, autant que faire se peut, de l'état qui était le sien.

Après son premier autoportrait, elle avait entrepris de faire des portraits de son entourage, de ses amis. Chaque fois qu'elle le pouvait, Frida travaillait à ses tableaux, consciencieusement. Elle doutait, allant jusqu'à déchirer ou brûler plusieurs de ses réalisations dont elle se sentait mécontente. Elle avançait lentement, produisait à petites doses et de petits formats : ce que sa santé lui permettait de faire. Selon qu'elle était capable de se tenir assise ou seulement couchée, qu'elle pouvait bouger tout ou partie de son corps, l'expérimentation de son nouveau matériau se trouvait propulsée ou freinée.

Parallèlement, outre ses propres ressources, elle se documentait le plus qu'elle pouvait sur la peinture, lisait, continuait de se cultiver et se montrait curieuse en tout.

De chacune de ses expériences, de ses états d'âme, de ses réflexions, de ses peines et de ses quelques espoirs, elle entretient Alejandro dans ses lettres. Elle lui livre en alternance ses faiblesses et son courage et lui demande sans cesse de lui écrire, de l'aimer. Elle se sent partagée entre l'envie de revoir Alejandro et la crainte qu'il ne puisse la supporter telle qu'elle se trouve :

(…) mais il vaut mieux que je sois malade maintenant que tu te trouves loin (…)

(Lettre de mai 1927.)

On lui promet que sa santé va s'améliorer, elle se décrit pourtant dans un état qui ne peut éveiller chez elle que plaintes :

(...) je me sens pis chaque jour et sans le moindre espoir d'aller mieux, car pour cela il manque le principal, c'est-à-dire l'argent. J'ai le nerf sciatique lésé, et un autre dont je ne sais plus le nom et qui se ramifie avec les organes génitaux, deux vertèbres dans je ne sais quel état et buten *d'autres choses que je ne peux t'expliquer parce que je n'y comprends rien (...)*

(Lettre de mai 1927.)

Au mois de juin, on lui enleva le corset qui avait été posé à l'hôpital des Dames françaises. Il devait être remplacé par un autre, qu'elle décrit comme une enveloppe épaisse. Cependant, si elle avait souffert lors de la pose du deuxième corset, le moment qu'elle dut passer sans, avant que le suivant lui fût mis, fut le motif d'une nouvelle torture.

Le dos soudain non tenu, après avoir été étiré presque comme celui d'une femme-girafe, causa à Frida la sensation horrible que son corps entier allait s'affaisser tel un accordéon qu'on referme à la verticale en laissant se rabattre l'un sur l'autre tous les plis du soufflet.

Bien sûr, elle pleura, elle appela à l'aide en pensant qu'elle allait tomber. La tête lui tournait, elle sentait sur son corps maigre l'emprise de mains qui la soutenaient, des mots de réconfort lui parvenaient qu'elle entendait mal.

Frida tremblait de peur. Elle avait beaucoup maigri et les cicatrices sur sa peau ressortaient d'autant sur la blancheur de son teint. Elle disait qu'elle avait mal aux jambes, aussi, et non plus seulement à l'invalide, mais à l'autre également. Tout semblait se dérégler et ses yeux mêmes avaient l'air de jeter non des regards mais des cris.

Elle avait rêvé de ne plus avoir de corset, voilà maintenant que le sort se retournait et qu'elle n'avait plus qu'une envie : qu'on lui remette un corset.

Avec ce troisième corset, plus gros que les précédents, les médecins espéraient éviter une opération, ou du moins en repousser l'échéance. Chaque visite médicale était porteuse de promesses auxquelles Frida ne croyait guère : elle pensait des médecins qu'ils étaient tous des voleurs que son état n'intéressait pas.

Chaque soin devait être payé, or les Kahlo n'avaient pas même d'argent pour faire faire une radio, qui pourtant s'imposait, à leur fille. Ce qui avait pu être sacrifié pour la santé de Frida l'avait été, semblait-il à Guillermo, dans une situation matérielle déjà très difficile : la maison de Coyoacán avait dû être quelque temps plus tôt hypothéquée, les meubles français du salon, et même les porcelaines ou les cristaux qui étaient posés sur les commodes et les buffets avaient été vendus à un antiquaire de la rue Bolivar. Mais c'était à peine suffisant pour se sortir d'affaire.

Frida se sentait tiraillée entre sa méfiance totale à l'égard du corps médical, les reproches qu'elle ne pouvait s'empêcher de formuler envers ses parents, qu'elle accusait de ne pas faire leur possible pour qu'elle fût convenablement soignée, et sa culpabilité d'être un poids pour les siens. Alors, elle avait avec son père d'interminables conversations où elle essayait de le rassurer sur le fait qu'aussitôt que cela lui serait possible, elle s'activerait pour chercher du travail, en prendrait plusieurs à la fois si nécessaire, pour alléger les ennuis matériels de la maisonnée, dans lesquels elle pensait être pour une grande part.

En attendant, le troisième corset de Frida l'immobilisa de nouveau au lit, tant et si bien qu'il fut projeté de lui faire, deux mois plus tard, la radio de la colonne vertébrale dans sa chambre, sans la bouger des couvertures.

Délaissant par la force des choses la peinture durant quelques semaines, lisant beaucoup, écrivant peu de lettres, s'accrochant – sans vraiment y croire – aux promesses de guérison réitérées par les médecins, Frida eut vingt ans cet été-là. Un anniversaire qui passa presque inaperçu, tant les problèmes de la maison étaient pesants.

Matilde pria de tout son cœur, remerciant encore Dieu d'avoir sauvé sa fille, l'implorant de lui donner une meilleure santé, un avenir correct, un bon mari. Elle pria aussi pour que la prospérité revînt dans la maison. Guillermo offrit à sa fille, sans un mot ni un papier pour l'emballer, une édition reliée, aux pages un peu jaunies, en allemand et en caractères gothiques, du *Torquato Tasso* de Gœthe. Une page était marquée par un petit morceau de papier buvard, et, à côté d'un vers, il y avait une croix dessinée au crayon à mine. Frida lut :

Und wenn der Mensch in seiner Quaal verstummt,
Gab mir ein Gott, zu sagen, wie ich leide [1].

Et elle sourit en pensant : "C'est bien mon père, ça. L'Allemagne, toujours, les poètes, les philosophes. Il parle si peu, mais comme je l'aime. Je lui dirai, un jour… C'est comme l'histoire des vers de Nietzsche qu'il a récités à ma mère quand ils se sont connus : on ne sait pas si ce n'est pas à lui seul, au fond, qu'ils sont adressés… Mais peut-être après tout que non, que c'est à moi qu'il a pensé en lisant ceux-ci…"

Dans la maison bleue de Coyoacán, sans les dorures des meubles français qui captaient si bien la lumière, le salon respirait une totale désolation. Le piano, les partitions et la bibliothèque de Guillermo seuls avaient échappé à la grande liquidation.

C'est à cause du piano que les "Cachuchas" décidèrent, un après-midi d'août, de faire une fête pour l'anniversaire d'un des leurs. Le salon, d'aspect si triste, retrouva pour un moment une atmosphère chaleureuse et joviale. On chanta en s'accompagnant du piano, on dansa, on récita des poèmes, on discuta.

1. "Et là où l'homme, dans sa souffrance, perd la parole, / Un dieu m'a donné de dire ce que j'endure."

Au milieu de toute cette animation, Frida fut transportée, exceptionnellement, sur un fauteuil roulant. Ne pouvant participer activement aux festivités, elle se contenta d'observer, d'écouter. Mais elle ne put s'empêcher de pleurer sur son sort, réalisant plus que jamais, au milieu de gens de son âge, le handicap dont elle était victime. Pourrait-elle un jour de nouveau s'intégrer à une vie normale ? La question, en cette heure et en ce lieu, la harcelait. Elle aurait voulu retourner dans sa chambre, dans son caisson de lit, s'enfouir sous les draps et se cacher dans leur ombre et leur tiédeur. Elle aurait voulu ne plus penser à rien, pleurer seulement, encore, jusqu'à épuisement, oublier, aussi, qu'Alejandro n'était pas revenu au bout de quatre mois de voyage alors qu'elle l'avait tant espéré. Repousser l'échéance de son retour, dans sa tête, cela équivalait à revivre de nouveau, pas à pas, toutes les phases de l'attente et elle se demandait si elle serait capable de le supporter encore.

Quand tout le monde fut parti, elle se retrouva un moment seule dans le salon vide. Guillermo était rentré, elle lui demanda de lui jouer un air au piano, un *Danube bleu*, avant d'être ramenée dans sa chambre. Guillermo s'assit bien droit devant l'instrument et joua les yeux à demi fermés. Au bout de quelques mesures, Frida se mit à chanter la mélodie.

Quand ce fut terminé, elle dit :

— Tu veux bien recommencer, encore une fois ?

Guillermo reprit la valse. Puis il s'approcha de Frida et lui prit les mains :

— Ma fille, il faut t'arrêter de pleurer.

— Que veux-tu que je fasse d'autre ? répondit-elle en reniflant.

— Il y a beaucoup de choses à faire dans ce monde, Frida. Et tu le sais bien. Mais il faut arrêter de désespérer un jour sur deux. Cela ne sert à rien.

— Mais tu vois, je ne pourrai jamais aller à Vienne, par exemple. Moi qui ai toujours rêvé de voyager... Je devrai me contenter des récits que font les autres de leurs voyages.

— A rien ne sert non plus de présager tout le temps...

— Je vais me mettre à peindre des paysages, tiens, c'est peut-être une solution... Les contrées lointaines à portée de main, peut-on rêver mieux ?

— Ce n'est pas très drôle ce que tu dis. Tu te fais du mal.

— Mais j'ai mal. Personne ne me croit. Vous me prenez pour une cinglée, au fond. Tout le monde s'en fiche. Et les médecins donnant vingt diagnostics différents... Ça n'aide pas à être prise au sérieux : chacun y voit ce qui l'arrange...

— Tu es pessimiste, tellement pessimiste. Ça n'arrange rien non plus.

— Je ne peux pas faire autrement. J'ai espoir une heure, et l'heure d'après...

— La vie a des retournements surprenants et heureux au moment où l'on s'y attend le moins. Je te dis qu'il faut cesser de présager de tout...

— C'est de la lucidité.

— Ou de la subjectivité. Aie l'humilité de croire que tu peux te tromper.

— Je ne suis pas au bout de mes peines, je crois.

— Ma fille, je te le demande : il faut t'arrêter de pleurer.

— Je ne sais pas si je le peux.

Frida ne voulut pas dîner. On la ramena dans sa chambre où, pour une fois, elle s'endormit tôt.

Le 9 septembre, elle écrit à Alejandro :

Coyoacán, toujours pareille, et toutes ses choses : surtout le ciel limpide des nuits. Vénus et Arthur. Vénus et Vénus. Le 17, ça fera deux ans que notre tragédie a eu lieu, moi surtout je m'en souviendrai buten, *bien que ce soit idiot, n'est-ce pas ? Je n'ai rien peint de nouveau, jusqu'à ce que tu reviennes. Maintenant, les après-midi de septembre sont gris et tristes.*

Et le 17 septembre :

Je continue d'être malade et presque sans espoir. Comme d'habitude, personne ne le croit. Aujourd'hui nous sommes le 17 septembre, le pire de tout, c'est que je suis seule. Lorsque tu reviendras, je ne pourrai rien t'offrir de ce que j'aurais souhaité. (...) Toutes ces choses me tourmentent en permanence. Toute la vie est avec toi, mais je ne pourrai pas la posséder (...). Je suis très simple et je souffre trop pour ce que je ne devrais pas. Je suis très jeune et il est possible que je guérisse. Seulement, je ne peux le croire ; je devrais le croire, n'est-ce pas ? En novembre, peut-être.

DÉBUTS D'UNE NOUVELLE VIE

> (…) entre nous, entre Frida et moi, il n'y eut
> jamais ce qu'on pourrait appeler ordinairement
> une rupture (…), nous continuâmes d'être amis…
>
> ALEJANDRO GÓMEZ ARIAS

Lorsque Alejandro revint d'Europe en novembre
1927, il retrouva une Frida à peu près rétablie. Elle
n'était plus immobilisée et elle était à la recherche
d'un travail. Bien que sentant une grande fatigue
dans tout le corps, Frida reconnaissait que, pour le
moment, ses douleurs s'étaient atténuées. Elle s'affairait, allait et venait d'un endroit à l'autre, postulait
pour un emploi de bureau, un autre de dessinatrice
de planches anatomiques, un troisième de biblio-
thécaire. Elle déployait toute son énergie dans ces
recherches et démontrait une grande vitalité. Elle
était gaie de nouveau.

Au fil des mois, la relation avec Alejandro avait
retrouvé son caractère profond : une amitié exceptionnelle que les années et la vie ne démentiraient
pas. A son retour d'Europe, Alejandro s'engagea

dans des études supérieures et devint un fervent militant de la Confédération des étudiants. Frida, elle, commença à fréquenter le milieu artistique mexicain au début de 1928 ; la plupart de ses protagonistes étaient, de près ou de loin, engagés dans la lutte communiste.

Cependant, lorsque Alejandro tomba amoureux d'une de leurs amies communes, Esperanza Ordoñez, Frida ne put s'empêcher d'écrire à Alejandro qu'elle n'en croyait rien, qu'il ne pouvait pas ne plus l'aimer, puisqu'"il était elle-même". Ce fut le dernier sursaut de l'amour d'adolescence de Frida.

C'est à travers son ami German del Campo, une haute figure du mouvement étudiant qu'elle chérissait beaucoup, que Frida fit la connaissance de Julio Antonio Mella, célèbre militant communiste cubain en exil. Editeur, journaliste, révolutionnaire convaincu et passionné, il vivait avec la belle Tina Modotti.

Tina, d'origine italienne, était arrivée au Mexique quelques années plus tôt, avec celui qui était alors son compagnon, le photographe américain Edward Weston. Devenue photographe à son tour, Tina évoluait dans un milieu artistique, militant, scandaleux par ses habitudes de vie bohèmes, par ses idées libérales en toute chose, par les intrigues qui s'y nouaient et dénouaient au gré des rencontres.

Les deux jeunes femmes – on ne savait laquelle des deux était la plus belle – sympathisèrent vite. Tina entraîna sa jeune amie aux réunions politiques, aux fêtes entre artistes qui avaient lieu çà et là dans la capitale mexicaine.

Le pays était, à ce moment-là, en pleine campagne présidentielle : dans les premiers mois de 1928, le président Alvaro Obregón fut assassiné et le pouvoir se disputait entre José Vasconcelos et Pascual Ortiz Rubio. Ce dernier était attaqué par les libéraux, accusé de n'être pas mieux que ne l'avait été le président Calles, corrompu et aussi dictateur, disait-on, que Porfirio Díaz en son temps. D'un autre côté, les étudiants menaient une lutte pour l'autonomie de l'Université – qu'ils finiront par obtenir en 1929.

Frida rejoignit le parti communiste, dans lequel militaient bon nombre de ses amis.

Les soirées étaient souvent mouvementées. Soit qu'il y eût quelque manifestation, soit qu'il y eût des débats qu'il ne fallait pas manquer. Soit qu'il y eût un dîner chez l'un ou l'autre où il y avait foisonnement de discussions, sur la situation du pays, le sens du militantisme, les actions à mener, d'une façon générale sur les idées, et sur l'art.

C'est dans la chaude ambiance de ces soirées remplies de monde, de brouhaha, de musique et de fumée, que Frida rencontra celui qui allait devenir le principal homme de sa vie : Diego Rivera.

Dans la chaleur moite du plein été, tous les yeux se tournèrent vers lui lorsqu'il franchit la porte du salon de Tina Modotti au milieu de la nuit. Il avait à la main un pistolet qu'il pointa sur le phonographe.

Quelques danseurs s'arrêtèrent de danser lorsqu'il tira. La balle alla se ficher dans l'appareil qui tourna encore deux, trois fois au ralenti, produisant un son qui ressemblait à un gémissement, ou à un râle. Puis il s'immobilisa totalement sous les cris d'enthousiasme, les hourras, les applaudissements. Diego Rivera souffla négligemment sur le canon encore chaud, remit le pistolet à sa place, sur sa ceinture, et sourit, satisfait, avant de caler son immense corps dans un fauteuil et d'être immédiatement entouré.

Frida resta un peu interloquée devant l'épisode qui avait mis l'assemblée sous le charme. De toute évidence Diego était une vedette, au physique imposant, aux gestes et actes démesurés. Tout en lui avait un air excessif, y compris les histoires qu'il se mit un moment plus tard à raconter devant un auditoire ébahi. Il parlait de Londres où il avait été et qu'il qualifiait de ville triste, qui n'aurait jamais de soirées comme celle-là. Il mimait les Anglais et leurs rues, leurs puddings et leur aristocratie. Puis il éclatait d'un rire bruyant et tout le monde à sa suite. Il marquait une pause pour boire quelques gorgées de tequila ou de mezcal dans un verre minuscule et s'assurer de l'attention des uns et des autres, ensuite il reprenait pêle-mêle des histoires sur la mélancolie de Bruges ou une dispute mémorable avec Modigliani à Paris, en présence de Picasso, impassible mais dont l'œil aigu ne perdait rien de ce qui se passait. Un œil inoubliable, disait-il, unique, un regard qu'il n'avait jamais rencontré chez quelqu'un d'autre.

Et il revenait à Modigliani, qui après tout avait fait de lui un magnifique portrait. Il racontait sa vie à Madrid, comment il avait essayé d'étudier de près Vélasquez ou Zurbarán, le Greco, Goya. Enfin, il devenait grave lorsqu'il parlait de Guillaume Apollinaire, son ami, qui n'avait pas mérité de mourir, parce que c'était un poète parmi les poètes et un être exceptionnel, et il le citait de mémoire, en français et avec un drôle d'accent qui l'obligeait à mettre les lèvres en avant pour prononcer les mots :

J'étais au bord du Rhin quand tu partis pour le Mexique
Ta voix me parvient malgré l'énorme distance
Gens de mauvaise mine sur le quai à la Vera Cruz (…)

Ou encore :

C'était un temps béni nous étions sur les plages
Va-t'en de bon matin pieds nus et sans chapeau
Et vite comme va la langue d'un crapaud
L'amour blessait au cœur les fous comme les sages (…)

"Une autre !", criait une femme en applaudissant, et Diego cherchait, puis disait :

(…)
Vous êtes un mec à la mie de pain
Cette dame a le nez comme un ver solitaire (…)

Et le rire du récitant couvrait tous les autres, se riant de son mauvais accent français d'une part, des vers d'Apollinaire d'autre part.

Frida observait tout ce qui se passait autour d'elle, essayant de ne rien perdre de ce qui se jouait dans

172

son nouveau milieu. Les manières des gens, leurs vêtements, leurs discours enflammés. Elle avait mis, ce soir-là, son costume d'homme et arborait un œillet rose à la boutonnière. Le pantalon masquait sa jambe atrophiée et elle se déplaçait peu, de sorte qu'on ne pouvait deviner sa claudication. Au milieu de ces gens réputés extravagants, son habillement ne choquait pas. Mieux, il arrivait qu'on lui fît des compliments. Elle se montrait curieuse et essayait de s'adapter. Pour se donner de l'assurance et, pensait-elle, un certain cachet, elle commença à fumer des cigarettes et se risqua même à goûter aux cigares. Elle était gaie et vive et n'ignorait pas qu'elle avait du charme. Elle savait en user et elle plaisait.

Beaucoup de femmes semblaient tourner autour de Diego Rivera. Pourtant l'homme était laid. Grand, gros, on eût cru, lorsqu'il était assis, qu'il ne savait que faire de son ventre proéminent. Les traits de son visage étaient à l'image du reste. Des yeux saillants, un nez un peu épaté, de grosses lèvres et des dents abîmées. Tout en lui avait l'air pataud, mais il était sanctifié par l'aura de l'artiste. Porté aux nues et discuté, en bonne célébrité, il occupait largement les devants de l'actualité par ses idées, ses frasques, les polémiques qu'il éveillait. Ou par son travail, tout simplement.

Il n'arrêtait pas de causer. Même si on voulait l'oublier, il se rappelait à vous et vous ne pouviez esquiver sa présence. Frida approcha du groupe avec lequel s'entretenait Diego.

Il revenait d'Union soviétique, où il avait été invité le plus officiellement du monde à résider et travailler plusieurs mois. Hormis le froid contre lequel il fallait aller, disait-il, avec une armature et un bouclier de laine, et outre le fait qu'il ne parlait pas couramment le russe, il rapportait de l'expérience socialiste une excellente impression. Il venait d'assister là-bas au dixième anniversaire de la révolution d'Octobre, avait pour l'occasion peint une fresque à Moscou et collaboré, comme graphiste, à plusieurs publications. C'est avec beaucoup d'enthousiasme et d'admiration que Diego parlait du peuple soviétique.

— Mais j'ai dû revenir un peu précipitamment, hélas !

— Quand es-tu revenu ?

— En mai… J'ai reçu des camarades mexicains l'ordre de rentrer à cause de la campagne présidentielle pour Vasconcelos.

— Allez, ne joue pas au modeste, au point où tu en es tu peux bien dire qu'on t'a rappelé parce qu'on t'a proposé la candidature à la présidence !

— Bien entendu, répondit calmement Diego, mais j'ai refusé. Raisons de sécurité. Je suis peintre et je me balade déjà avec un flingue… Vous imaginez, président, je ne pourrais sortir qu'entouré par toute une armée… et je finirais quand même par me faire assassiner pour ne pas échapper à la tradition. Alors, vous comprenez, je me suis demandé si ça valait le coup…

Et tout le monde de rire.

— A quarante ans, tu as encore la vie devant, va ! Tu as encore le temps de changer d'avis !

— Un peintre président de la République, tu avoueras, ce serait une première mondiale.

— Ce ne serait que justice, camarades, seul l'art est à l'avant de n'importe quel changement social…

— Seul l'art est révolutionnaire par essence, dit solennellement une jeune militante.

— Voilà la plus banale et la plus belle obscénité de tous les temps ! lui répliqua-t-on. Et si quelqu'un nous chantait un *corrido*[1], avant de revenir à nos justes causes ?

— Sous-entendrais-tu que la musique n'est pas une juste cause ? Attention à ce que tu dis, l'ami.

— Re-ve-nons-à-nos-mou-tons, dit Diego en français avec une emphase théâtrale. Alors, ce corrido, qui nous le chante ? Beethoven disait qu'aucun homme qui aime la musique ne peut être totalement mauvais. Alors, soyons bons… *Musica, maestro !*

Les voix s'entrecoupaient l'une l'autre pour chanter des bribes de corridos. Diego souriait avec satisfaction. On trinquait allégrement.

Tina vint s'asseoir auprès de Frida.

— Tu ne connaissais pas Diego, avant, n'est-ce pas ?

— Je le connaissais et ne le connaissais pas… J'ai dû le connaître avant toi, il peignait un mural à l'école du temps où j'étais lycéenne. Je lui faisais des misères…

1. Chanson traditionnelle mexicaine.

— Ah oui ? Raconte-moi ça.

— Je savonnais le sol pour qu'il tombe en passant... Je lui fauchais sa gamelle... Le plus marrant : lorsqu'il était avec un modèle – donc une amante potentielle –, je lui flanquais la trouille en lui criant de derrière un pilier : "Attention, Diego, voilà Lupe..." Et l'inverse. Des gamineries, mais je m'amusais comme une folle.

— J'imagine ! dit Tina en écarquillant les yeux.

— Quand on est un coureur au vu et au su de tout le monde, on prend des risques de flagrant délit perpétuel, comme dans le théâtre de boulevard. Des broutilles, mais qui, pour libéral qu'on soit, n'en demeurent pas moins des périls cocasses. Et toi, tu as été son amante, aussi ?

— Evidemment !

Et Tina éclata de rire, étonnée elle-même de la rapidité avec laquelle elle avait répondu.

Frida sourit calmement :

— Amante, modèle, modèle, amante... Toujours le même schéma.

— Qu'est-ce que tu veux dire ?

— C'est pas sorcier, quoi. Dans tous les cas de figure, c'est en définitive le même cas de figure...

— Tu ne nieras pas que c'est une grande figure !

— Avec tout ce qu'on se figure...

De nouveau, toute l'attention était tournée vers Diego qui parlait de Berlin, où il était passé au retour d'Union soviétique.

Frida était tout ouïe. Berlin, c'était l'Allemagne, donc son père, ses racines, une langue qu'elle

176

connaissait bien, une culture qui était un peu sienne. Diego disait qu'il y avait à Berlin une incomparable effervescence culturelle et politique. Qu'il y avait une grande solidarité entre intellectuels et ouvriers sur laquelle il fallait prendre exemple. Que les cafés étaient des points de rencontre et des berceaux d'idées sans égal. Que les manifestations politiques dans la ville étaient fréquentes et qu'elles étaient incroyablement engagées et graves. Que les artistes et les intellectuels, allemands ou pas, étaient d'une intelligence et d'une créativité rares, que les initiatives foisonnaient, plus intéressantes l'une que l'autre. Que Bertolt Brecht avait des reparties cinglantes.

Frida regrettait qu'Alejandro eût été trop jeune pour vivre ce Berlin dont parlait Diego, qu'il n'eût pu voir cette Allemagne-là et la lui raconter dans ses lettres. Elle regrettait, aussi, de ne pouvoir elle-même y aller et fut soudain prise à la gorge par l'envie qu'elle avait toujours eue, jusqu'à l'accident, de voyager. Mais tout n'était peut-être pas perdu, songea-t-elle, à présent que son rétablissement avait l'air plus sérieux que les fois précédentes. Elle se mit à rêver à l'Europe et se jura d'y aller si les maladies n'avaient pas raison d'elle.

Diego parlait toujours. Il mimait chaque chose qu'il racontait, s'enflammait, magnétisait sans conteste un auditoire qui était à sa merci.

Il allait du Mexique à l'Allemagne et de l'Union soviétique à Berlin en repassant par les pyramides aztèques sans paraître jamais faire fausse route.

A la fin de la nuit, comme il évoquait encore Berlin, il narra un épisode dans un café, où une jeune femme, Lotte Schwarz, originaire de Prague ou de Vienne, il ne savait plus, docteur en plusieurs matières, lui avait dit de sa voix grave et dans un grand sourire après l'avoir longuement écouté : "Diego Rivera, vous êtes le plus grand, le plus extraordinaire conteur d'histoires que j'ai connu, mais il faudrait être fou pour se marier avec vous !" Il ajouta qu'il lui avait donné un dessin et qu'elle lui avait promis d'écrire une petite étude sur lui.

Je savais que Diego était alors en train de peindre des fresques aux murs du ministère de l'Education. Il me semble que c'était la fin, les dernières retouches.

Pour moi, c'était un monstre. Au sens sacré du terme, mais au sens propre aussi. Tout en lui était fait en grande largeur. Productif, prolifique, il débordait de vie, d'énergie, de paroles, de gestes, d'euphorie, d'idées, de peinture. Son travail, à l'époque, pouvait déjà se compter en centaines de mètres carrés réalisés. Je ne dis pas que cela justifie d'un talent, mais d'une force de travail, indiscutablement. Une espèce de Michel-Ange mexicain, voilà comment je le définirais. Impressionnant.

Tout le monde connaissait Diego Rivera. Il était aussi bien couvert d'éloges que d'insultes. Régulièrement, il y avait des campagnes contre les muralistes, traités de provocateurs. On retrouvait des graffitis sur les peintures. Je me souviens du passage d'une pièce de théâtre prétendument burlesque :

Las muchachas de la Lerdo
toman baño de regardera

pa' que no parezcan
monos de Diego Rivera [1].

Ses détracteurs s'étaient mis à appeler "singes" ses personnages. Propos raciste : par "singe", on voulait dire "indigène". La bourgeoisie ne supportait pas que Diego défendît le peuple et ses racines mexicaines. Elle ne supportait pas qu'il peignît avec volupté des femmes indiennes et de façon incisive la classe dominante. Les querelles, évidemment, ne pouvaient que renforcer le sentiment révolutionnaire.

Bref, il se trouvait sur un échafaudage, au dernier étage du ministère de l'Education, lorsque je me pointai pour le voir avec quelques-uns de mes travaux sous le bras. Je l'avais croisé çà et là à des soirées, mais n'avais pas eu avec lui de contact direct. Comme ça, sur un coup de tête, c'est un peu au culot que je m'amenai.

Il peignait, un mégot à la bouche. "Dites donc, Diego, descendez un peu de là", lui lançai-je. Il me regarda et sourit mais n'en fit rien. Je dus insister : "Allons, descendez !" Cette fois, il s'arrêta vraiment et descendit. "Ecoutez, lui dis-je, je ne suis pas venue chercher des compliments mais un avis sincère et sérieux sur ce que j'ai fait."

Il regarda attentivement mes petites choses et dit, enfin : "Continuez. Votre volonté doit vous mener à votre propre expression." Il me toisa et ajouta : "Vous

1. "Les jeunes filles de la Lerdo [une école secondaire] / prennent des douches / pour ne pas ressembler / aux singes de Diego Rivera."

en avez d'autres ?" Je lui répliquai : "Oui, monsieur, mais c'est trop compliqué pour moi de les transporter. J'habite Coyoacán, au 127 de la rue Londres. Pourriez-vous venir dimanche prochain ?" Il me répondit qu'il n'y manquerait pas.

Et le dimanche suivant, il vint à la maison.

Je me fis un plaisir de l'attendre perchée en haut d'un oranger. Je me mis à rire lorsqu'il apparut avec son chapeau, un cigare à la main, deux cartouchières autour de la taille et un pistolet sur chaque hanche. Il avait l'air à la fois surpris et amusé de me trouver là, sur les branches, à guetter son arrivée. Je me souviens qu'il m'aida à redescendre. Je lui dis : "Le singe, c'est moi !", et ça le fit rire.

Il était jovial et mes parents ne parurent pas choqués par ses extravagances ni même par sa réputation. Diego a toujours su mettre les gens qu'il côtoie dans sa poche – quand il veut. Et puis, ma mère et mon père devaient se sentir fiers qu'un personnage aussi célèbre s'intéressât à leur fille. Il parla un peu de photo avec mon père.

Nous devînmes immédiatement amis. Il revint plusieurs dimanches encore. Je l'appelai "le gros" et lui dis qu'il avait une tête de crapaud. Il ne s'en offusqua pas le moins du monde, ça le faisait rire. C'est vrai qu'il a une tête de crapaud.

Voilà. Puis les choses suivirent leur cours. Il me courtisa, je le taquinai, nous devînmes très complices, nous finîmes sous le charme l'un de l'autre, séduits l'un par l'autre. Le géant et la demoiselle boiteuse de Coyoacán.

Très vite, il me demanda mon avis sur son travail. Il m'écoutait religieusement. C'est drôle quand on pense que, outre des bases classiques chez les deux, nos peintures étaient engagées dans des voies différentes. Diego a travaillé à son échelle, monumentale, moi à la mienne, proportions réduites. Lui, tourné vers l'extérieur, le social, principalement, moi, vers l'intérieur, l'intime humain. Je crois que cette autre complicité, ce regard posé sur le travail de l'autre que nous nous sommes porté, notre confiance mutuelle et notre sens critique en la matière, sont parmi les plus belles choses qu'il m'ait été donné de vivre. Une des plus belles choses de notre relation.

Une anecdote, encore. Un jour, mon père s'approche de Diego : "Je vois que vous vous intéressez à ma fille." Diego ne sait dans quel sens interpréter la remarque paternelle, il bégaie : "Pourquoi ?... Euh... oui. Oui, bien sûr, sans ça je ne ferais pas tout ce chemin pour venir la voir." "Eh bien monsieur, lui dit mon père, je veux vous mettre en garde. Frida est une fille intelligente, mais c'est un démon caché. Un démon caché." "Je sais", réplique Diego. Et mon père de conclure : "Bien, j'ai fait mon devoir."

RIVERA

Obstacle ne me plie : la rigueur le détruit
...
la rigueur obstinée, la rigueur destinée.

LÉONARD DE VINCI

Diego Rivera est sans conteste le peintre mexicain le plus célèbre du XXe siècle.

Il vit le jour le 8 décembre 1886 dans la ville de Guanajuato, d'origine, aimait-il à répéter avec plaisir, "espagnole, allemande, portugaise, italienne, russe et juive". Il eut un frère jumeau qui mourut deux ans plus tard.

Né dans une famille réputée plutôt libérale, fils d'un instituteur, Diego enfant semble avoir été particulièrement canaille. Et, au grand désespoir de sa mère, il manifesta dès sa plus tendre enfance des comportements faisant preuve d'un athéisme incorrigible. Ses parents et ses tantes se plaignaient d'avoir à la maison un diable en chair et en os n'ayant, par définition, ni foi ni loi.

Son père le destinait à une carrière militaire, ce qui était une tradition dans la famille. Mais Diego

183

s'y refusa farouchement, en partant simplement dans une tout autre direction : il faisait dessin sur dessin. Devant sa détermination, haut revendiquée, ses parents s'accordèrent pour que l'enfant, dès sa dixième année, poursuivît à Mexico des études secondaires normales le jour et des études artistiques le soir, à l'Ecole des beaux-arts de San Carlos, dont il sera le directeur quelque trente ans plus tard.

Il ne suffit pas d'étudier la peinture et d'avoir de bons professeurs pour être peintre, tout le monde en conviendra. Mais Diego eut la chance de posséder ce complément indispensable, sinon essentiel, à sa vie d'artiste : la créativité. Il avait une bonne dose de talent, cet étrange instinct, qui ne passa pas inaperçu.

A seize ans, il termina ses études secondaires et se consacra à parcourir le Mexique et à le peindre durant quatre ans, avant de pouvoir enfin réaliser son rêve de jeune peintre : partir pour l'Europe. La chance lui sourit en 1906. A vingt ans, il obtint une bourse pour étudier aux Beaux-Arts de Madrid, où il travaillera sans répit et ardemment, tout en se distinguant, par ailleurs, par un caractère jugé original et, évidemment, par son physique.

Au début des années dix, Diego quitta l'Espagne pour visiter un peu de cette Europe dont il était dit qu'il fallait culturellement s'imprégner. Il alla donc en Hollande, en Belgique, en Angleterre et en France. Curieusement, dans un premier temps, il ne visita pas l'Italie, dont la tradition picturale, pourtant, l'influençait profondément. Il décida de s'installer alors à Paris où, de Diaghilev à Picasso, un monde artistique venu de tous les horizons se côtoyait, mœurs et langues confondues, pour l'amour de l'art. Diego y travaillera encore plus qu'à Madrid.

On raconte qu'il subit un tel choc émotif à la vue des Cézanne que possédait la galerie Vollard, qu'il en tomba malade et que la fièvre monta à quarante degrés plusieurs jours durant. On raconte aussi qu'il explosait régulièrement de colère contre son propre travail, désespéré de ne pas comprendre comment Breughel ou Goya étaient parvenus à une telle maîtrise de leur crayon, de leur pinceau. Il vouait aussi à Henri Rousseau une admiration sans bornes et voyait en Picasso un génie.

Dès 1911, il exposa au Salon d'automne des toiles d'inspiration cubiste qui ne lui valurent pas de grands éloges malgré quelques voix isolées, telle celle de Guillaume Apollinaire qui déclara que Diego Rivera n'était "pas du tout un artiste négligeable". En 1913, en revanche, au Salon des indépendants, deux de ses toiles attirèrent l'attention : *La Jeune Fille aux artichauts* et *La Jeune Fille à l'éventail*. Un critique de l'époque, pertinent, y décela "l'austérité et l'attrait des fresques". En 1914, au 26 rue Victor-Massié, eut lieu sa première exposition personnelle. Regroupant vingt-cinq toiles, elle passa quasiment inaperçue.

Puis il se détachera peu à peu du cubisme pour entrer dans sa propre voie.

Le "cow-boy mexicain", comme on l'appelait, travaillait sans discontinuer. Le marchand Léonce Rosenberg disait de lui qu'il était, parmi les peintres dont il s'occupait, le plus prolifique.

185

La vie politique était pour Diego une préoccupation constante. Géographiquement, historiquement, il se trouvait au centre d'une diagonale qui allait de la révolution mexicaine, commencée en 1910, à la révolution d'octobre 1917 en Russie, en passant par la guerre de 14 en France. Il acquit la conviction, dont il ne se départira plus au long de sa vie, que l'art, en l'occurrence sa propre œuvre, pouvait participer à rendre le monde meilleur, plus humain.

Diego vécut à Paris dix années. Période de bohème et de grands espoirs, il en tirera grand bénéfice. Et comment ne pas s'enrichir, aussi, au contact de gens plus extraordinaires les uns que les autres ? Leurs querelles mêmes, artistiques ou personnelles, apportaient quelque chose à leurs protagonistes. Elie Faure, l'historien et critique d'art, grand ami de Rivera, l'amena à réaliser qu'"il n'y a pas d'architecture monumentale sans cohésion sociale" et que l'individualisme prendrait fin dès lors qu'on retournerait à la multitude, au peuple, dès lors que l'art serait intégré au monument. Ainsi que l'avaient fait les Italiens, de l'antique Rome à la Renaissance, et les Aztèques dans leur propre civilisation.

Diego décida de visiter enfin l'Italie et passa plus d'un an et demi à y étudier la peinture et les fresques, de Pompéi à Venise en passant par Florence et Vérone. Sans oublier Ravenne et ses mosaïques. Au retour de ce voyage, encouragé par l'un de ses amis, il rentra au Mexique, riche d'enseignements. Ses acquis européens, il allait, d'une certaine façon, les rendre mexicains, totalement.

Il était resté quatorze ans en Europe. Lorsqu'il arriva au Mexique, son père se mourait.

La révolution mexicaine était passée sur le pays et un vent nouveau semblait y souffler qui portait chacun à l'enthousiasme, à l'idée qu'une patrie nouvelle était en train de se forger. Un processus social était engagé dans lequel Diego allait trouver très vite sa place.

S'il n'avait pas été reconnu en France, toutefois on s'y languissait de lui, comme le montre cet extrait d'une lettre que lui adressa Elie Faure le 11 janvier 1922 : "(...) Depuis que tu es parti, il me semble qu'une source de légendes d'un monde surnaturel a disparu ; que cette nouvelle mythologie dont le monde a besoin est en train de dépérir ; que la poésie, la fantaisie, l'intelligence sensitive et le dynamisme de l'esprit sont morts. J'ai le cafard – tu vois – depuis que tu es parti (...)."

Diego ne passait jamais inaperçu. Diego laissait des traces.

José Clemente Orozco, David Alfaro Siqueiros, Diego Rivera, tous trois rentrant de l'étranger, se partagèrent, dans les années vingt, l'art mural officiel mexicain. Diego n'était pas le moins pourvu de travail et le fait que l'art, à cette époque, était stimulé par les efforts du gouvernement n'était pas pour lui déplaire. "J'en avais assez de peindre pour les bourgeois", déclarait Diego en 1923. Il espérait faire avec son travail la même œuvre qu'avaient accomplie quelques siècles plus tôt ses ancêtres mayas ou aztèques : être compris du peuple à première vue.

Plus que quiconque il prêcha le retour aux sources exalté par la révolution mexicaine. Parallèlement à son engouement pour cette civilisation précolombienne qu'il érigeait en modèle, en 1922 Diego entra au parti communiste. Sa carte portait le numéro 992.

En 1923, trois artistes furent élus au comité exécutif du parti : Diego Rivera, Xavier Guerrero et David Alfaro Siqueiros. Peu de temps après, ils formèrent une union qui avait l'ambition de regrouper les ouvriers, les techniciens et les plasticiens. Pour la promouvoir, un journal, *El Machete*, fut édité. Malgré ses desseins humanistes, révolutionnaires et populaires, *El Machete* était trop cher à la vente et son ton demeura hermétique aux masses laborieuses. En 1923, encore, Diego commença à réaliser un de ses travaux les plus importants : les cent vingt-quatre fresques du ministère de l'Education, dont l'exécution allait prendre quelque quatre ans.

En 1927, Diego reçut une invitation officielle de Lounacharski pour aller en Union soviétique réaliser une fresque sur les murs de l'immeuble de l'armée Rouge. Mais les choses ne se passèrent pas comme prévu, d'une part, parce que Diego dut affronter à Moscou nombre de détracteurs appartenant à l'ancienne école qui jugeaient trop moderne sa façon de traiter les sujets, d'autre part, parce qu'il tomba malade à cause du froid. La fresque fut commencée mais resta inachevée, il collabora cependant à la célèbre publication *Krasnaïa Niva* en sa qualité de dessinateur et fut nommé professeur à l'Ecole des beaux-arts de Moscou. Au Mexique, ses proches n'attendaient guère son retour, pensant qu'il resterait vivre en Union soviétique, patrie de ses idéaux.

Il rentra pourtant au mois de mai 1928.

A Paris, Diego avait vécu durant dix ans avec une Russe, peintre elle aussi, Angelina Beloff. Il l'abandonna plus qu'il ne s'en sépara lorsqu'il retourna vivre au Mexique. Là, il rencontra une Mexicaine de Jalisco, Guadalupe Marín, avec laquelle il vécut sept ans, approximativement jusqu'à son départ pour l'Union soviétique, et dont il eut deux filles.

Angelina était aussi douce, paisible et blonde que Lupe était brune, impétueuse, impulsive. Si la relation avec Angelina semble avoir été empreinte d'une assez grande sérénité, celle avec Lupe fut célèbre par sa sensualité affichée et ses éclats publics.

Diego ne fut jamais un homme fidèle. A Paris, il avait été, en même temps qu'avec Angelina, avec une autre Russe, Marievna Vorobiev, dont il eut une fille, Marika. Au Mexique, il avait la réputation de faire de quiconque était son modèle une amante. Ainsi y avait-il eu Nahui Olin, Tina Modotti, et beaucoup d'autres, moins connues...

C'est donc cet homme imposant, scandaleux, "mythique ou mythomane", selon Elie Faure, laid, charmeur, bien assis dans la société mexicaine, et dans le monde intellectuel et artistique en particulier, qui entra dans la vie de Frida tel un tourbillon haut en couleur, plein de surprises.

AUTOUR D'UN MARIAGE

> *Diego et Frida faisaient partie du paysage*
> *spirituel mexicain, comme le Popocate-*
> *petl et l'Iztaccinuatl dans la vallée d'Ana-*
> *huac.*

LUIS CARDOZA Y ARAGÓN

Le 23 août, l'annonce suivante parut à Mexico, dans le journal *La Prensa* :

"Mercredi dernier, dans le proche quartier de Coyoacán, Diego Rivera, le peintre contesté, a épousé Mlle Frieda Kahlo, une de ses disciples. La mariée portait, ainsi qu'on peut le constater [sur la photo], de très simples vêtements de ville et le peintre Rivera portait une veste sans gilet. La cérémonie fut célébrée sans pompe, dans une atmosphère très cordiale et en toute modestie, sans ostentation ni cérémonie sophistiquée. Les mariés furent très félicités, après leur union, par quelques proches."

Le même jour, le *New York Times* publia :

DIEGO RIVERA MARRIED
Noted Mexican Painter and Labor Leader
Weds Frida Kahlo

Mexico City, Aug. 23 (AP). Announcement was made today that Diego Rivera, internationally known painter end labor leader, was married wednesday to Frida Kahlo in Coyoacan, a suburb of Mexico City [1].

Frida fut la dernière des filles Kahlo à se marier. Et ce fut probablement un soulagement pour ses parents. D'une part, parce que l'éventualité de rester vieille fille, à l'époque encore, n'était pas bien considérée ; d'autre part, parce qu'ils craignaient d'avoir à assurer seuls et pour le reste de leur vie les frais médicaux causés par Frida. Malgré tout, Matilde fut heurtée par le fait que le futur mari de sa fille était beaucoup plus âgé qu'elle, gros, laid, artiste, bohème, communiste, athée, controversé et bon vivant. Guillermo accepta les faits pratiquement sans discussion.

> (…) Je tombai amoureuse de Diego et cela déplut à mes parents parce que Diego était communiste et qu'il ressemblait, disaient-ils, à un gros, gros, gros Breughel. Ils disaient que ça avait l'air d'un mariage entre un éléphant et une colombe.
> Malgré tout (…), nous nous mariâmes le 21 août 1929.
> (…)

1. "Le célèbre peintre mexicain et leader travailliste épouse Frida Kahlo. Mexico, 23 août. Il a été annoncé aujourd'hui que Diego Rivera, peintre internationalement connu et leader travailliste, a épousé mercredi Frida Kahlo à Coyoacán, une banlieue de la ville de Mexico."

Personne n'assista au mariage, excepté mon père, qui avait dit à Diego : " N'oubliez pas que ma fille est une personne malade et qu'elle le sera toute sa vie ; elle est intelligente, mais pas jolie. Pensez-y (…) et si malgré tout vous souhaitez vous marier, je vous donne mon accord."

FRIDA KAHLO

Diego, qui ne s'était pas marié avec Angelina et qui avait épousé Lupe religieusement – ce qui au Mexique n'est pas reconnu –, épousa Frida le plus officiellement qui fût, à la mairie de Coyoacán.

C'est vrai que, d'après les photos de leur mariage, ils étaient plutôt simplement vêtus, en tout cas peu conventionnellement pour des gens de leur rang : Diego porte costume et cravate autour d'un col de chemise froissé, une large ceinture à la taille, son éternel chapeau à la main ; Frida porte une longue robe à motifs, à volants, un serre-tête sur ses cheveux ramassés, une étole, un collier ras du cou, et, sur l'une des photos, elle tient à la main une cigarette, détail qui fit hurler les trop bien pensants.

Le contraste entre les deux personnages est frappant. Frida, à côté de Diego, a un visage presque enfantin, avec ce regard direct, effronté, qui fixera toujours l'objectif des photographes sans ciller tout comme il fixera les spectateurs de ses tableaux. Diego, à côté de Frida, paraît encore plus vieux qu'il n'est, les traits lourds, marqués. Elle est toute menue, il est franchement énorme. Matilde avait raison : une colombe et un éléphant.

Ainsi donc Magdalena Carmen Frida Kahlo convola-t-elle en justes noces avec Diego Maria de la Concepción Juan Nepomuceno Estanislao de la Rivera y Barrientos Acosta y Rodríguez. Elle avait vingt-deux ans, lui allait en avoir quarante-trois.

Un mariage entre deux monstres, chacun à sa façon, deux créateurs, deux séducteurs, deux passionnés. Un mariage qui pouvait paraître une lubie, régi par les seules forces instinctives, ludiques qui risquaient de dominer chacun des deux partenaires. Un mariage qui s'annonçait déjà loin des auspices de l'ennui, pour le moins.

Diego était revenu d'Europe plein d'elle et dégoûté d'elle. De Paris en particulier, dont il voulait oublier la grisaille et la tristesse des images de guerre. Le Mexique l'attendait et Diego était prêt à s'enivrer de l'enthousiasme de ses luttes, de ses paysages, de son passé précolombien chargé de mythologie, de mystique, d'art et de violence, de ses traditions populaires, de ses couleurs. De ses femmes, aussi. Il s'était lassé de la "blancheur des femmes européennes", et Angelina la douce, la fidèle, avait ainsi perdu son attrait. Porté par l'essor nationaliste, il cherchait la "femme mexicaine" dans toute sa splendeur, qu'il trouva incontestablement en Lupe Marin la tumultueuse et sa beauté sauvage.

Aussi Frida, quand elle eut rencontré Diego, troqua-t-elle son costume d'homme, sa salopette, sa veste de travailleur, son air de garçon manqué, contre l'image d'une femme mexicaine portant jupons, dentelles, longues jupes et robes colorées, coiffure enrubannée, bijoux lourds et, sur les épaules, toujours un rebozo. Elle voulait plaire à Diego et devint peu à peu plus mexicaine que les Mexicaines, surtout si l'on songe qu'une moitié d'elle était originaire d'Europe centrale et un quart d'Espagne, qu'elle avait été élève du lycée le plus chic et réputé de Mexico, qu'elle parlait couramment l'allemand et était imprégnée de culture occidentale. Au risque d'être montrée du doigt, Frida glissa dans un mexicanisme à outrance, qui faisait d'elle une sorte de princesse aztèque à la langue argotique. (Elle n'était pas la seule, au demeurant, à se vêtir de jupes longues et du *huipil* [1] de l'isthme de Tehuantepec. Cela devint la mode parmi les femmes de son milieu, Mexicaines comme étrangères.)

La femme de Diego Rivera était belle, contrairement à ce que disait son père, et remarquée.

Peu de temps après leur mariage, Frida et Diego organisèrent une fête chez Tina Modotti. Tous leurs amis s'y trouvèrent réunis et c'était l'ambiance des grands jours : discussions à n'en plus finir, *pulque* [2] et tequila coulant à flots, musique et cris de joie. Lupe Marin était présente, se montrant enjouée et amicale. Pourtant, au moment où l'on s'y attendait le moins, elle s'avança solennellement vers Frida,

---

1. Chemise ayant la forme d'un poncho mais dont les côtés sont assemblés.
2. Principale boisson mexicaine, extraite de l'aloès.

la reine de la soirée. Arrivée près d'elle, elle lança, souriante :

— Votre attention, deux minutes !

Frida la regardait, intriguée mais confiante. Le brouhaha cessa et les visages se tournèrent vers Lupe. Tout le monde était habitué aux coups d'éclat d'une personne ou l'autre, aux provocations, aux déclamations, aux déclarations, au pitreries.

— Regardez bien !

Soudain, elle se saisit de la jupe de Frida et la releva jusqu'au-dessus des genoux. Frida en fut tellement interloquée qu'elle se laissa faire.

— Regardez bien ! Ce sont ces deux bouts de bois que Diego a aujourd'hui à la place de mes jambes !

Elle lâcha le tissu brutalement et quitta la pièce l'air apparemment sûre d'elle, laissant l'assemblée à ses exclamations et quelque rire isolé.

Frida ne dit rien et quitta elle aussi la pièce un moment plus tard. Elle monta sur la terrasse qui surplombait la maison, se faufila parmi le linge tendu et alla s'appuyer contre une balustrade. La nuit était claire, les bruits de la fête avaient repris mais ils lui parvenaient en sourdine. Elle respira fort et regarda dans la direction où devait se trouver la maison de Diego, au 104 de l'avenue Reforma. Elle avait envie de rentrer.

Une voix l'appela :

— Frida ! Frida ! Tu es là ?

— Je suis là, oui, répondit-elle, lasse.

— Je n'y vois rien, avec tous ces draps… Frida, il faut que tu viennes, Diego fait des siennes.

— Comment ça ? Qu'est-ce qui se passe ?

— Je crois que ça va mal tourner… Toute cette tequila qu'il a ingurgitée… Tu peux peut-être l'arrêter…

Frida apparut dans la pénombre et suivit l'ami. Elle avait dû rester un long moment sur la terrasse. Diego était ivre mort, mais il était trop tard. Il avait sorti son pistolet et tirait, moitié agressif, moitié rieur. L'abat-jour en pâte de verre d'une lampe vola en éclats, et des balles cassèrent ou traversèrent un certain nombre d'autres objets. Une balle toucha la main de quelqu'un et en cassa le petit doigt.

Un vent de panique soufflait. Diego lançait des injures, s'inventait une bagarre.

— Il est fou ! s'écria Frida en s'avançant vers lui. Diego, ça suffit, mon gros !

Mais Diego n'entendait rien et se mit à l'injurier aussi.

— Me voilà vernie… Pour une fête de mariage, je m'en souviendrai ! L'une qui regarde sous mes jupes, l'autre qui va bientôt rouler sous la table…

— Tu fais la rebelle ?

— Je ne t'ai rien fait, Diego. Toi, en revanche, tu as trop bu et si tu veux continuer tu peux, moi, je rentre.

Le ton montait et la dispute n'avait aucun sens. Personne ne savait d'où elle était partie. Enfin, Frida s'en dégagea et réussit à partir. Elle rentra à Coyoacán.

Deux ou trois jours passèrent avant que Diego ne revînt, penaud, chercher Frida. Elle l'attendait en toute tranquillité. Elle avait déjà manifesté sa réprobation en quittant la soirée et, âme fière aussi, elle savait que sa force consistait à ne pas faire de reproches après coup. A Diego de faire son auto-critique si besoin était.

Bras dessus, bras dessous, ils retournèrent chez eux.

Ils ne tarderaient pas à se retrouver dans la maison bleue : quelque temps après, il fut décidé que, compte tenu des difficultés financières dont conti-nuaient à souffrir Matilde et Guillermo et de l'espace non négligeable de la maison de la rue Londres, le couple Rivera s'y installerait.

Diego avait beaucoup de travail : il achevait les murals du ministère de l'Education et en entrepre-nait de nouveaux au ministère de la Santé. Bientôt, il décorerait aussi une partie du Palais national[1] à la demande du gouvernement. A la fin de l'année, il fut sollicité par l'ambassadeur des Etats-Unis, Dwight W. Morrow, pour peindre les murs du palais Hernán-Cortés, non loin de Mexico, dans la ville de Cuer-navaca. Le succès de Diego allait grandissant.

Il commença à subir, cependant, les critiques du parti communiste l'accusant de ses fréquentations et de ses amitiés au gouvernement. Le jour de son exclusion, il s'accusa lui-même devant ses cama-rades d'avoir trahi la juste cause "en collaborant avec

1. Palais gouvernemental.

le gouvernement petit-bourgeois du Mexique". Il termina son "autocritique" en déclarant Diego Rivera exclu du parti. Puis il sortit de son étui un pistolet, le garda quelques minutes entre les mains, et soudain le brisa d'un coup sec, au grand étonnement des spectateurs : le pistolet était en plâtre.

A Cuernavaca, la vie s'écoulait agréablement. Frida avait suivi son mari et paressait tandis qu'il peignait son mural. Sa santé était bonne, elle travaillait peu, elle tomba enceinte.

Un midi, elle alla trouver Diego sur son échafaudage pour lui annoncer la bonne nouvelle.

— Diego, descends de là. C'est le bonheur !
Diego descendit.

— Mais…, dit-elle en montrant du doigt le mural, qu'est-ce que c'est que ce cheval ?

— Frida, voyons, le cheval de Zapata.

— Je vois bien… Mais tu es fou ou quoi ?

— Tu le trouves trop imposant ?

— Diego, mon amour, mais tu l'as fait blanc ! Le cheval de Zapata était noir ! Noir comme la nuit. Noir comme ses yeux. Noir comme l'éternité.

— Bon. Je le reprendrai. Vos désirs sont des ordres, petite… Laissez-moi réfléchir…

— Ce ne sont pas mes désirs, c'était la réalité !

— Mmmm… Je crois que je vais le laisser blanc. C'est mon idéalisation.

— Sais-tu ce qu'est le bonheur ? demanda Frida avec un regard malicieux.

— Le socialisme, peut-être… ou le nirvana.

— Non, pas ça, le bonheur aujourd'hui.

— Le petit panier fleuri que tu apportes avec le repas de midi dedans, encore fumant.

— Eh bien, Diego, tu es encore loin du compte. Le bonheur, aujourd'hui, c'est un peu plus que ça : je suis enceinte… Tu entends ? Je vais avoir un petit bébé crapaud-colombe.

Mais le sort en décida autrement. Trois mois plus tard, le docteur Marin, le frère de Lupe, dut provoquer un avortement. Il avait diagnostiqué une malformation pelvienne qui allait empêcher Frida de mener à terme sa grossesse.

Frida pleura éperdument. Les cauchemars du temps de l'accident revinrent frapper à la porte de sa chambre pour un moment. Diego était présent et la consolait de son mieux, mais elle se sentait seule. Une question l'obsédait, qui n'avait pas de réponse : aurait-elle un enfant, un jour, ou était-il mort à jamais sur les rails du tramway ?

Une union qui intriguait. Qui soulevait des vagues de réprobation, d'enthousiasme provocateur, de ragots, de curiosité. Une union qui a toujours intrigué. Dans la tête des uns et des autres, tôt ou tard, cette question : "Comment s'aiment-ils, ces deux-là ?" En nuance : comment peuvent-ils s'aimer ? quelle peut être la nature de leur relation ? qui aime qui ? s'aiment-ils, au moins ? Et encore : elle est sa mère, il est son père, ils sont l'enfant l'un de l'autre, il est le frère, elle est l'amante, il est l'amant dont elle ne peut se passer, ils ne sont sans doute pas amants, ils sont amis, ce sont des compagnons, leur relation doit être perverse, leur relation n'a rien à voir avec l'érotisme, ils ont besoin l'un de l'autre, chacun se suffit à lui-même, c'est inégal, ce doit être étouffant, leurs vingt ans de différence sont-ce un pont entre eux ou un ravin ? Sans doute du chiqué, unis jusqu'à la moelle, n'en doutons pas, dramatique ? fabuleux !

Mais oui, tout ça.

Nous alimentions la gazette artistique, et même un peu plus.

Mais oui, tout ça. L'amour ? Je ne sais pas. S'il englobe tout, y compris les contradictions et les dépassements, les aberrations et l'indicible, alors oui, va pour l'amour. Sinon, non.

Notre mariage fut un petit scandale. Tout le monde s'en mêlait, nous donnait des conseils à l'un ou l'autre. Par exemple, un jour, à l'automne, je reçus une lettre de Lupe :

Frida, il m'en coûte de prendre le stylo pour t'écrire. Mais je veux que tu saches que ni toi ni ton père ni ta mère n'avez de droit sur quoi que ce soit concernant Diego. Ses enfants (et tu peux compter Marika parmi eux, à laquelle il n'a jamais envoyé un centime !) sont les seuls qu'il ait le devoir d'entretenir.

Une allusion de mauvais goût, peut-être, au fait que nous avions décidé d'aller habiter la maison bleue… J'avais pris l'habitude de ne pas entrer dans ce genre de polémique. En réponse, je fis son portrait, quelques années plus tard.

Tina, dont on avait assassiné l'ami et compagnon, Julio Antonio Mella, alors qu'ils marchaient dans la rue tous deux, subit une campagne de calomnies l'accusant d'être l'auteur du crime. La pauvre. Elle se montra courageuse, toujours belle et tranquille. C'est difficile, cette vie que nous avons vécue : la vie, l'amour, l'amitié, la politique, tout mêlé, toujours. Tina, qui avait décidé de ne plus parler à Diego quand il eut quitté le parti (la "famille" de Diego ; la "patrie" de Tina), où j'étais restée, s'en prit à moi : "Frida, tu n'es pas vêtue comme une révolutionnaire." Son regard était beau et son visage désarmant. Mon seul argument "politique" eût été de lui dire que je revendiquais le Mexicain en moi. La seule réponse que j'avais dans l'âme et que je gardai tue était que mon homme m'aimait habillée comme ça, et que c'était bon.

Par moments, je me sentais un peu ballottée. Je repensais à l'époque où Diego peignait les murals à l'Ecole préparatoire nationale, que j'allais le regarder vêtue de mon petit uniforme de collégienne allemande avec mon petit chapeau de paille dont les longs rubans me tombaient dans le dos, "suivez-moi-jeune-homme". La candeur de mon adolescence, au milieu de ce tumulte artistique et politique, au milieu de ces conflits vrais ou faux, je priais pour ne pas la perdre. Je savais qu'elle était comme une bouffée d'air. Je crois que je ne l'ai pas perdue.

Tout ces propos inutiles, sauf pour la fibre pipelette en chacun de nous, peut-être : Diego va l'influencer, Diego va l'écraser, le peintre c'est elle, elle va perdre son originalité, elle est assez personnelle pour être intouchable, et ainsi de suite. Peut-être m'a-t-il influencée un peu au début de notre mariage, j'essaie de retrouver, je ne sais pas. A cette époque, de toute façon, j'ai très peu peint. Je m'habituais à ma nouvelle vie, je me laissais un peu aller, j'espérais avoir un petit. Dans les tableaux *le Bus* ou *la Petite Fille*, oui, je crois que Diego a déteint un peu sur moi. Je représente mes sujets avec un trop grand souci didactique. Mais dans mon deuxième auto-portrait, celui où je suis devant un balcon avec une pile de livres sur laquelle est posé un réveil, un petit avion s'envolant dans le ciel, au loin, il me semble que je reprends le fil de mes quelques réalisations antérieures et que je commence à ouvrir mon propre chemin, bien que ce tableau soit encore un peu faible.

C'est curieux, n'est-ce pas, je peignais moins à cette époque où je souffrais peu. Aïe ! Je vais alimenter les thèses sur la souffrance comme élément déterminant de l'art... Il y a encore beaucoup à dire dessus. J'en reparlerai.

Donc, pour en revenir à cette union, monstrueuse peut-être, sacrée certainement, je tiens à le préciser : union d'amour. A notre façon, impétueuse comme un fleuve non navigable, comme les chutes du Niagara ou les cataractes d'Iguazu, large comme un estuaire, profonde et mystérieuse comme les fonds marins, tourmentée comme une tempête dans la Méditerranée d'Ulysse, douce comme les lacs de Pátzcuaro et fertile comme les *chinampas* [1] aztèques, rude et dorée comme les déserts, redoutable comme les animaux de proie, colorée comme tout univers vivant.

1. Jardins flottants du Mexique ancien.

L'AMÉRIQUE

*Leur maison était toujours ouverte le soir ;
venait qui voulait. Ils étaient très sincères
dans leurs rapports avec les gens. Je n'ai
jamais vu une maison comme celle de
Diego. On y voyait des princesses et des
reines, une dame plus riche que Dieu, des
ouvriers, des travailleurs. Ils ne faisaient
aucune distinction (…).
Frieda était sensationnelle. (…) Son
travail était surréaliste. (…) Mais le
surréalisme tel que Frieda le traduisait
ressemblait énormément au Mexique.*

LOUISE NEVELSON

Diego Rivera, celui que la presse mexicaine avait,
quelques mois plus tôt, surnommé le "Mussolini
des artistes", se vit offrir, à l'automne 1930, d'exécuter une série de murals aux Etats-Unis. Au San
Francisco Art Institute et au San Francisco Stock
Exchange Luncheon Club.

Il était loin d'être inconnu aux Etats-Unis, où il
s'était déjà taillé une solide et scandaleuse réputation. En l'invitant, les Américains voulaient prouver

leur libéralisme. En revanche, au Mexique, les critiques allaient bon train, mais Diego avançait l'argument qu'avec ses murals en pays capitaliste, il combattrait ouvertement la société américaine et toucherait son peuple.

Il n'était pas dans ses habitudes, de toute façon, de se laisser impressionner par des propos calomnieux. Après l'expérience européenne et l'expérience soviétique, mû aussi par une curiosité insatiable pour tout ce qui était nouveau, Diego partit avec Frida pour les Etats-Unis le 10 novembre 1930.

Le premier grand voyage de Frida, tant rêvé, enfin !

Ils y arrivèrent dans la joie et s'installèrent, à San Francisco, au 716 Montgomery Street, chez le sculpteur Ralph Stackpole. Diego ne se mit pas tout de suite au travail et, jusqu'à la fin de l'année, ils profitèrent de leur liberté pour visiter San Francisco et ses environs.

Puis Diego monta sur l'échafaudage et Frida continua d'explorer seule la ville. Elle en était enchantée. Elle grimpait et descendait infatigablement ses rues, s'extasiait devant le charme des maisons, apprenait l'anglais avec les amis. Du matin au soir, elle était dehors et les gens s'arrêtaient sur son passage pour la regarder : à San Francisco comme ailleurs, elle arborait ses jupons et ses robes à volants, ses blouses brodées, les rebozos assortis, ses bijoux d'or et d'argent sertis de jade, lapis-lazuli, turquoise, corail. Dans les soirées où ils étaient invités, Frida devenait très vite le centre d'attraction, par sa gaieté et ses histoires racontées en mauvais anglais, par son humour, sa gentillesse, les chansons mexicaines qu'elle entonnait en fin de repas. Edward Weston, l'ancien compagnon de Tina, trouvait qu'elle ressemblait à une poupée. "Dans ses proportions, seulement, car d'un autre côté elle est forte et assez belle", écrivit-il.

Ce qui n'empêchait pas Diego de disparaître plusieurs jours de suite avec un de ses modèles américains. Et Frida d'en profiter pour passer des heures à flâner dans Chinatown, son quartier préféré. Les vitrines étaient pleines d'objets insolites et elle y trouvait toujours un nouveau bijou ou un coupon de soie pour s'y coudre une jupe.

Toutefois, sa jambe droite se rappela à elle en la faisant de nouveau souffrir. Les tendons étaient en train de se rétracter et le pied droit était un peu plus atrophié. Elle marchait difficilement. Elle prit rendez-vous avec le médecin chef du San Francisco General Hospital, le docteur Leo Eloesser, un homme original, amoureux de l'art, politisé, grand voyageur. Au sujet de son dos, il lui apprit qu'elle avait une très forte scoliose et qu'une vertèbre était déplacée.

Le docteur Eloesser fut le premier médecin que Frida "adopta", en qui elle mit sa confiance. Pour preuve de sa reconnaissance, elle fit son portrait, chez lui, quelques mois plus tard :

"For Dr Leo Eloesser with all love, Frieda Kahlo. San Francisco Cal. 1931."

Le 3 mai 1931, Frida écrivait à son amie d'enfance, Isabel Campos :

(…) je n'aime pas du tout le gringuerio [1], *ce sont des gens très ennuyeux et ils ont tous des visages qui ressemblent à des gâteaux mal cuits (surtout les vieilles). (…) Je n'ose même pas te parler de mon anglais, j'ai l'air d'une arriérée. J'aboie l'essentiel, mais il s'avère extrêmement difficile de bien le parler. Malgré tout j'arrive à me faire comprendre, même par les méchants épiciers.*

Je n'ai pas d'amies. Une ou deux qui ne peuvent être appelées amies. Je passe donc ma vie à peindre. En septembre j'aurai une exposition (la première) à New York. Ici, je n'en ai pas eu le temps et j'ai seulement pu vendre quelques tableaux. Mais, de toute façon, être venue m'a beaucoup servi parce que j'ai ouvert les yeux et j'ai vu un tas de choses nouvelles et agréables. (…)

Avec sa jambe endolorie, une nouvelle époque où elle se trouvait immobilisée, Frida se remit à peindre avec régularité. Elle fit le portrait de plusieurs personnes outre le Dr Eloesser et se libéra de l'influence qu'avait pu exercer sur elle la peinture de Diego au Mexique. Ses nouveaux portraits sont plus travaillés, plus imaginatifs, plus poétiques.

C'est avec bonheur qu'elle commença un tableau la représentant avec Diego. Debout tous les deux, ils se tiennent par la main. Diego tient dans son

1. Du mot "gringo", désignant l'Américain en argot mexicain.

autre main une palette : le peintre, c'est lui. Frida, elle, incline tendrement la tête dans la direction de ce grand homme auquel elle arrive à l'épaule. Il a d'immenses pieds, c'est à peine si on voit les siens. Comme le disait Weston, elle a l'air d'une poupée.

Ce portrait d'eux, Frida l'aimait. Il scellait leur union, prouvait leur amour, son amour pour Diego en tout cas, et la modestie dans laquelle elle se tenait en face de lui : une femme mexicaine, aimante, sans prétentions. Au-dessus de leurs têtes, selon la tradition des ex-voto, une inscription sur un ruban rose :

Vous nous voyez ici, moi, Frieda Kahlo, au côté de mon mari bien-aimé Diego Rivera ; j'ai peint ces portraits dans la belle ville de San Francisco, Californie, pour notre ami Albert Bender, en avril et mai 1931.

Mais voilà que, au mois de juin, Diego était déjà rappelé par le gouvernement mexicain : il avait laissé inachevés les travaux qu'il devait effectuer au Palais national. Le couple Rivera retourna donc au Mexique, avec une invitation en poche pour que Diego réalisât un mural à Detroit, plus tard.

Ils s'installèrent dans la maison bleue pendant que Diego, avec les dollars récoltés les mois précédents, entreprenait la construction d'une autre maison, entourée de cactus, sise entre les avenues Altavista et Palmas, dans le quartier de San Angel.

Les journées étaient bien remplies. Diego égal à lui-même, c'est-à-dire inépuisable, cabotin ; Frida dynamique, enjouée. Et puis, les projets, la future maison – qui serait composée de deux parties reliées entre elles par un petit pont –, les amis. Parmi ces derniers, un nouveau venu, Sergueï Eisenstein, qui tournait *Que viva Mexico !*

— On ne pouvait trouver meilleur titre, monsieur Eisenstein, dit Frida en l'accueillant à la maison bleue.

— Et meilleur sujet, fit Diego.

Eisenstein souriait tranquillement. Diego et Frida s'agitaient autour de lui. Diablement curieux et bavards, comme à l'accoutumée, ils voulaient tout savoir sur le film, faisaient des suggestions, vantaient la grandeur de leur patrie. Plus tard, autour d'un verre, Frida montra quelques-uns de ses tableaux au cinéaste, ceux qui se trouvaient là, un autoportrait, un portrait de Cristina, un autre d'Adriana, *la Petite Fille*, *le Bus*, des photos des tableaux restés aux Etats-Unis.

Eisenstein regardait attentivement. Frida intervint :

— Ne vous usez pas les yeux, cher monsieur, ils ne valent pas grand-chose, vous savez...

— Vous avez en tout cas un œil de photographe, permettez-moi de pouvoir en juger. Et peintre, vous l'êtes, bien que vous ayez l'air d'en douter... Vous devriez aller un jour en Union soviétique, je suis certain que notre art des icônes vous intéresserait. Je vois dans votre peinture cette intimité-là. Elle tend à ce même recueillement.

— Vous m'honorez trop ! s'exclama Frida en écartant le sujet d'un geste de la main. (Elle resta pensive deux minutes, puis reprit :) Les icônes, c'est entrer dans le divin. Où vous êtes, vous aussi. Que suis-je, moi, à côté ? Je travaille, voilà tout. C'est mon univers que vous voyez… Venez, maintenant, venez. Nous allons prendre une photo de nous dans le patio.

Frida prit affectueusement son hôte par le bras et l'entraîna dehors. Arrivée sur le perron, elle s'écria gaiement en tendant le doigt :

— L'arbre que vous voyez là-bas, c'est celui au pied duquel je rêvais, enfant. Je me faisais mon propre cinéma… *Que viva Mexico !* n'est-ce pas ?

Diego ne cessait de répéter qu'il se languissait déjà de sa vie américaine, Frida le taquinait en lui demandant s'il ne se languissait pas surtout des dollars de la renommée. Elle, elle se replongeait peu à peu dans son univers mexicain, sans trop de regrets : elle y avait sa langue, sa famille, ses amis.

Pourtant, la vie allait donner raison aux envies de Diego : les Etats-Unis les appelaient de nouveau, par la voix de Frances Flynn Payne, conseiller artistique des Rockefeller. Deuxième peintre à avoir cet honneur après Matisse, Diego était sollicité pour exposer une rétrospective de son œuvre au musée d'Art moderne de New York.

Ils refirent donc leurs valises et s'embarquèrent pour la côte est au mois de novembre. Le voyage fut animé par les histoires extraordinaires et les facéties de Diego, ses jeux de pistolet, ses discours sur le devenir du monde. Et Frida, telle Cléopâtre en mer d'Egypte, parée et admirée, chantait des corridos, déployait tout son charme et sa tendresse, l'acuité de son intelligence, offrait généreusement ses sourires, et non seulement aux hommes, mais aux femmes aussi. Elle avait compris qu'attirer les regards sur elle était le plus sûr moyen d'écarter les femmes qui approchaient Diego.

Le calme ne se fit sur le bateau que lorsqu'il entra dans la baie de Manhattan. Silence à bord, les voyageurs étaient tout yeux. Frida songeait à son père venant de Hambourg et arrivant à Veracruz et elle se sentit encore plus émue. Le Nouveau Monde capitaliste se dressait devant elle, féerie de lumière et d'éclat miroitant dans l'eau.

Elle frissonna de plaisir et d'effroi face à la beauté du monstre urbain, qui la narguait des reflets qu'il jetait et de tout ce qu'il devait cacher dans ses ombres. "Combien d'hommes, se disait-elle, ont-ils vécu ce moment extraordinaire ? Combien auront le privilège de le vivre encore ? Combien auront pleuré ! Combien ont dû en mourir ! La main de l'Homme est bien plus grande que celle de l'homme que Dieu a créé, ma chère maman…"

Sur le quai, un petit attroupement s'était formé pour les accueillir. Quelques amis et, parmi les présents, le directeur du musée d'Art moderne en personne, A. Conger Goodyear, souhaitaient la bienvenue aux arrivants qui furent aussitôt conduits à l'hôtel Barbizon-Plaza.

A peine installés, Diego et Frida furent emportés par le tourbillon des mondanités. Frida s'y laissait couler avec un certain plaisir, tout en exprimant bien fort, quelquefois, son dégoût pour toutes ces festivités qui faisaient semblant d'ignorer la misère du monde. Les amis de John Rockefeller junior et de son épouse, Abby, la regardaient avec une certaine tolérance. Pourtant, plus Frida s'habituait aux palaces, aux domestiques, aux chauffeurs, à la facilité du confort, plus elle se montrait provocante. Elle n'en était plus à seulement déployer son espièglerie naturelle, elle devenait adroite au lancer des fléchettes dans les soirées mondaines. Mais elle était artiste et femme d'artiste et cela donnait droit à certaines libertés qu'on n'aurait sans doute pas accordées à une autre catégorie d'individus. Frida divertissait.

L'exposition au musée d'Art moderne était pour Diego une énorme entreprise : quelque cent cinquante travaux devaient y être présentés, allant de la simple esquisse au fragment de mural. Hors des dîners, Diego était tout à sa tâche, stimulé aussi par l'ivresse de sa célébrité incontestable. Trois jours avant Noël, dans le froid new-yorkais, les gens se pressaient au vernissage. Un drôle de vent soufflait sur le musée, où se côtoyaient les plus hauts représentants du capitalisme et les défenseurs du communisme. Mais c'était de bon ton, presque. Les premiers se sentaient plus libéraux et les seconds avaient l'impression que leur lutte marquait des points. L'alliance pour un soir, aussi, du Nord et du Sud.

Si l'on en juge par les chiffres, l'exposition fut un succès : en un mois, il y eut près de soixante mille entrées.

Diego épatait. Il aimait les Etats-Unis qui le lui rendaient bien. New York, c'était une ville à sa dimension. Sous les lustres et les flashes des photographes, il était à l'aise. Dans les *parties*, toutes ces dames *curly haired* tournaient autour de lui. Même lorsqu'il envoyait la fumée de son gros cigare sur leurs zibelines. Qu'à cela ne tienne, elles le trouvaient encore plus *charming. Oh Diego, you're a genius ! What a wonderful man, really !* Certaines étaient ridiculement mielleuses. Eût-il été encore plus laid, mon Diego, qu'elles l'en auraient aimé davantage. Je n'ai jamais connu quelqu'un qui maniât aussi bien que Diego l'art de la contradiction en tirant toujours son épingle du jeu en vedette. Artistiquement, politiquement, quotidiennement, il s'en sortait toujours. Pirouette *man.*

And what about me ? Tiraillée, au fond. Souvent, j'étais prise de nausée au milieu des coupes de champagne. Non pas à cause du champagne lui-même, plutôt le bruit du pétillement. Non pas à la vue des colliers de perles, plutôt à leur ouïe lorsque les *ladies* les tripotaient tout en jacassant à l'américaine. Et ces parfums qu'elles faisaient venir de Paris, mêlés à l'odeur des cigares cubains des hommes. J'avais la nostalgie des odeurs de la Merced, des odeurs des *tortillas*[1] du Zócalo. Devant un gratin dauphinois ou une crème à l'anglaise – à dire toujours en français –, j'étais prise d'une envie irrésistible de manger une *enchilada*[2] de ma maman, un *guacamole*[3], une tranche de pâte de goyave, de la *cajeta*[4] à la petite cuiller et un bon verre de *pulque*.

Il y avait des "ououh" d'admiration lorsque quelqu'un remarquait l'année de la cuvée des vins – toujours français –, et moi je me mettais à penser que, dans mon pays, les gens s'empoisonnaient tous les jours en buvant trois gouttes d'eau croupie... Je me souvenais, un petit four – à dire en français, encore – à la main, de photos terribles de misère que j'avais vues sur les Etats-Unis mêmes. Alors, j'aurais voulu me faire toute petite et m'enfoncer encore plus dans ces fauteuils en velours frappé extraordinairement moelleux, des fauteuils faits pour l'endormissement intellectuel. Et je me demandais quelle était l'existence, par exemple, du garçon qui nous servait avec ses jolis gants blancs, celle du groom de l'hôtel Barbizon-Plaza, des ivrognes et des mendiants qui traînaient leurs bouts de vie vers le Bowery, à cette heure-là, en plein hiver. Je

---

1. Galettes de maïs.
2. Taco (voir note 1, p. 84) en sauce.
3. Salade d'avocats réduits en purée.
4. Gâteau au lait de chèvre.

repensais à la ruée vers l'or et à la révolution mexicaine, à toutes les guerres, les passées et celles qui
nous guettaient peut-être. *I felt sick, you know.*

Je me demandais si j'étais honnête. Non parce
que je me trouvais dans un salon bourgeois, mais
parce que les choses auxquelles je croyais étaient
peut-être une cause perdue. Et que j'étais, de toute
façon, du côté du pouvoir et le suis encore : par
ma seule éducation, n'est-ce pas ? Diego, lui, n'a
jamais semblé douter ; changer d'avis avec aisance,
ce n'est pas la même chose que douter. En définitive, j'ai peut-être une plus grande intégrité que lui.
Certaine puérilité qui me fait marcher plus droit.
Ou n'est-ce que de la prétention ?

Entre deux cartons d'invitation à enveloppes toujours doublées, je me laissais aspirer tout de même
par New York. Du sud de Central Park, où nous
demeurions, j'adorais marcher jusque *downtown*.
Mon territoire était circonscrit entre Little Italy et
Hester Street. Je flânais moins dans le Chinatown
new-yorkais que dans celui de Frisco. J'aurais bien
voulu alors habiter vers McDougal Street, je le disais
à Diego qui me répondait que plus tard, peut-être.
Je me sentais mal à l'aise avec les simagrées de
l'hôtel. Les courbettes, ça n'a jamais été mon genre.

J'avais quelques amies. Surtout Suzanne et
Lucienne Bloch. Surtout Lucienne, qui devint un
des assistants de Diego pour les murals et épousa
plus tard Stephen Dimitroff, autre assistant. J'aurai
l'occasion de reparler d'elle. Elle me taquinait parce
que je ramenais toujours quelque chose de mes

vadrouilles : deux mètres de ruban, un châle italien, de vieilles perles en bois pour faire un collier. Elle disait qu'elle n'avait jamais rencontré de femme aussi douée pour accommoder des éléments disparates, ayant ou non de la valeur. Elle s'exclamait que l'élégance, au fond, c'était sans doute cet art-là. Je me sentais très flattée.

Ma coquetterie participait du tiraillement que je vivais. J'essayais de ne pas perdre de vue les causes nobles que ma conscience défendait, et une foule d'images m'envahissaient aussitôt, à l'appui. En même temps, je me coulais dans nombre de plaisirs new-yorkais. C'était par à-coups.

Mais j'avais souvent honte. Pas seulement pour moi.

Je me languissais du Mexique et ne peignais pas assez.

A LA FRONTIÈRE DU MEXIQUE
ET DES ÉTATS-UNIS

> Cette ville [Detroit] ressemble à un vieux village
> minable. Je ne l'aime pas du tout, mais je suis heu-
> reuse parce que Diego y travaille avec entrain (…).
> La partie industrielle de Detroit est vraiment la plus
> intéressante, le reste est, comme partout aux Etats-
> Unis, affreux et bête.
>
> FRIDA KAHLO

Vingt-cinq mille dollars pour un mural à Detroit,
l'industrie américaine ne lésinait pas sur les moyens.
Le thème ? L'industrie elle-même. L'espace à cou-
vrir ? Immense, mais impressionnant à peine pour
cet autre Michel-Ange, comme on le surnommait
parfois. Lieu ? Le Detroit Institute of Arts, géré par
la Detroit Arts Company, elle-même sous la responsabilité d'Edsel Ford, président de la Ford
Motor Company.

En avril 1932, Diego et Frida arrivent à Detroit.
Déjà, Diego a reçu de New York une proposition des
Rockefeller lui offrant de peindre un mural dans
un de leurs immeubles.

Des semaines durant, Diego visite les usines de
Detroit, noircit ses carnets de croquis des édifices et

du matériel qu'ils enferment. Il court d'un endroit à l'autre, manifeste une grande curiosité et beaucoup d'enthousiasme. Il se sent corps et âme dévoué à sa nouvelle tâche. Frida, elle, durant la journée du moins, reste au calme : elle est de nouveau enceinte. Et puis la ville ne lui plaît guère. Detroit est une ville de labeur, affreusement conservatrice. Il y règne une atmosphère plus lourde qu'à San Francisco ou New York, et Frida s'y sent moins libre.

A Detroit, les extravagances du couple Rivera prenaient une autre dimension, d'autant que, comme ils se sentaient dans cette ville plus à l'étroit, ils se montraient d'eux-mêmes davantage agressifs. Ils ne faisaient plus rire, on les regardait comme des animaux bizarres. Ils n'échappaient pas, toutefois, aux invitations mondaines.

A une soirée chez Henry Ford, comme Frida dansait avec son hôte, celui-ci lui dit :

— Vous avez une bien belle robe, chère Frida.

— C'est aussi ce que je pense, cher monsieur, lui répondit-elle. Croyez-vous donc que les communistes doivent être mal fagotés ?

— Ce n'est pas ce que j'ai voulu dire, dit Ford, en la faisant tourner au rythme de la musique.

— On nous a dit que nous étions logés dans le meilleur hôtel de la ville…

— En effet, en effet…

Frida lançait à son partenaire des regards de défi. Ils tournaient toujours, elle reprit :

— On nous a aussi dit pourquoi c'est le meilleur hôtel de la ville.

Henry Ford sourit aimablement.

— Parce qu'on n'y reçoit pas de juifs, ajouta Frida en s'écartant un peu pour mieux observer la portée de ses mots.

Ford ne répondait pas. Enfin, il dit :

— Vous savez, ce qu'on raconte…

— Je sais en tout cas que Diego et moi avons du sang juif dans les veines. Et que vous êtes en train de danser avec moi.

Frida provoquait Ford sciemment : il était réputé être antisémite. Ford ne réagissait pas, il était habitué à ce genre d'incartade. Mais il sursauta quand, après s'être faufilée entre les couples de danseurs pour l'entraîner à l'écart, Frida lui demanda à brûle-pourpoint :

— Dites-moi, monsieur Ford, et vous, vous êtes juif ?

Elle n'attendait pas de réponse. Sans doute n'en aurait-elle de toute façon pas obtenu. Elle s'assit dans un sofa et massa sa jambe droite, sous sa jupe : son appareil orthopédique lui faisait mal. A cause de sa grossesse, elle avait tout le temps la nausée et d'avoir tourné de la sorte, en dansant, cela n'arrangeait rien. Elle sortit dans le jardin et vomit. Elle vomissait sans arrêt, et ne mangeait presque rien.

Lorsqu'ils quittèrent la soirée, une voiture avec chauffeur les attendait. Henry Ford s'avança sur le perron :

— C'est un cadeau pour Frida.

220

Frida resta interloquée :

— Mais, je ne sais pas conduire…

— Le chauffeur restera à votre disposition.

Frida commença à avoir des hémorragies. Le Dr Pratt la reçut, qui la rassura. L'enfant n'était pas en danger, mais il fallait impérativement qu'elle s'agitât moins. Elle obéit et, surtout, elle essaya de mettre ses idées en ordre. Elle sentait qu'elle était inquiète, dispersée dans sa vie de tous les jours. Diego s'en irritait et en faisait part à Lucienne Bloch, qui résidait avec eux :

— Je ne sais pas quoi faire avec Frida. Elle va mal… Je ne sais pas quoi faire ! Elle ne travaille pas assez.

C'est aussi ce que se disait Frida. Il lui fallait, un moment, oublier un peu Detroit, se soucier moins de Diego qui ne semblait pas avoir besoin d'elle, ne plus songer à New York ou avoir la nostalgie du Mexique. Il lui fallait se mettre au travail, seule façon de canaliser tous les courants de pensée en elle.

Et elle commença à peindre un autoportrait où elle se représente à la frontière du Mexique et des Etats-Unis :

"Carmen Rivera, est-il écrit sur le socle où elle se tient debout, a peint son portrait en l'année 1932."

Diego n'était presque jamais là, elle avait donc tout son temps pour travailler. A la lumière du jour, le tableau prenait forme, dévoilant son monde d'alors, l'ordonnant. A sa gauche, les Etats-Unis, peut-être seulement Detroit : des tuyauteries, des appareils et des fils électriques, au fond, une usine sur les cheminées de laquelle il est écrit FORD et dont la fumée forme un nuage, des buildings. A sa droite, un temple aztèque, des vestiges précolombiens, dans le ciel, le soleil et la lune, et, surtout, des plantes et des fleurs dont les racines sont peintes en coupe. Debout entre ces deux mondes si opposés, celui où elle a ses racines et celui qui est rattaché au premier par le seul contact électrique, vêtue d'une longue robe rose et portant des gants montants, comme si elle s'apprêtait à partir pour une soirée, Frida, toujours sérieuse. Ses épais sourcils noirs, se rejoignant sur son front, telles les ailes d'un oiseau : symbole du visage de Frida ; symbole aussi de son envie de partir, de s'envoler, même si elle ne peut marcher ; symbole de ses échappées imaginaires, en un mot.

Frida se sentait plus sereine. Son pinceau de martre étalant doucement la couleur apaisait ses inquiétudes. Une à une, elles se trouvaient formulées sur la toile. A côté d'elle, ses tubes de peinture, alignés, la rassuraient. Le soir, elle nettoyait ses pinceaux et sa palette, essuyait le tout, disposait chaque chose à sa place, prête à être réutilisée le lendemain. A la fin de la journée, elle sentait une étrange fatigue l'envahir, qui la laissait satisfaite. Les heures sans Diego passaient plus vite.

En juin, il commençait déjà à faire très chaud. Elle continuait d'avoir des hémorragies, des nausées, mais elle essayait de lutter contre tout en peignant.

Toutefois, une inquiétude persistait quant à l'existence de l'enfant lui-même. Les médecins assuraient que la vie de la mère n'était pas en danger, Diego en doutait, mais surtout, au fond, il n'avait guère envie d'avoir un enfant. Il lui disait cependant de faire ce qu'elle avait envie de faire. L'enjeu pour elle était énorme. Que son corps pût fonctionner normalement, cela lui apportait un bonheur inespéré ; d'un autre côté, risquer une réaction négative de la part de Diego, son rejet éventuel de l'enfant, une mise en péril de leur relation dans les termes dans lesquels elle était établie, cela la perturbait énormément et la jetait dans le désarroi. Toutes ces choses se bousculaient dans sa tête tandis que, assise devant son chevalet, elle établissait en elle la frontière entre le Mexique et les Etats-Unis, elle redessinait le lien au premier comme pour s'en conforter et tout ce que dans le second elle n'accepterait jamais.

Le mois de juillet arriva. Par les fenêtres ouvertes, la chaleur entrait chargée d'une odeur de béton brûlant et de poussière. Frida quittait de temps en temps sa chaise de travail et soulevait le rideau d'une fenêtre. Elle espérait les orages des soirs d'été mexicains. Il faisait affreusement chaud, elle s'éventait avec sa palette en bois léger : pour un instant, l'odeur de térébenthine était plus forte que celle qui venait du dehors.

Elle toucha son ventre et regarda un calendrier qui était posé sur un meuble. Cela ferait bientôt deux mois de grossesse.

La question d'avoir des enfants n'a jamais été simple entre Diego et moi. Moi, j'aurais donné n'importe quoi pour avoir un enfant, lui, non. Sa peinture est toujours passée avant toute chose et c'est bien normal. Et puis, il avait déjà Marika et les filles de Lupe.

Lorsque je me retrouvai pour la deuxième fois enceinte, aux Etats-Unis, Diego dit qu'il avait peur pour ma santé. Il s'inquiéta de savoir ce qu'en pensaient les médecins. Le Dr Pratt soutenait que l'enfant pouvait, contrairement à ma première expérience catastrophique, être mené à terme dès lors que je resterais tranquille durant ma grossesse et qu'on envisagerait un accouchement par césarienne. J'écrivis au Dr Eloesser pour lui demander conseil, il me répondit qu'il s'alignait sur l'avis de son confrère. Quant à l'épineux contexte psychologique auquel j'étais confrontée, il me fallait, au fond, en décider seule.

Je crois que le manque de motivation chez Diego n'était pas tant lié à l'inquiétude qu'il éprouvait pour ma santé, mais bien plutôt, et presque exclusivement, à l'importance de sa vie de peintre. Je le comprenais parfaitement et j'étais prête à m'incliner et à avorter. Si les médecins me rassuraient sur mon sort, ils me mettaient aussi dans la situation de devoir faire un choix crucial.

L'enfant allait-il sceller notre union ? Allait-il, au contraire, la dissoudre ? Des heures et des heures à me questionner, à envisager tous les cas de figure. L'épuisement mental, les larmes, pour rien : je n'arrivais pas à trancher. Peser le pour et le contre et établir, pour chaque cas envisagé, une chaîne de déductions, pour rien je me retrouvais à la case départ.

J'étais alors enceinte de deux mois. Tout était encore possible.

Je dormais mal, j'essayais d'en discuter avec Diego. Puis je me remettais à tourner en rond. Mais peu à peu, ultime recours, naturel, seule mon envie émergea du fouillis. L'enfant, mon bébé, je le voulais. Mon désir de l'avoir était plus fort que les raisons de ne pas l'avoir. Et l'angoisse tomba, comme on se défait de ce qui, trop usé, ne vous appartient déjà plus. Le sommeil revint.

Un mois et demi plus tard, le destin fit de moi une bouchée. Le destin a des dents de requin. En une nuit, je perdis tout. Il paraît qu'on entendait mes pleurs, mes gémissements, mes cris par-delà les murs. Au matin, il ne restait plus qu'un Diego à la triste mine, une Frida au bord de l'inanition dont les nattes à demi défaites étaient littéralement trempées de larmes, le hurlement désespéré d'une sirène d'ambulance. Aujourd'hui, il reste ces pages que j'écrivis alors :

Ce fut un immense crachat d'eau, d'or et de sang. Puis je ne vis plus rien, le sol mollissait sous mes pieds, la peur, des brisures d'éclair fragmentant mon corps, une désolation absolue, ma chair se fluidifiait, livrait une bataille perdue d'avance, une dislocation des membres, brutale, le dépareillement chaotique d'une unité, un corps béant se vidant de sa vie, donnant la mort, se donnant la mort.

Une peine à devenir fou.

Une peur panique. La terreur. Une poisse, la sueur, le sang, aucun élément solide sur lequel m'appuyer et reprendre des forces : murs comme de poussière, objets mouvants. Aucune consistance, toutes images brouillées. Des coups de poignard jetés dans le bleu du ciel. Des fissures noires de suie dans les couleurs de la vie. Une pâleur insoutenable dessinant la ligne d'horizon. Une histoire grave.

Je ne voulais pas cela. Tout, mais pas cela. Pas cette perte irrémédiable de ce qui m'emplissait, pas cette amputation, cette mutilation de ma propre vie, pas cette dégénérescence violente de mon moi. La folie n'est pas si loin. La folie est à deux pas. La folie frôle ou possède ce lieu fragile entre tous où la douleur se fait totale, cogne à outrance sur chaque parcelle de vie, étrangle la lumière, noue chaque geste, saccage toute tentative de sauvetage, s'essaie

à ensevelir chaque bulle d'air, s'acharne à déman-
teler les forces.

On ne peut pas dire "je sors brisée", on ne peut
pas dire "je vis un déchirement" : je ne suis encore
sortie de rien, je n'ai pas encore recouvré la vie. Je
ne *suis* pas non plus, fût-ce fantasmatique. Eclats,
brisures, déchirement impétueux, torrent de larmes,
et rien ne comblant ce vide sans nom : moi, cela ?
Une étrangeté puissante, assommante m'a envahie,
me tient sous son joug, me rend muette de désespoir,
vide de vie, oui, j'insiste, vide de sens aussi. Le corps
dénué de sens, dépouillé de ce qu'il possédait si chèrement ("chairement" !). Désordre, éparpillement. Je
tangue comme un bateau ivre, ivre de dérive, une
barque creuse. Meurtrie, jamais été aussi meurtrie.

Mon enfant, je suis coupable. Si tu savais comme
je me sens coupable. J'ai tout fait pour te garder au
chaud, protégé. Aimé, aimé, je t'ai aimé bien avant de
te voir, de te connaître, de te reconnaître. Mais cela
n'a pas été assez. Quelque chose t'a fait défaut, une
part de toi t'a manqué. Peut-être est-ce cet espace où
ton père avait mis une croix dans la case "absent". Il
t'a manqué, au fond, il m'a manqué. Je n'ai pas eu
assez de force pour combler cette part de toi qui ne
venait pas de moi, et qui s'est faite manque, te rendant
incomplet, plus fragile. Je n'ai pas eu assez de force
pour combler le manque de lui en moi non plus.

Toi et moi, nous avons été unis, ce temps, liés par
le même dessein, heurtés par les mêmes choses,
souffrant les mêmes imperfections. La faute n'en
incombe qu'à moi et à moi seule. J'aurais dû être

capable de t'aimer pour deux, de nous aimer pour deux, de te protéger de tous les aléas et davantage encore. J'aurais dû être assez forte pour t'éviter toute souffrance, pour éviter ta perte, notre destruction. Je te demande pardon, infiniment pardon.

Je ne retrouverai jamais la sensation de toi. Ce désir si plein qui déploya ses ailes cette nuit-là, s'engouffrant en pluie d'étincelles dans ma chaleur, dans la jouissance de mes membres comme un entrelacs de ricochets. Lui, tendant à m'atteindre, moi, tendant à l'accueillir de toute la force de mon plaisir, tendant à le posséder pour que tu prennes racine en moi. Et tu te lovas dans le creux de mon ventre comme en terre familière, comme si depuis toujours tu avais su là ta place. Tu t'étiras, tu fis ton nid sombre et humide.

Je suis fautive, j'aurais dû être plus forte, mille fois plus forte, t'éviter tout mal, te retenir en moi, corps et âme. Tout s'est effondré, un abîme s'est creusé en moi et autour de moi : tu n'es plus là et c'est mon propre corps qui touche à sa perte, qui se désintègre. L'espoir n'est plus permis.

Anéantie. Comme si un bloc de granit avait roulé sur moi. J'ai essayé de l'éviter, d'y échapper. Mais mes forces m'ont lâchée, me paralysant sur place, démunie, livrée à rien. Anéantie. Plus de tête pour penser, plus de corps, plus de sexe. Tu m'avais remplie, comblée. Ta perte me retire tout, brutalement. Privée de l'épanouissement que tu m'avais apporté. M'arracher à ce que ta présence en moi m'avait donné, si violemment, c'est sans mesure : je perds tout sans nuance, sans discernement. Je m'arc-boute au néant.

Mon enfant qui n'a pas vu le jour, je perds mon méridien.

Nous étions si proches, comment as-tu pu me quitter ? Comment ai-je pu te laisser faire ? Assujettis nous étions, nous sommes. Là où j'allais, je t'emportais. Là où tu vas, tu m'entraînes. J'ai cru, je désespère. Attenante à toi j'étais, attenant à moi tu étais. Mieux : ensemble, tous deux en un. Je voudrais me révolter mais ne le puis, l'abattement est extrême. Il m'emporte comme une noyée dans des rouleaux de vagues gorgées de sable rêche.

Comment ai-je fait, dis, pour nous réduire de la sorte ? Je n'ai pu te secourir, tu n'as pu me secourir, personne ne nous a secourus.

Il n'y a plus rien à dire : mon vocabulaire est aussi pauvre que ma désolation.

Mon enfant, tu n'avais pas de prix : tu réunissais en toi tout ce qui, à mes yeux, avait du prix : Diego, l'amour, la vie, la communication, le don de soi. Il faut protéger ceux qu'on aime, savoir qu'il le faut, envers et contre tout.

Une peine à devenir fou.

Je te garde en moi comme un secret blessé, désormais. Je regarde autour de moi : le silence m'engloutit, les objets s'estompent, mes jambes se dérobent. Aucun point de repère, aucun lieu nulle part. Je suis cette matière diffuse, le silence est en moi. Là, quatre murs blancs qui transpirent une odeur d'éther, qui contiennent un univers défait. Attendre.

DE LA MORT D'UN BÉBÉ,
DE LA MORT D'UNE MÈRE

J'aime beaucoup les choses, la vie, les gens. Je ne veux pas que les gens meurent. Je n'ai pas peur de la mort, mais je veux vivre. La douleur, ça non, je ne le supporte pas.

FRIDA KAHLO

Le 4 juillet 1932, il n'y avait plus de bébé. Une fausse couche l'avait emporté dans la nuit. Frida s'était tordue de douleur des heures durant, avait réclamé ensuite qu'on lui laissât le fœtus pour le voir, le toucher, le dessiner, le garder d'une façon ou d'une autre. Vaines supplications… Une ambulance vint la chercher pour l'amener au Henry Ford Hospital. Elle semblait perdre tout son sang.

Les jours qui suivirent, elle continua de réclamer son bébé mort, comme une folle. Puis elle demanda seulement que les médecins lui prêtassent des livres médicaux de façon qu'elle pût étudier les planches anatomiques et s'en inspirer pour traduire en peinture son état. Devant le refus des médecins, Diego lui apporta le livre tant sollicité.

Elle resta deux semaines à l'hôpital. Très désespérée, elle se mit à faire esquisse sur esquisse. Parfois, elle déchirait tout, parce que le papier avait cloqué à force d'être arrosé par les larmes qu'elle versait. Elle parlait peu, pleurait tout le temps. Très pâle, maigre, épuisée, elle se raccrochait à la vie en dessinant ce qui lui avait fait mal.

A travers le voile de son regard humide, malgré ses doigts tremblants, les images apparaissaient.

Elle se représente debout, nue, un collier autour du cou et de grosses larmes sur ses joues. Dans son ventre, un fœtus, hors d'elle mais rattaché à elle par un cordon ombilical un second fœtus, un petit garçon, plus gros. De son sexe, le long d'une jambe, son sang coule et s'infiltre dans la terre, la nourrit, y fait naître racines et plantes : la vie renaît. Dans le ciel, un croissant de lune pleure, lui aussi, en regardant Frida…

Diego se montrait inquiet. Il pensait que seule la peinture la sauverait et il l'encourageait. Il fit promettre à Lucienne que, aussitôt que Frida aurait quitté l'hôpital, elle l'emmènerait dans un atelier de lithographie.

— Oui, fit Frida sans ciller, je graverai les dessins des derniers jours sur la pierre.

— C'est un beau travail que celui de la lithographie, dit Lucienne, nous irons ensemble. Tu aimeras ça.

— Je sais, Lucienne. Maintenant, je dois ou bien travailler ou bien désespérer.

Frida essayait de retenir ses larmes, mais elle était secouée de hoquets, elle reniflait. Lucienne s'approcha d'elle, la prit dans ses bras. Frida appuya la tête sur l'épaule de son amie et murmura :

— Le tout, c'est de ne pas embêter Diego. Quand je ne vais pas bien, il dit que je ne l'aime pas. Tu sais, n'est-ce pas, Lucienne, que ce n'est pas vrai… Il est dur avec moi… C'est l'art qui est exigeant, au fond.

— Diego a reçu une lettre de Chicago : on fait appel à lui pour qu'il exécute là-bas un mural au World's Fair.

Frida dégagea sa tête et essuya ses larmes.

— Ah ?… Et à Detroit ?

— Le travail effectif ne commencera que le 25 juillet. Et les critiques pleuvent déjà.

Le 17 juillet, Frida sortit du Henry Ford Hospital. Elle était particulièrement faible, mais elle se remit au travail sans tarder. Elle poursuivit sa série d'esquisses sur le thème de sa maternité interrompue, qui la mèneraient jusqu'au tableau *Hôpital Henry Ford*, peint à l'huile sur une plaque de métal.

Elle y gît sur un lit à barreaux, où sont inscrits le nom de l'hôpital et la date d'exécution du tableau. Elle est nue, le ventre rond, les cheveux défaits. Des larmes coulent toujours de ses yeux et le drap du lit est taché de sang. Dans une main, elle tient des cordons qui la rattachent à six éléments dispersés dans l'espace : un escargot, un fœtus mâle, le profil de son corps au niveau du ventre, une étrange machine métallique, une orchidée, l'ossature de son bassin. Sur la ligne d'horizon, une ville industrielle…

Dès qu'elle fut en état de se déplacer, elle alla avec Lucienne dans l'atelier de lithographie. Elle recommençait autant de fois que c'était nécessaire. Silencieusement, obstinément, elle retraçait sa maternité manquée. Lucienne l'observait, l'aidait. Frida se montrait intéressée par son travail, bien qu'extrêmement nerveuse. Elle n'était pas contente du résultat. Mais malgré tout, malgré la moue des gens qui passaient par l'atelier et la regardaient travailler, malgré une chaleur harassante, Frida persévérait.

— Tant qu'à être désespérée, autant être productive, dit-elle à Lucienne. C'est toujours ça de volé à la pure et simple autodestruction...

Lucienne la prit par l'épaule en souriant et l'entraîna dehors.

— Diego va bientôt rentrer du musée, allons-y.

Le 3 septembre, un télégramme arriva de Mexico. Il annonçait l'état critique de Matilde, qui souffrait d'un cancer. Frida s'effondra. La liaison téléphonique entre les Etats-Unis et le Mexique était impossible. Il y avait, lui dit-on, des ennuis sur le réseau télégraphique. Frida voulut prendre un avion sans tarder, mais il n'y en avait pas assurant le trajet Detroit-Mexico.

— C'est bien la peine d'avoir toutes ces usines ! hurlait-elle. Tout ce prétendu progrès... pour rien.

Il n'y avait plus qu'une solution : le train, le bus. Des milliers de kilomètres... Frida se sentait-elle la force de les affronter ?

— Je ferais n'importe quoi, vous entendez ? Je pars pour le Mexique, dans une fourgonnette s'il le faut.

Diego demanda à Lucienne d'accompagner sa femme. Il ne pouvait laisser son travail. Le 4 septembre, les deux femmes prirent le train. Frida ne disait pas un mot, pleurait comme un enfant. Des heures durant, elle regardait défiler le paysage, les yeux rougis. La nuit, malgré le cahotement du train, Lucienne l'entendait sangloter dans l'obscurité. Les hémorragies reprirent. Dans le sud des Etats-Unis, le Rio Grande avait débordé, à cause de sérieuses pluies, et le train dut ralentir pour avancer malgré l'inondation des rails. Arrivées au Nouveau-Mexique, elles décidèrent de poursuivre en bus.

Frida pouvait à peiner marcher. Elle dit à Lucienne :

— Si je ne vais pas prier dans une église, je n'arriverai pas vivante... Lucienne, je suis en train de me vider de mon sang... et j'ai peur des bus.

Lucienne essayait de la calmer.

— Qu'ai-je fait au bon Dieu pour avoir cette malchance, dis ?

Lucienne sentait que le désarroi de Frida était plus fort que tous les mots qu'elle aurait pu prononcer pour la consoler.

Arrivées près de la frontière, elles firent une courte escale à Laredo, dans l'Etat du Texas. La gare des autocars était bruyante et animée. Quelques Américains, mais surtout des *chicanos* [1]. La salle d'attente

1. Nom donné aux Mexicains émigrés aux Etats-Unis.

était triste, sombre et sale. Les voyageurs s'y bousculaient, malgré l'heure tardive. Sur les bancs, les gens se serraient avec leurs bagages sur les genoux ou à leurs pieds. Certains dormaient, tenant un balluchon d'une main et de l'autre un chapeau sur leur visage.

Il faisait une chaleur orageuse, on sentait le Mexique proche à cause des odeurs de nourriture que vendaient des marchands ambulants. Frida tenait le bras de Lucienne, les gens les regardaient.

— Lucienne, si nous faisions quelques pas dehors ?

— Te sens-tu assez forte ?

— Non, mais ici j'étouffe.

Les ruelles étaient sombres. Quelques lumières vacillantes indiquaient un petit café ouvert, quelques silhouettes chancelantes, des ivrognes. Frida marchait à petits pas, s'appuyant sur Lucienne. De temps en temps, elles s'arrêtaient pour que Frida reprît son souffle.

— Tu crois qu'on peut s'asseoir dans un de ces bouges ?

— Je crois qu'il est plus prudent de ne pas le faire.

— Quelle idée, de faire partir un bus à quatre heures du matin !

Comme elles retournaient à la gare, une grosse femme indienne les aborda. Elle fixa Frida et lui dit :

— Toi, tu devrais me montrer tes lignes de la main. Tu n'es pas en sécurité.

Frida serra le bras de Lucienne et détourna la tête :

— Qu'est-ce qui vous fait dire ça ?

— Ton regard. Les yeux sont le miroir de l'âme.

— Si mes yeux parlent si bien, je n'ai pas besoin de vous montrer ma main… Je ne veux rien savoir de plus, vous seriez capable de m'apprendre que je n'irai pas au bout de ce voyage…

L'Indienne farfouilla sous ses jupons. Elle attrapa la main libre de Frida, y mit quelque chose et la referma sans ménagements :

— Emporte ça. Pourvu qu'il te porte bonheur.

Dans un petit carré de Cellophane étaient contenus une image de la Vierge, quelques tirettes de chiffon rouge, des graines et deux tout petits ex-voto en fer-blanc, comme ceux que Frida achetait, adolescente, sur le parvis de la cathédrale à Mexico : l'un représentait une jambe, l'autre un cœur.

Les paysages, au nord du Mexique, étaient très beaux. Des paysages de montagne, sauvages et verdoyants à cause des pluies d'été. La lumière était crue, Frida clignait les yeux. Elle essayait de retenir ce qu'elle voyait. Elle avait envie de ne rien oublier de ces formes de la nature, de ces verts violents : elle les intégrerait à ses tableaux.

— J'ai la nausée et je suis peut-être foutue, Lucienne, mais Dieu ! que mon pays est beau.

Le 8 septembre, enfin, elles arrivèrent à destination. Frida tenait à peine debout. Elle tomba dans les bras de ses sœurs, qui l'attendaient, et alla dormir chez sa sœur Matilde. Le lendemain, elle était au chevet de sa mère. Il n'y avait aucun espoir de la sauver. Frida, incapable de se faire une raison, incapable d'écouter les autres, en un mot : désespérée.

Sa mère mourut le 15 septembre et elle ne fut plus que sanglots, jour et nuit. Elle resta plus d'un mois au Mexique, réconfortant son père tant bien que mal, se faisant réconforter à son tour par ses sœurs. De temps à autre, elle allait avec Lucienne voir où en était la construction de la maison à San Angel. Ni le fait de se trouver au Mexique ni l'accueil que lui faisaient ses amis n'avaient le pouvoir de la consoler. Pourtant, elle disait qu'elle était contente d'être chez elle. Mais il y avait Diego, de l'autre côté de la frontière...

Le 21 octobre, Frida et Lucienne étaient de retour à Detroit, après un voyage aussi long et épuisant qu'à l'aller.

Frida se remit aussitôt au travail. Diego était fort occupé au Detroit Institute of Arts et on venait de lui confirmer son engagement pour peindre un mural au Rockefeller Center de New York, au printemps 1933. Il maigrissait, aussi, suite à des ennuis de santé, et cela le rendait irritable. Frida savait que ce qu'elle avait de mieux à faire, coûte que coûte, était de peindre.

Alors, elle peignait, pleurait, pleurait, peignait.

Comme pour braver sa fausse couche, une sorte de mort d'elle-même, elle peignit *Ma naissance*, où une femme couchée, le haut du corps recouvert d'un drap – comme les morts –, jambes écartées, donne la vie à un enfant dont la tête aux yeux fermés – tel un mort, lui aussi – sort du corps sur un lit taché de sang. Celui-ci est au milieu d'une chambre vide ; seul un portrait du visage d'une mater dolorosa, poignardée deux fois au cou, est accroché au mur. Le tableau choque par l'austérité même avec laquelle est représentée la violence de cette naissance. Naissance, accouchement ou mort de Frida ? Naissance, ou mort de son enfant à elle ? Ou renaissance ?

Frida était résolue à peindre son univers, réel ou symbolique, sans qu'aucune contrainte morale ou esthétique vînt l'entraver. Dans sa douleur, Frida était libre.

Le travail de Diego était critiqué de tous côtés, mais il ne désemparait pas. Le diable se défendait et sa célébrité allait croissant. Centre de polémiques politiques ou artistiques, il n'en faisait qu'à sa tête et en tirait sa fierté.

De retour à New York en mars 1933, c'est dans la fièvre qu'il allait entreprendre le mural du Rockefeller Center, entre détracteurs et défenseurs.

Frida, elle, était contente de retrouver Manhattan. Elle s'y sentait davantage chez elle. Comme un poisson dans l'eau, elle allait des artistes aux aristocrates. A un concert de Tchaïkovski au Carnegie Hall, elle faisait des cocottes en papier et riait des bêtises qu'elle racontait à sa voisine. A un journaliste venu l'interviewer lui demandant ce qu'elle faisait de ses moments libres, elle répondit sans hésiter :

— Je fais l'amour, monsieur.

L'homme sourit, gêné et amusé à la fois. Il reprit :

— Votre idéal de vie, ce serait ?...

— Faire l'amour, prendre un bain, faire l'amour, prendre un bain, faire l'amour, prendre un bain... Voulez-vous que je continue ?

— Merci, non, madame Rivera, je pense que nous pouvons nous arrêter là.

— Bien entendu, il y a une fin à tout. *You don't feel shocked, don't you ?*

— Oh ! non, vous savez, dans notre métier... Euh... Les artistes...

— Comme les psychanalystes : ils ne pensent qu'à ça ! Mais ils sont plus sexy que les premiers, n'est-ce pas ?

— Euh... Madame Rivera, voulez-vous me dire deux mots sur Detroit ?

— Un trou... d'acier. Avec des bourgeois un peu plus blindés qu'ailleurs. Normal.

Nous sortions tous ensemble et nous nous amusions beaucoup, nous faisions les fous. Nous avions l'habitude d'aller dans un restaurant italien de la Quatorzième Rue, dans une cave. Il y avait une nappe blanche et, pour vous donner un exemple, nous la saupoudrions de sucre, j'y faisais un dessin que je faisais passer à Diego en bout de table, il y ajoutait quelque chose, et ainsi de suite. Il s'agissait de véritables compositions, comme ça, sur place. Nous renversions un peu de vin ou d'autre chose, puis du poivre... et quand nous partions, la nappe était devenue un vrai paysage.

LOUISE NEVELSON

La vie new-yorkaise n'était pas très bénéfique au travail de Frida. Elle avait envie d'avoir du bon temps, après les mois passés à Detroit, après la mort de sa mère. Elle visitait des amis peintres, se promenait dans Greenwich Village ou restait simplement chez elle à lire. Elle entreprit cependant de peindre un tableau de veine assez surréaliste par sa composition hétéroclite, *My Dress Hangs There* : des buildings américains, un temple grec, une foule de travailleurs sous forme de collages, la statue de George Washington, des cheminées d'usine, une poubelle contenant toutes sortes de déchets, symboliques ou réels, un téléphone, une cuvette de WC, une église, la mer, un paquebot, la statue de la Liberté, une horloge, un téléphone, quelques immeubles en flammes, Mae West – "la plus extraordinaire machine à vivre que j'aie jamais vue, hélas ! seulement sur l'écran", disait Frida –, et, surtout, une robe de Frida accrochée au milieu du tableau, mais sans sa propriétaire. Ramassis du monde américain tel qu'elle le voit, la toile semble être un défi, l'image de son haut-le-cœur de la société américaine dans laquelle Diego se plaît tant et dans laquelle Frida sent qu'elle n'existe pas. Seule son apparence – sa robe – y trouve sa place.

Diego, pendant ce temps, vivait une épreuve. Son mural du Rockefeller Center était attaqué de toutes parts. Sa couleur dominante était le rouge et, au centre de la peinture, apparaissait le visage de Lénine. Nelson Rockefeller lui demanda de faire des modifications. Il répondit qu'il voulait bien, éventuellement, changer la tête de Lénine pour celle d'Abraham Lincoln. Cela ne donna pas satisfaction à Rockefeller qui finit par clore l'épisode de la manière forte : en envoyant de gros bras recouvrir le travail fait et demandant à Rivera de quitter les lieux. Ce qu'il fit, déclenchant une série de pétitions et manifestations en sa faveur. Rien n'y fit. Rockefeller, grand seigneur, paya le montant de la commande mais ne revint pas sur sa décision.

Lorsque Nelson Rockefeller aborda Frida lors de la première de *Que viva Mexico !* d'Eisenstein, celle-ci lui jeta un regard noir et, sans dire un mot, lui tourna le dos et s'éloigna.

Quelques mois plus tard, le mural de Diego fut effacé et le contrat qui lui avait été promis à Chicago purement et simplement annulé. Il travailla cependant pour la New Workers' School, et exécuta de petits murals pour la section trotskiste de New York.

Malgré la réticence manifestée par Diego à l'idée de rentrer, malgré le fait qu'ils avaient fini, comme le souhaitait Frida, par déménager de l'hôtel Barbizon-Plaza pour s'installer au coin de la Cinquième Avenue et de la Huitième Rue, ils finirent par décider de rentrer au Mexique.

L'année 1934 commencerait à la maison de San Angel, Mexico.

Avant de partir, dans un froid de canard, j'allai me promener seule sur le pont de Brooklyn. Un méchant vent soufflait et je devais tenir mes jupes à deux mains de peur de m'envoler.

J'avais tellement insisté pour rentrer, certes. Mais là, au milieu de ce pont, mon cœur battait à tout rompre à la vue de Manhattan. Je l'aimais à la folie, d'autant que j'étais libre d'en partir. Il faisait gris et je portais une grande robe rouge qui dépassait de mon manteau.

Je me tenais là, toute petite à la vérité, mais à la vue de ce *downtown* argenté et cuivré par la lumière, je frémissais et grandissais. La ville, magnétique, me donnait de sa force. Je me mis à pleurer. Les gens me regardaient et un Noir s'approcha : *"Do you feel OK, young lady ?"* Oh ! oui, *I felt perfectly OK*. Sous mes pieds, un bateau à voile extraordinaire, comme dans l'ancien temps, noir et blanc, gonflait son gréement. Au-dessus de ma tête, un drôle de petit avion semblait vouloir se jeter contre les façades étincelantes. Si j'avais pu, j'aurais avec bonheur fait un tour avec le *Staten*

Island Ferry, mais il était trop tard, la nuit allait tomber.

Wall Street était tout à fait désert, encore plus écrasant dans le silence. Je marchais doucement, j'avais mal à ma jambe.

Les derniers temps de notre séjour à New York n'avaient pas toujours été agréables. Il y avait les campagnes contre Diego qui l'usaient, et moi qui en avais marre de ce foutu pays et lui qui voulait y rester envers et contre tout. Nous avions eu cependant de bons moments, les mois où la porte de notre maison restait ouverte jour et nuit afin que les amis pussent y entrer et en sortir selon leur bon vouloir. Ça créait une certaine animation. Et le jour où Diego – ce n'était pas la première fois – toucha l'argent du Rockefeller Center, le divisa en parts égales qu'il glissa dans des enveloppes, distribuées ensuite à nos amis artistes de Greenwich tous plus fauchés l'un que l'autre. Quelle fiesta ! Quel bonheur !... Il y eut sa liaison avec la belle Louise Nevelson, mais je ne dis rien. Pour une fois, il n'allait pas avec la première coquette venue. Louise était fabuleuse, une personnalité terrible, un très, très grand sculpteur dont l'œuvre, j'en étais sûre, marquerait l'art du XXe siècle. Dans un sens, je comprenais Diego. Il me fallait accepter une escapade de génie, que dis-je, de génies.

J'avais mal, je le tus. Diego me revenait toujours.

Le départ fut épique, ils étaient tous là, sur le quai. Nous n'avions, pour finir, plus un sou, alors ils s'étaient tous cotisés pour nous payer le voyage et, pour être sûrs que nous allions bien monter à bord, une partie d'entre eux nous suivit sur le pont, un moment. Nous fîmes escale à La Havane. C'était délicieux. Nous marchâmes le long du *malecón* [1]. Des maisons coloniales plus belles l'une que l'autre s'y dressaient, une sacrée animation américano-cubaine, des femmes pulpeuses et sensuelles, des hommes taquins, le vent était chargé d'une odeur salée, forte, la mer était verte. Dans un petit café en plein air, nous mangeâmes d'énormes langoustes. Je me souvenais que c'était le pays de Julio Antonio Mella et je me demandais ce qu'était devenue Tina.

Je regardais Diego et j'étais amoureuse de mon unique crapaud-grenouille. Un répit.

Nous débarquâmes à Veracruz…

Nous nous installâmes dans la maison de San Angel. La partie la plus grande, ocre rose, était pour Diego, la plus petite – bleue – pour moi. Nous accédions d'une construction à l'autre par un petit pont. Diego était contrarié d'avoir dû rentrer. Je m'en sentais en grande partie coupable. Mais que faire ?

Malgré une vie animée et de bons amis – de John Dos Passos à Lázaro Cárdenas, le président –, une maison spacieuse, de beaux cactus et même des singes, la vie avec Diego était en péril. Il devait finir les murals du Palais national, et on lui offrait de refaire le mural du Rockefeller Center dans le palais des Beaux-Arts. Mais rien n'allait plus. Durant l'année 1934, je fus souvent malade : il fallut

1. Quai, promenade du bord de mer.

m'opérer de l'appendicite, on décida de me faire la première opération au pied droit – amputation de cinq phalanges, rien que ça –, qui n'en finissait plus de cicatriser et de me faire mal, et j'eus encore un avortement provoqué – les médecins diagnostiquèrent cette fois des trompes infantiles ne me permettant pas de mener le bébé à terme. Diego se plaignait des dépenses médicales que je lui causais. Il disait que, à cause de moi, "c'était la banqueroute"…

Et puis, Diego n'avait rien trouvé de mieux à faire que d'aller avec Cristina, ma petite sœur. C'était assez m'enfoncer le couteau dans la plaie : elle faisait un peu partie de moi et elle était en meilleur état que moi. J'essayai d'être tolérante et libérale. J'essayai de me raisonner en songeant que, après tout, nous n'avions qu'une vie et qu'il fallait la vivre au mieux, qualitativement et quantitativement. Mais j'avais mal quand même. Et je me sentais culpabilisée de souffrir : cette souffrance était indigne de quelqu'un qui prétendait avoir des idées libérales. C'était un cercle vicieux, je n'en sortais pas. Les mois passaient et la liaison durait toujours.

Je décidai de prendre un petit appartement seule. Mais cela ne résolut rien. A l'été 1935, lasse de la situation, je partis pour New York, dans l'espoir que le voyage établirait une coupure où j'y verrais plus clair.

A New York, il faisait une chaleur torride. Je résidai dans un hôtel près de Washington Square, avec mon amie Mary Shapiro. Je voyais des amis, je marchais et prenais des bains presque froids, j'écrivais à Diego. Au fond, qu'étaient toutes ses liaisons en comparaison avec notre amour ? Des peccadilles, même celle avec Cristina. Je constatais une fois de plus que j'avais besoin de Diego et réciproquement, et qu'à cause de cela il ne fallait rien casser entre nous et tâcher d'accepter le reste.

Je retournai à Mexico, la paix dans les mains, prête à un nouveau *modus vivendi*, prête à tout pourvu que nous ne nous perdions pas l'un l'autre.

Je faisais mon possible pour ne pas me sentir blessée par les histoires entre Diego et Cristina ou d'autres. Notre contrat tacite de vie commune impliquait soutien réciproque mais indépendance.

Mais quand, avec Isamu Noguchi, le sculpteur, nous tombâmes amoureux l'un de l'autre, les choses ne furent pas simples. Des mois durant, nous vécûmes de rendez-vous clandestins, d'amour volé au temps, à Diego, à ma vie. Isamu acceptait mal ces cachotteries. Il voyait Diego mener au vu et au su de tout le monde sa vie de conquêtes et ne comprenait pas ma prudence. Malgré tout, j'ai l'impression d'avoir vécu, pendant presque une année, en dansant et en faisant l'amour. Notre relation prit fin lorsque Diego débarqua avec son pistolet. Isamu comprit et déguerpit.

C'est encore une année où j'ai peu travaillé. J'ai toutefois peint *Quelques petites piques*, un tableau jugé inquiétant. A l'origine, un fait divers : un homme avait assassiné une femme à coups de couteau. Devant ses juges, il avait dit : "Je ne lui ai donné

246

que quelques petites piques…" C'était probablement sans penser à mal ! Mon tableau : l'assassin, debout et habillé, le couteau à la main ; sur un lit blanc, sa victime nue ensanglantée…, du sang partout, ayant giclé – grandeur nature – jusque sur le cadre de ma toile, voilà comment j'ai représenté la scène.

Pourquoi cette idée morbide ? Peut-être simplement une défense. Cette femme assassinée n'était-ce pas moi, que Diego assassinait chaque jour ? Ou était-ce l'autre, la femme avec qui Diego pouvait se trouver, que j'aurais voulu faire disparaître ? Je sentais en moi une bonne dose de violence, je ne peux le nier, j'en faisais ce que je pouvais. Je me sentais telle une petite Artemisia Gentileschi qui peignait, au XVIIe siècle, Judith égorgeant Holopherne sans jamais au fond pouvoir se venger de la réalité qui, elle, l'avait violée, ailleurs que sur une toile.

LÉON DAVIDOVITCH TROTSKI :
L'HÔTE

Je vais mal, et je vais aller pis encore, mais j'apprends peu à peu à être seule et c'est déjà quelque chose, un avantage, un petit triomphe.

FRIDA KAHLO (1937)

Dans les tourments de sa vie conjugale, Frida avait un moment laissé ses robes mexicaines, ses bijoux, sa coiffure enrubannée. Elle fit même d'elle un portrait avec les cheveux courts. Puis, comme elle se rapprochait de nouveau de son mari, elle reprit ses anciennes habitudes vestimentaires.

En 1936, elle fut opérée pour la troisième fois du pied droit : on lui retira les os sésamoïdes et on lui pratiqua une sympathectomie. Mais l'ulcère trophique du pied persistait. Quant à sa colonne vertébrale, les douleurs s'atténuaient puis réapparaissaient quand elle s'y attendait le moins. Frida souffrait, mais la souffrance même, au lieu d'user son appétit de vie l'attisait, et, au fil des ans, avait incontestablement renforcé son caractère.

Elle était loin de la jeune fille effrontée qu'elle avait été. Elle s'était forgé une personnalité bien à elle, originale, sensible, profonde, et, à en croire tous ceux qui l'ont côtoyée, extrêmement brillante. Malgré la grande différence d'âge qui la séparait de Diego, sa maturité et son éclat n'avaient rien à envier à l'autorité de cet homme. Les gens aimaient Frida non parce qu'elle était l'épouse de Diego, mais pour elle-même. Ils l'admiraient et la respectaient, parfois plus que Diego. Elle accueillait les gens à bras ouverts, et dès lors qu'elle les acceptait dans son monde, elle leur faisait don d'une affection sans limites.

Elle ne peignait pas avec régularité. Tantôt les semaines, voire les mois, s'écoulaient sans que la peinture fût son intérêt majeur, tantôt elle s'y consacrait jour et nuit.

Peut-être pour établir un contrepoids à sa vie affective et familiale tourmentée, elle peignit, à cette époque, une sorte de tableau généalogique, *Mes grands-parents, mes parents et moi*, où le Mexique, sa famille, sa maison, la fécondation sont dans les mains de l'enfant Frida ou l'entourent. Elle refera, quelque dix ans plus tard, un autre tableau de sa famille.

> En tant que peintre, Frida n'a jamais rien dû à Diego, je veux dire que Diego ne fut jamais son maître, ne lui corrigea jamais un dessin (…) et dans bien des domaines c'était plutôt le contraire parce que Frida avait sur lui de l'autorité (…), beaucoup. (…) Morale et artistique. (…)
>
> ALEJANDRO GÓMEZ ARIAS

Cristina redevint peu à peu la sœur chérie de Frida, sa meilleur amie. Complémentaires, complices, attachées l'une à l'autre par un lien inattaquable, tout comme durant leur enfance, elles ne se quittaient presque pas. Les enfants de Cristina, Isolda et Antonio, se comportaient avec Frida comme si elle eût été pour eux une seconde mère et celle-ci le leur rendait bien. Ils étaient chez eux dans la maison de San Angel, au grand bonheur de Frida. Ils échangeaient avec elle dessins, lettres chargées de tendresse, jouets, rires.

La double maison de San Angel était très animée : le couple Rivera et leurs amis, les sœurs de Frida, des domestiques, des chauffeurs. Et puis des animaux : singes, perroquets, chiens.

Tout cela requérait un train de vie élevé et les Rivera vivaient largement au-dessus de leurs moyens. Or Frida ne gagnait pas un sou et se sentait culpabilisée par les dépenses médicales auxquelles Diego devait faire face en permanence. Elle trouva une solution illusoire : des amis créditeurs… Une chose est sûre : les rapports d'argent n'étaient pas simples dans le couple Rivera. Frida ne faisait-elle pas parvenir à Diego, par l'intermédiaire d'amis communs, des petits mots lui demandant, n'osant elle-même le faire de vive voix, de l'argent pour quelque dépense ayant trait à la maison, au nettoyage de ses robes, ou à quelque médicament indispensable ? Elle supportait très mal cette dépendance, mais pouvait-elle y échapper ? Elle essayait de compenser son embarras en multipliant ses attentions envers Diego et leurs proches, en se montrant digne de lui, par son comportement, son intelligence, son travail.

Il faut dire que, aux dépenses quotidiennes ou paraquotidiennes, s'ajoutaient les achats d'art précolombien de Diego, une collection qui atteindra, à la fin de sa vie, 55 481 pièces, et dont sa femme disait : "Je n'ai jamais vu tendresse plus grande que celle que Diego éprouve et exprime lorsque de ses mains et de ses beaux yeux il touche les sculptures du Mexique précolombien." Sans oublier la collection d'ex-voto et d'objets folkloriques de Frida, ses multiples poupées, ses vêtements, ses bijoux…

Ils étaient loin de l'aubaine américaine, mais loin aussi d'être dans le manque. Même s'ils pouvaient passer des périodes financières plus difficiles, ils en faisaient peu de cas. Dans l'ensemble, malgré les embrouilles de l'un ou de l'autre sur la question, ils étaient richement bohèmes et révolutionnaires.

Lorsque, le 18 juillet 1936, la guerre civile espagnole éclata, le Mexique avait à sa tête Lázaro Cárdenas, un président réformateur et libéral menant une politique constructive pour le pays. Il régnait au Mexique un climat de libre expression, les débats politiques étaient ouverts. Diego continuait d'être attaqué par les communistes cependant qu'il se rapprochait des trotskistes. Frida, elle, s'engagea dans la lutte pour la défense de la République espagnole, autant que faire se peut à distance. Nombreux étaient les gens qui, dans le milieu fréquenté par les Rivera, partaient pour l'Espagne, qu'ils fussent mexicains, américains, français. Le soutien international s'organisait avec dynamisme.

Tina Modotti, qui avait été expulsée du Mexique vers l'Allemagne après l'assassinat de Julio Antonio Mella, et qui se trouvait alors en Union soviétique, quitta Moscou pour l'Espagne sans tarder. Mais qu'aurait pu faire Frida au beau milieu d'une guerre civile avec la santé chancelante qui était la sienne ? Peu de chose. Les risques étaient trop grands. Elle se limita donc, pour cette cause, à être le plus active qu'elle pouvait depuis son propre pays. Elle organisa des réunions, écrivit des lettres, essaya de collecter les vivres de première nécessité, des colis d'habits, de médicaments pour les envoyer au front.

La politique, encore, lorsque, au mois de novembre, arriva de New York un télégramme demandant à Diego s'il pouvait obtenir du gouvernement mexicain l'asile politique pour Léon et Natalia Trotski. De l'Union soviétique au Mexique, en passant par la Turquie, la Norvège, la France, la vie des Trotski avait été un long et difficile parcours de réfugiés depuis 1929, date à laquelle Staline les avait expulsés d'Union soviétique, où ils vivaient déjà déportés au Kazakhstan depuis 1928. Un chemin semé d'embûches, de traques, de morts.

Diego, quoique malade, prit l'affaire à cœur. Il s'en alla trouver le président Cárdenas, alors en voyage à l'autre bout du pays, pour lui demander son accord. Et l'obtint.

Le 9 janvier 1937, les Trotski arrivèrent finalement à Tampico. Frida et quelques camarades allèrent les accueillir. A l'avant du quai, détachée du groupe, c'est sa silhouette faisant des signes avec la main que les Trotski virent en premier. Natalia ne voulait pas descendre du bateau : elle craignait quelque attaque stalinienne contre eux. Finalement, un service de sécurité fut organisé autour d'eux et c'est dans une maison bleue de Coyoacán entourée de policiers qu'ils arrivèrent quarante-huit heures plus tard.

La maison bleue était à cette époque inhabitée ; Guillermo Kahlo lui-même était parti vivre chez une de ses filles, gardant seulement dans son ancienne maison une pièce pour son travail photographique.

Guillermo, qui avait vu en quelques jours sa maison se transformer en un petit "blockhaus" – des briques bouchant les fenêtres donnant sur la rue, les policiers présents tout autour, des camarades montant la garde jour et nuit –, demanda à sa fille :

— *Liebe* Frida, ne penses-tu pas que j'aurais droit à quelques explications ?

— Mon petit papa, nous accueillons un des plus grands hommes de ce siècle.

— Trêve de discours redondants, dit Guillermo, qui est cet homme ?

— Léon Davidovitch Trotski, compagnon de Lénine, personnage essentiel de la révolution d'Octobre, fondateur de l'armée Rouge, bref, un révolutionnaire russe de haute stature...

— Et toutes ces précautions ?

— Un homme en danger de mort, aussi...

— Et toi, tu n'as pas peur ?

— Si je me mets à avoir peur, je vais devenir d'une inutilité parfaite. Ce n'est pas souhaitable.

— La politique ! la politique !... "Pendant la vie la volonté de l'homme est sans liberté..."

— Que dis-tu ?

— Oh ! rien, rien... C'est Schopenhauer... Je vais lui dire, à ton ami Trotski, qu'à rien ne sert toute cette politique, que c'est mauvais pour l'homme. Je vais lui dire...

> Je ne puis nier que ma vie n'a pas été des plus ordinaires. Mais il faut en chercher les causes plutôt dans les circonstances de l'époque qu'en moi-même. Bien entendu, il fallait aussi qu'il existât certains traits personnels pour que j'aie rempli la tâche, bonne ou mauvaise, que j'ai remplie.
>
> LÉON TROTSKI

Léon et Natalia Trotski s'installèrent dans la maison de Coyoacán avec plaisir. Non seulement le lieu était agréable, mais, après les derniers mois d'errance, il leur était bon de trouver enfin un refuge. Le travail politique s'organisa peu à peu : avec Jean van Heijenoort, le secrétaire, une dactylo, des camarades assignés à telle ou telle tâche. Antonio Hidalgo, un haut fonctionnaire mexicain, assurait la liaison avec le président Cárdenas. Diego et Frida se montraient attentifs, dévoués.

Les activités à l'intérieur de la maison étaient très organisées. Le matin, le programme de la journée était établi pour chacun. Une commission d'enquête internationale s'était formée "pour examiner les accusations lancées contre Trotski et son fils dans les procès de Moscou". Il n'y avait pas une minute à perdre. Chaque chose était menée avec une extrême rigueur, fruit de l'expérience de Trotski dans toutes ces années de lutte. Rien ne devait être laissé au hasard. Et surtout pas le choix des gens entourant les Trotski.

Pourtant Diego et Frida semblaient jouir d'un statut particulier. Diego, avec son aisance habituelle, parvint à établir avec Trotski des relations beaucoup plus ouvertes et libres que celui-ci n'en avait habituellement avec quiconque. Malgré un certain anarchisme de Diego, vu d'un mauvais œil par Trotski, sa spontanéité et sa générosité naturelles avaient gain de cause.

> Frida était une femme remarquable par la beauté, le tempérament et l'intelligence.
>
> JEAN VAN HEIJENOORT

Frida avait beaucoup d'atouts dont elle savait user, Léon Davidovitch était un homme fort, puissamment intelligent, une personnalité souvent dure mais incontestablement attractive. C'était un homme de cinquante-huit ans persécuté, ayant vécu avec Natalia en univers clos, un couple quelque peu austère peut-être mais uni par les mille luttes auxquelles la vie les exposait. Une vie ne se prêtant guère au cabotinage ni à la légèreté, puisque sans cesse en danger.

Il ne faut pas imputer à la "faiblesse" le jeu amoureux qui commença à se tramer entre Léon Davidovitch et Frida. Mais plutôt à la vie elle-même, à ses élans, à sa force cachée. Le monde de Trotski était un monde difficile, celui de Frida, dans un ordre différent, l'était aussi. Deux personnalités qui se rencontrèrent, se donnant un moment l'un à l'autre quelque chose d'eux, voilà peut-être l'espace où la relation se noua.

Compte tenu du contexte, tant politique que psychologique, qui entourait Trotski et Frida, la relation était loin de pouvoir être facile. Natalia Sédova était une grande dame et la compagne de toujours pour l'homme et le combattant Trotski. Frida avait pour mari un géant, coureur mais affreusement jaloux.

Ils essayèrent d'être discrets : ils parlaient entre eux en anglais (Natalia ne le comprenait pas). Entre les pages des livres qu'il lui recommandait de lire, Trotski glissait des lettres pour Frida. Ruses, entre autres, de l'ordinaire amoureux. Qui n'échappèrent guère à Natalia qui se mit à souffrir. Diego ignorait tout.

C'était le printemps. Mais tout évoluait principalement intra-muros, politique oblige, sous risque d'asphyxie. Le manège entre Trotski et Frida était de plus en plus visible, ils allaient jusqu'à se retrouver chez Cristina et l'on vit même le Vieux, certains soirs, faisant fi de toute injonction à la plus élémentaire prudence et à une pourtant assez complexe protection de sa personne, grimper à une échelle pour passer par une fenêtre de Frida.

Les familiers de la maison bleue s'en inquiétaient : chaque geste pouvait être compromettant, voire dramatique. Malgré le plaisir et la chaleur que les deux protagonistes devaient trouver dans leurs relations, ils étaient traqués. Il fallait débloquer la situation avant de déclencher des conséquences politiques...

Le couple Trotski décida de réfléchir, chacun de son côté. Au mois de juillet, Trotski partit pour quelque temps à la campagne.

Le 8, il écrivait à Natalia : "Pense à moi sans inquiétude." Mais il écrivait d'un autre côté à Frida, semble-t-il, la suppliant de ne pas l'abandonner. Et Frida, d'après une de ses amies américaines, se serait exclamée : "J'en ai marre du Vieux !" Le 11 juillet, Frida alla visiter Trotski dans son refuge campagnard. A l'ordre du jour, sans doute, le dénouement de leur relation. Comme souvent devant la fin d'un amour, on essaie de savoir qui en finit avec qui sans jamais connaître la réponse. Les ragots courent encore...

Trotski redoubla de tendresse envers Natalia et ils se retrouvèrent trois semaines plus tard. Frida et Natalia se montraient entre elles tantôt froides, tantôt cordiales. Frida rendait à son aînée de menus services. Le couple Rivera allait rendre visite aux Trotski dans la maison bleue, à leur façon habituelle : avec chaleur, gaieté, soutien. Diego, qui arriva un jour avec un perroquet sur la tête pour s'entretenir avec Léon Davidovitch, semblait toujours tout ignorer de ce qui s'était passé.

Dans les apparences, les rapports entre Trotski et Frida ne reflétaient plus qu'une profonde amitié, ce qui soulagea les habitués de la maison.

Craignant toujours la Guépéou, Trotski demanda à Frida de lui rendre les lettres qu'il lui avait écrites. Ce qu'elle fit. Pour sceller la paix, à moins que ce ne fût pour sceller leur récent amour, Frida offrit un autoportrait à Trotski, le 7 novembre 1937.

Elle y est debout et belle, très digne dans sa longue jupe rose et sa blouse rouge, les épaules bien couvertes par un rebozo chamois. De part et d'autre s'ouvrent des rideaux blancs, comme si elle se trouvait à une représentation officielle, à une remise de prix. Dans une main, elle tient un petit bouquet de fleurs, dans l'autre une feuille :

Je dédie ce portrait à Léon Trotski avec tout mon amour, le 7 novembre 1937. Frida Kahlo à San Angel, Mexico.

Le même mois, Diego rejoignit la section mexicaine de la Quatrième Internationale. Malgré ses coups de gueule bien connus, son anarchisme inné, ses revirements fréquents, il militait, pour l'heure, assidûment aux côtés des trotskistes.

(Environ deux ans plus tard, sur une photo de groupe, Natalia gribouilla rageusement le visage de Frida.)

UN SEXTUOR

Sur le seuil, Frida Kahlo de Rivera,
l'exceptionnelle (…). Ses toiles autour
d'elle et comme elle, tragiques, éclatantes.

JACQUELINE LAMBA,
Les Lettres nouvelles, septembre-octobre 1975.

A la fin de l'année, les attaques des staliniens contre
les trotskistes devenaient de plus en plus aiguës et
fréquentes, et le climat régnant à l'intérieur de la
maison bleue n'était qu'inquiétude et tension. Dans
une maison voisine, on remarqua des allées et venues
jugées suspectes… Diego décida de l'acheter. Mille
quarante mètres carrés…

Au mois de février 1938, alors que la situation
laissait penser que Trotski était menacé et que des
précautions nécessaires étaient prises pour sa protection, la nouvelle de la mort de son fils, Liova,
parvint à Mexico. (Son autre fils, Serge, était porté
disparu en Union soviétique depuis 1935.)

Ce fut Diego qui, averti et accompagné par Jean
van Heijenoort, l'annonça à Trotski. Celui-ci s'enferma aussitôt avec Natalia dans une chambre.

Jours de chagrin et de deuil silencieux. Trotski pourtant travaillait déjà à un texte dénonçant l'assassinat de son fils par la Guépéou.

Aucun pays, décidément, ne semblait pouvoir offrir un répit dans la vie de Trotski. La maison bleue, en dépit de la douceur de ses murs, de ses bougainvillées et de ses orangers, ne lui était d'aucun repos. La chaleur de ses proches n'apportait aucun baume à ses blessures. Partout, cet homme, dont Frida avait confié peu de temps avant à une amie qu'il était la meilleure chose qui lui fût arrivé dans l'année, était un homme persécuté. Luttant à jamais.

Au mois d'avril, on annonça l'arrivée au Mexique d'André Breton et de sa femme Jacqueline. Le ministère des Affaires étrangères français avait délégué Breton pour donner une série de conférences dans ce pays, qu'il pensait être surréaliste par essence.

Le couple vécut quelques jours chez Lupe Marin, avant de s'installer un peu plus longtemps chez les Rivera, à San Angel. Frida les accueillit avec enthousiasme : la réputation de Breton n'était plus à faire, quant à sa femme, Jacqueline, elle était peintre comme elle.

D'emblée, Breton aima la peinture de Frida. Mais cette dernière le trouva très vite arrogant, ennuyeux et trop théorique dans ses conceptions artistiques. Elle, elle ne voulait recourir à aucune théorie pour parler de sa peinture. Pour la faire, encore moins : elle était libre.

Entre eux, ils parlaient anglais :

— Vous êtes une surréaliste, lui dit Breton.

— Qu'est-ce qui vous fait dire ça ?

— Vous correspondez parfaitement à la définition.

Frida le regarda bien droit dans les yeux :

— Je ne crois pas vouloir correspondre à aucune définition.

— Alors, Frida, laissez-moi vous dire que vous êtes surréaliste sans le savoir.

Frida réfléchit deux minutes :

— Non, je ne suis pas surréaliste. Tout ça, c'est du surfait. Or je peux vous dire une chose : je peins ma propre réalité.

Breton sourit. Frida remarqua qu'il ressemblait à l'homme français tel qu'on le décrit, beau et séduisant. Allaient-ils s'engager dans un débat sur Freud et l'inconscient, sur l'acquis et le spontané, les jeux de hasard ?...

— Quels sont vos peintres, Frida ?

— Mmmm... J'aime de tout mon cœur Piero della Francesca. J'aime Rembrandt, Grünewald, aussi, et votre Douanier Rousseau... Et j'aime tous les artistes anonymes, mes ancêtres.

— Et Antonin Artaud, qui est arrivé dans ce pays avant moi, l'avez-vous rencontré ?

— Non. En voilà un qui aime mes ancêtres aussi. Rencontré... enfin, vu, au café El Paris.

— ...

261

— Oh ! vous savez, un café de fous. Chaque table ennemie de sa voisine, insultes pleuvant entre gens se connaissant tous… dialogue impossible. Raisons politiques obligent…

Elle se mit à rire.

— El Paris, reprit-elle en retenant son rire, voilà un café surréaliste… Tout dépend du sens qu'on donne aux termes, évidemment. Imaginez ce lieu : des tables serrées entourées chacune de monde, le ton montant sans arrêt, à cause des boutades ou des engueulades – je vous le répète, presque toujours politiques –, moi, l'"incarnation de la splendeur mexicaine", comme dit Diego, cachant sous mes jupons une flasque contenant un petit cocktail maison pour me remonter le moral à mes heures… Et Artaud ? Ah oui, très protégé par la patronne du café… Une tête de fou, voûté, toujours assis seul au fond du café… Et tous ces pitres autour de lui… Je parle de nous…

— Un grand poète, Artaud.

— Trop grand poète pour être mêlé à ce fouillis artistico-politique. Un sauvage. Sachant ce qu'il veut. N'ayant sans doute besoin de personne… Je me souviendrai toute ma vie de cette image : cet homme à l'air fou assis au fond du café El Paris… Hallucinant.

Frida servit à boire un jus d'ananas.

— Et lui, c'est un surréaliste ? demanda-t-elle.

— C'est une question complexe.

— Je vais vous dire, André. Ce que vous avez fait de mieux, ce sont les cadavres exquis. Aux

Etats-Unis, à Detroit, j'ai passé des heures à en faire. On me reprochait que dans ceux où j'avais mis mon grain de sel il n'y avait que débauche de sexes et d'érections et...

Elle éclata de rire.

— ... Je me souviens encore de la tête de Lucienne Bloch dépliant les petits papiers. Comme elle rougissait !

— Frida, écoutez, j'aime vraiment votre peinture. Nous devons envisager de l'exposer à Paris.

— Je viens de recevoir une lettre de la Julien Levy Gallery de New York me proposant d'exposer à l'automne.

— Eh bien, venez après à Paris, nous vous y accueillerons.

Frida regarda Breton du coin de l'œil.

— Vous savez, il y a bien d'autres peintres qui méritent davantage d'être exposés... Moi, je ne vaux pas grand-chose, je suis une autodidacte. Je n'ai pas peint beaucoup... et sans le moindre désir de gloire ou d'ambition. Pour me faire plaisir, surtout.

— Une façon talentueuse de se faire plaisir.

Les verres de jus de fruits étaient vides. Frida débarrassa.

— Souvenez-vous : je peins non mes rêves, mais ma propre réalité.

— Votre souffrance s'est transformée en poésie dans votre peinture.

— Je crois qu'il faut que nous nous préparions, maintenant. Il n'y a pas beaucoup de route à faire pour notre petite excursion, mais il faut encore que nous allions chercher le Vieux et Natalia à Coyoacán. Dites à votre jolie femme de prendre un lainage… Si elle préfère je lui prête un rebozo…

Paniers sous le bras, cahiers et stylos dans les poches, pistolets bien en place à la taille, les Rivera, les Trotski, les Breton, accompagnés de Jean van Heijenoort et de quelques autres camarades, répartis en deux, voire trois voitures, prirent l'habitude d'aller faire des pique-niques aux alentours de Mexico.

Ils visitèrent les pyramides et les temples de Teotihuacán, grimpèrent sur l'impressionnant Popocatepetl, poussèrent une autre fois plus loin, jusqu'aux bois merveilleux du Desierto de los Leones près de Toluca, flânèrent à Taxco et à Cuernavaca.

Trotski était heureux de pouvoir quitter un peu son refuge d'exil, Breton était ébloui par tout ce qu'il voyait du Mexique. Le groupe, qui pouvait atteindre quelque dix personnes, se déplaçait et agissait généralement de façon compacte, faisant rempart pour parer à toute attaque éventuelle contre Trotski. Çà et là des photos de groupe étaient prises.

Mais ils ne voyaient pas seulement du pays. Ils discutaient passionnément. Du Mexique précolombien avec Diego et Frida, de la politique et de l'art entre eux tous. Toutes langues mêlées : français, espagnol, anglais. Très vite naquit entre Trotski et Breton l'idée d'une Fédération internationale des artistes révolutionnaires indépendants, manifeste à l'appui, dont la rédaction devait revenir principalement à Breton. Les deux hommes avaient plus d'une divergence entre eux : pour le premier, tout devait mener à une action politique, pour le second la politique faisait partie intégrante de l'art et de la poésie ; Breton voulait sonder la "complexion artiste", Trotski s'y intéressait dans la mesure où l'on pouvait en espérer des applications concrètes. Pourtant ils trouvaient tous deux beaucoup d'intérêt dans chacune de leurs discussions. Pour chaque sujet abordé, ils avaient un même souci de le mener à fond.

Un jour, le groupe décida de faire un voyage dans la région du Michoacán. Ils y passeraient plusieurs jours. Diego était toujours à la recherche d'objets folkloriques et Breton suivait son engouement. Dans certains villages autour de la petite ville de Pátzcuaro, des paysans fabriquaient des céramiques peintes à caractère votif ou simplement superstitieux. Et des masques en bois, peints, eux aussi, dont les thèmes représentés remontaient parfois à l'époque précolombienne.

Ils allèrent jusqu'à la petite île de Janitzio, sise au milieu d'un lac sur lequel les bateaux et leurs filets de pêche sont comme des papillons sur l'eau. Lorsqu'ils furent arrivés sur l'île, les gens s'approchèrent d'eux, par curiosité ou pour leur offrir de leur délicieux poisson blanc cuit à la braise. Janitzio et son petit village avaient l'air d'un mirage, mais les plus curieux étaient peut-être encore les protagonistes du groupe arpentant les ruelles serpentines, regardant chaque recoin et chaque Indienne avec ses jupons colorés, des enfants incroyablement beaux s'épouillant l'un l'autre avec tout le sérieux du monde, le minuscule cimetière où, dans les fissures des murs, poussaient de petits cactus.

Comme ils reprenaient le bateau qui quittait l'île, Frida dit :

— Regardez la beauté de ces femmes lavant du linge, là, au bord du lac…

Les femmes, agenouillées, entendirent et redressèrent le buste pour voir les étrangers.

— Combien de temps encore le temps aura-t-il cette lenteur à Janitzio ?

— L'île a une morphologie sacrée. Aussi près soit-elle du monde, elle est loin du monde. Elle appartient davantage à l'eau qu'à la terre.

Frida regarda Breton. Il avait un côté seigneurial, très beau. Incontestablement, pensait-elle, c'était un séducteur, doué d'une grande force magnétique. Il avait le pouvoir de l'intuition et de la sensibilité, voilà pourquoi il était poète. Mais elle décelait en lui aussi le talent de quelque rouerie, une autorité dont il savait jouer, voilà pourquoi il était le "pape" des surréalistes. Certes, Diego était un roué, mais gouailleur ; Breton l'était avec noblesse.

Autour de leur petit bateau, les embarcations des pêcheurs tanguaient doucement, plongeant leurs grands filets-ailes de papillon dans l'eau argentée du lac.

— … L'eau… l'eau… c'est la création même. Ce tableau de moi que vous aimez tant, *Ce que l'eau m'a donné*, n'est autre que cela : l'eau, espace mental où l'imaginaire a jeté ses éléments, réels, rituels, métaphoriques, peu importe, ils sont ma vie… La cruauté de ma vie, même, que l'eau amène, fait émerger, dissout… Epars ils sont, reliés par l'eau, ma mémoire…

Breton écoutait, attentif. Puis ses pensées dévièrent sur ce manifeste qu'il devait écrire. Il n'arrivait pas à s'y mettre. D'une certaine façon, il redoutait le regard de Trotski sur sa prose. Où était l'écriture automatique, où étaient la spontanéité, l'aisance ? Il se sentait bloqué. Or Trotski le pressait.

— Nous accostons, dit Frida. Nous allons repasser par Patzcuaro, ça vaut le coup, nous l'avons à peine aperçue. C'est une petite ville délicieuse…

Arrivé à Patzcuaro, le groupe s'installa dans la grande salle sombre d'un restaurant colonial donnant sur le Zócalo. Il y faisait frais. C'étaient le calme et le repos après la promenade.

Un moment de détente et les discussions sur l'art et sur la politique reprirent. Au fond, il y avait une sorte de fossé entre les trotskistes et les surréalistes. Quant à Diego, il dansait d'un pied sur l'autre. Quelques mois plus tard, il envisagea qu'il pourrait être le secrétaire de la section mexicaine de la Quatrième Internationale, avec le plus grand naturel. Puis, comme cela sembla incongru aux militants, il se ravisa en disant qu'il ne se consacrerait qu'à la peinture…

Frida bavardait joyeusement avec Jacqueline Breton, lorsque Trotski, au grand étonnement général, émit le souhait d'aller au cinéma. Diego lui dit que c'était dangereux, mais Trotski ne voulut rien entendre : il pensait qu'il avait le droit de profiter un peu de cette échappée.

Sur le chemin du retour à Mexico, un soir, dans une petite ville, un cinéma affichait un western américain. Diego s'efforça encore de dissuader Trotski, mais sans succès.

— Cachez votre visage avec un mouchoir, lui demanda Diego, qu'on ne risque pas de vous reconnaître.

— Mais je ne risque rien ! s'exclama Trotski, pas ici !

— On ne sait jamais, les ennemis sont partout.

On se concerta. Le groupe entoura Trotski pour entrer dans le cinéma, et dans la salle presque vide ils s'installèrent en cercle autour de Léon Davidovitch. Le film n'était pas bon, et la bande-son et les coupes auxquelles il était intempestivement soumis n'arrangeaient rien. Mais malgré les pistolets à portée de main et la tension des présents, le divertissement était assez rare pour être apprécié coûte que coûte. Tout le monde riait aux éclats.

De retour à la capitale, chacun reprit ses activités. Breton finit par prendre son courage à deux mains et commença la rédaction du fameux manifeste.

Trotski le lut et apporta à son tour quelques idées. On pouvait y lire, dans la mouture finale :

> (…) Si, pour le développement des forces productives matérielles, la révolution est tenue d'ériger un régime socialiste de plan centralisé, pour la création intellectuelle, elle doit dès le début même établir et assurer un régime anarchiste de liberté individuelle (…).

Les Breton repartirent peu de temps après pour la France. Frida se mit à travailler intensivement tout l'été, en vue de son exposition à New York, en octobre.

Elle oublia les débats politiques, les amis, et sans doute Diego un peu aussi, pour ne se plonger que dans son travail.

Diego aurait voulu que je ne fasse rien d'autre que peindre. Son souhait m'agréait, il signifiait qu'il croyait en moi. Lorsque les doutes m'assaillaient sur notre relation, sur son amour, alors je pensais que ce qu'il désirait était que mon monde fût assez fort pour ne pas avoir besoin du sien, donc de lui. Pour qu'il fût complètement libre. Enfin, l'un dans l'autre, pour moi tout simplement, pour mon équilibre ou ma survie, je sentais qu'il me fallait m'accrocher complètement à la peinture, m'y enraciner.

Les années 1937-1938 reflètent, je crois, cette affirmation et marquent dans ce sens un tournant. Je continue sur ma lignée, certes, mais je réalise que rien, désormais, ne m'en détournera. Je travaille davantage, avec une concentration et une application accrues. Je sais que ma vie s'y joue.

Face au chevalet, j'avais alors la force de rester des heures. J'ai eu une patience incroyable, d'autant que j'ai peint principalement de très petits formats. Il y des gens qui, ayant vu ma peinture sur photographies, ont été saisis lorsqu'ils se sont confrontés à sa réalité : là où ils imaginaient un grand tableau, ils se sont trouvés face à une peinture de trente centimètres sur quarante, parfois moins, rarement plus.

Tout un monde miniaturisé. On ne peut s'y laisser aller à grands coups de pinceau, cela requiert une attention particulière et donne plus de crampes à la main. Il faut empêcher que l'imagination n'entraîne la dispersion, canaliser toute l'énergie que le poignet voudrait déployer. Quelqu'un comme Bosch, par exemple, compense un délire imaginatif par un travail pictural extrêmement minutieux. Cela n'aurait pas été supportable autrement, ni pour les autres ni pour lui. (Je prends Bosch parce que je l'aime beaucoup, mais je ne prétends pas lui comparer mon travail. J'essaie de comprendre.)

Quand je regarde mon œuvre rétrospectivement, je pense que je suis un grand peintre. Non, je n'ai pas peur des mots, ceux-là ont leur vérité. La peinture se construit sur ce qui la précède, quelques peintres, au milieu, rompent cette longue élaboration : ils déroutent parce qu'ils construisent leur peinture sur eux-mêmes, ils vous jettent leur force au visage et perturbent le fil de la continuité. On les croit fous. Il n'y a qu'à voir Van Gogh. Pourtant, quand on regarde sa peinture, elle reflète un grand équilibre. Je parle de l'équilibre plastique, ce n'est pas rien si on le rattache au mental. Il faut savoir tomber juste en construisant son tableau. La personnalité – si personnalité il y a – est déjà, elle, à l'avant du tableau. Si on a fait œuvre d'introspection, c'est visible, percutant. Tout se rejoint dans une intensité majeure et immédiatement discernable, l'équilibre d'un grand peintre est flamboyant.

Il faut que le tableau vous regarde autant que vous le regardez.

A ce jeu, je crois pouvoir dire que je suis, en cinquante centimètres carrés de peinture, plus forte, j'ose le dire, oui, que Diego sur un mural de vingt-cinq mètres carrés. Et c'est important : il est nécessaire que des choses vous remettent en question dans la vie. Se déterminer par rapport à elles, et voilà qu'on avance.

On oublie souvent de rappeler qu'il y a, de surcroît, dans l'histoire de la peinture, peu de portraitistes. De vrais, il s'entend. De gens qui, peignant un visage, vous montrent violemment ce qu'il y a derrière. C'est un travail de pénétration psychologique. Voyez un visage peint par le Greco ou par Piero della Francesca : rien de ce qu'il pourrait masquer ne s'y dérobe. Tout est là, saisissant : on voit loin dans l'être et sa présence touche en vous vos fibres les plus profondes. La remise en question, j'y reviens, et le regard du tableau sur vous, aussi.

Par moments je me demande si ma peinture n'a pas été, dans la façon dont je l'ai menée, plus semblable à l'œuvre d'un écrivain qu'à celle d'un peintre. Une sorte de journal, la correspondance de toute une vie. Le premier étant le lieu où j'aurais libéré mon imagination autant qu'analysé mes faits et gestes, par la seconde j'aurais donné des nouvelles de moi, ou donné de moi, tout simplement, aux êtres chers. D'ailleurs, mes tableaux, je les ai presque toujours offerts, ils ont généralement été destinés à quelqu'un dès le départ. Comme des lettres.

Mon œuvre : la biographie la plus complète qui pourrait jamais être faite sur moi.

Durant l'été 1938, si mes souvenirs sont bons, l'acteur américain Edward G. Robinson m'a acheté quatre tableaux d'un coup. Ma première grosse vente. J'étais partagée entre le plaisir lié à la reconnaissance et une gêne irrépressible : mon travail valait-il d'être acheté avec tant d'empressement ? J'avais envie de détruire les tableaux, de me cacher. D'ailleurs ce fut Diego qui mena les tractations financières, j'en étais incapable. Pourtant, j'avais envie de briller, aussi.

C'est ce côté qui l'emporta lorsque je partis seule pour New York, à l'automne. La Julien Levy Gallery accueillait mes œuvres du 1er au 14 novembre. Vingt-cinq tableaux.

J'arrivai quelques semaines plus tôt. Pour me replonger dans le bain, pour faire face aux derniers préparatifs.

En dépit d'une santé tout à fait précaire, j'étais moralement en forme, j'éprouvais un curieux sentiment de liberté à être soudain loin de Diego. J'avais envie de me dégager de son emprise affective, de conforter ma capacité à séduire, de m'affirmer. J'ai dû paraître assez déchaînée. Je passais d'un homme à l'autre sans me déconcerter.

Le soir du vernissage, j'étais particulièrement excitée. Je m'étais habillée comme une reine et cela produisit son effet. Il y avait foule à la galerie. Des Rockefeller à Alfred Stieglitz, le photographe, et Georgia O'Keefe, sa femme peintre, en passant par Meyer Schapiro, Dorothy Miller, etc., tout le monde se pressait pour voir les tableaux et, d'une façon générale, ils avaient l'air assez impressionnés. Ce fut un franc succès. J'eus une bonne presse et des photos de moi parurent dans les journaux ; l'un d'eux critiqua la préface d'André Breton qui ouvrait le catalogue, parce qu'elle avait été publiée en français ; un journaliste poussa la grossièreté jusqu'à dire que ma peinture était plutôt de l'obstétrique…

Il ne s'est sans doute jamais regardé au fond de lui, ne sait pas ce qu'est une femme, ignore ce que l'art implique comme douleur, cachée ou avouée, et l'a peut-être confondu avec une plaisanterie décorative.

Diego, à distance, se souciait de mon exposition le plus qu'il pouvait et c'est lui qui écrivit sur mon travail les plus belles paroles, qu'il envoya à un critique d'art, Sam A. Lewinson. J'y perçois son immense tendresse :

Je vous la recommande, non en ma qualité de mari, mais en tant qu'admirateur enthousiaste de son œuvre, acide et tendre, dure comme l'acier et délicate et fine comme l'aile d'un papillon, adorable comme un beau sourire et profonde et cruelle comme l'amertume de la vie.

Dans mon dévergondage, j'eus ma préférence. Ma préférence devint un amour, qui avait pour nom Nickolas Muray. Je l'avais connu à Mexico, où nous avions découvert avec bonheur que nous avions tous deux des origines hongroises, lui plus que moi. Je l'admirais comme photographe, et je ne parle pas là de sa célébrité mais de ce que je sentais de ses images, et j'aimais la douceur en même temps que la beauté, l'humanité, la vivacité de l'homme. Là, à New York, nous nous attachâmes tant l'un à l'autre.

NEW YORK - PARIS

*Est beau ce qui procède d'une nécessité
intérieure de l'âme. Est beau ce qui est
beau intérieurement.*

WASSILY KANDINSKY

L'hiver new-yorkais, de nouveau, que Frida avait déjà connu. Encore, comme contrecoup à l'effervescence de sa première exposition individuelle, comme s'il lui fallait toujours payer cher les bonheurs de sa vie, arrivèrent les douleurs au pied droit, si bien caché sous les jupes et leurs dentelles.

De médecin en médecin, périple familier, l'un d'eux réussit finalement à soigner l'ulcère trophique dont elle souffrait. Un trophisme inévitable et ne pouvant que se poursuivre. L'accident n'avait fait qu'accentuer un processus déjà engagé avec les séquelles de la poliomyélite, la paralysie de la jambe.

La consolation, la chaleur, Frida les trouva auprès de Nickolas Muray, photographe américain en pleine gloire.

Diego lui écrivait, mais il était loin. Si Frida se culpabilisait pour sa trop longue absence, Diego avait vite fait de la rassurer en argumentant qu'elle tirerait de ce voyage le plus grand bénéfice pour son travail. Son intérêt était sans doute sincère, Frida le croyait, mais où se situait l'enjeu affectif pour l'un et pour l'autre ? Dans la liberté dont ils profitaient chacun à distance, dans l'attachement qu'ils manifestaient l'un pour l'autre malgré la distance, ou les deux ?

Début décembre, pour l'anniversaire de Diego, Frida lui écrivit :

Mon enfant – de la grande magicienne PARIS *– Coyoacán D.F. 8 déc. 1938* N.Y.
Il est six heures *du matin et les dindons glougloutent chaleur de tendresse humaine Solitude accompagnée – Jamais, de toute la vie, je n'oublierai ta présence. Tu m'as accueillie brisée pour me restituer entière intègre. Sur cette petite terre où poserai-je le regard ? Tellement immense tellement profond ! Il ne reste plus de temps, il n'y a plus de* distance. *Il ne reste que la réalité ce qui a été l'a été pour toujours ! Ce qui est, ce sont les racines apparentes transparentes transformées en arbre fruitier éternel. Tes fruits dégagent déjà leur arôme tes fleurs livrent leur couleur en poussant avec la joie du vent et de la fleur. Nom de* Diego. *Nom d'amour. Ne laisse pas s'assoiffer l'arbre qui t'aime tant. qui a thésaurisé ta semence qui a cristallisé ta vie à* six heures *du matin.*

ta Frida
8 déc. 1938, âge 28 ans

Ne laisse pas s'assoiffer l'arbre dont tu es le soleil, qui a thésaurisé ta semence "Diego" est un nom d'amour.

Dans les lignes qu'elle lui envoyait, son lien à lui transparaissait, inaltérable. Et si Diego mettait en péril leur relation par ses amours incessantes, celles de Frida, malgré leur intensité, ne cassaient pas l'affection pour Diego, sacrée. Pourtant, elle s'y livrait complètement.

Ainsi avec Nickolas, au contact duquel elle s'ouvrait sans hésitation. Nickolas connaissait évidemment l'existence de Diego, Frida ne s'en cachait pas, elle aimait cependant comme si la figure de son mari ne pût rien empêcher. Elle se laissait couler dans l'amour avec Nickolas sans hésitation, sans retenue aucune. Elle jouissait de la vie avec son nouvel homme, de son intelligence, de sa sensualité, se plaisait dans l'image de femme belle, originale et désirable qu'il lui renvoyait d'elle. Elle se montrait possessive, exclusive.

Là où une autre femme dans la même situation qu'elle aurait eu des scrupules, Frida, avec tout le naturel du monde, et c'est ce qui était désarmant en elle, demandait à son amant de lui être fidèle, à moins qu'il ne s'agît, s'il la trompait, d'une simple "question de baiser", auquel cas il fallait qu'il se gardât bien d'"aimer" la dame convoitée...

Frida et Nickolas se promenaient dans les rues de New York en amoureux, s'arrêtant aux carrefours pour s'embrasser, riant aux éclats à la moindre occasion, s'extasiant l'un de l'autre. Entre deux séances de photo de Nickolas, et à chaque fois que Frida ne se plaignait pas de sa jambe, ils dansaient jusqu'à perdre la tête sur les airs à la mode. Frida exultait.

A la fin de l'année, Frida reçut à New York des nouvelles de Paris. Le cœur battant, de plaisir autant que d'angoisse, elle arriva dans le studio de Nickolas, une lettre à demi froissée dans les mains et des taches d'encre délavée sur les doigts.

— J'ai couru… couru…, haleta-t-elle, il… tombait… de la… neige fondue…

Elle respira profondément, tout en cherchant un mouchoir dans son sac.

— … je lisais en marchant…, l'encre a déteint… Nick ! Les surréalistes m'attendent à Paris !

— De succès en succès, ma toute belle…

— Mais, Nick adoré, je n'ai pas envie de te quitter…

— Pour combien de temps ?

— Un mois environ, dit Frida, pensive. Tu sais quoi ?

Nickolas l'interrogea du regard. Frida frottait doucement sa jambe sous sa robe, dont elle avait relevé le bas mouillé.

— Ils me croient surréaliste, mais je ne le suis pas.

— Nous n'allons pas débattre à nouveau la question… Les définitions ne sont pas très importantes, au fond, Frida. Tant que tu gardes ton intégrité.

— Etre surréaliste, qu'est-ce que c'est ? reprit Frida. Si c'est enlever les objets de leur contexte pour les replacer dans un autre contexte, la peinture n'a fait que ça, de tout temps... Si c'est jouer à l'absurde, je n'en suis pas.

— Si tu sais où tu te situes, le reste n'a pas beaucoup d'importance, je te le répète... Je sais que tu es hors d'atteinte.

— Le problème avec les surréalistes, c'est qu'ils se prennent trop au sérieux. C'est évident chez Breton.

— Tu as de la chance, les gens t'impressionnent peu. Tu es libre sans angoisse et sans en devenir prétentieuse.

— C'est parce que je n'ai au fond pas d'ambition. A part dans ma recherche picturale – mais cela n'a rien à voir avec la réussite sociale, donc avec tout l'enjeu des apparences...

— Y a-t-il une personne qui t'ait réellement impressionnée ?

Frida réfléchit et commença à compter sur ses doigts couverts de bagues, en silence.

— Ni les aristocrates, ni les grands industriels, ni les célébrités du monde de l'art ou de la politique... Non, ni Rockefeller, ni Dos Passos, ni Steinbeck, ni Reed... Si, un homme m'a réellement impressionnée, m'a paru exceptionnel jusqu'au fond de l'âme, c'est Trotski !

— Toi, tu m'impressionnes par ta force naturelle.

— Nick, comment te dire que je t'adore, que je pense à toi tout le temps, à tes yeux, à tes mains, à ton sourire, comment te dire que je t'aime de tout mon cœur, et qu'il n'y a que toi en moi – outre

Diego qui y tient une place particulière et immuable, mais ça tu le sais… Je sens tellement d'amour pour vous deux que ça déborde de moi seule, que je me dédouble… Je deviens deux Frida aussi pleines d'amour l'une que l'autre.

Plus tard, elle pleura, parce que Paris lui apparaissait comme une planète lointaine, qu'aucun de ses deux hommes ne s'y trouvait, qu'elle ne parlait pas le français, qu'il allait y faire très froid sans doute… Mais c'était aussi son vieux rêve d'Europe qui se réalisait et, à l'intérieur d'elle, tout se mêlait, l'accident dont elle avait réchappé, l'angoisse, le plaisir.

A New York, elle avait vendu douze tableaux sur un ensemble de vingt-cinq œuvres exposées. Quelques commandes lui furent passées, dont un autoportrait qu'elle exécuta à l'hôtel Barbizon-Plaza même, et un portrait de Dorothy Hale pour son amie Clare Boothe Luce, du journal *Vanity Fair*.

Cette dernière toile eut une histoire à rebondissements. Dorothy Hale, une jeune actrice américaine, défraya la chronique américaine en octobre 1938. Un matin, à six heures, elle enfila sa plus belle robe, escalada une fenêtre et se jeta du haut de l'immeuble new-yorkais Hampshire House. Frida, très impressionnée, fit part à Clare Boothe Luce de son envie de peindre un souvenir de l'actrice. Clare proposa à Frida de lui acheter le tableau quand il serait fini, pour en faire cadeau à la mère de la défunte. Marché conclu. Lorsque, quelques mois plus tard, le tableau parvint à son acquéreur, un petit vent de scandale souffla : le portrait de Dorothy Hale représentait le *suicide* de Dorothy Hale.

C'était assez en accord avec Frida : elle avait peint le tragique de l'existence de l'actrice, cristallisant sur la toile l'angoisse qui avait dû précéder cette décision de suicide et le passage à l'acte lui-même. Un fantasme que Frida n'ignorait sans doute pas. Mais qui pouvait difficilement être du goût d'un acheteur de tableau et qu'on ne pouvait raisonnablement offrir à une mère blessée en souvenir de sa fille.

Entre-temps, Frida partit pour la France au mois de janvier 1939. Elle se demandait s'il était bien d'être partie aussi longtemps de Mexico et s'inquiétait de la situation politique de l'Europe. Elle ne se faisait pas beaucoup d'illusions sur son exposition.

Son arrivée à Paris se passa dans de mauvaises conditions. Breton, d'après Frida, ne s'étant pas occupé de l'exposition, les tableaux étaient immobilisés à la douane et aucune salle n'avait encore été prévue pour les accueillir. Frida eut envie de rentrer aussitôt. Elle télégraphia à Diego qui lui conseilla de rester, ne fût-ce que pour être sûre de ramener ses tableaux à bon port. De surcroît, à Paris il faisait un temps gris comme elle n'en avait jamais vu ailleurs et les gens avaient de tout petits appartements.

Elle dormit quelque temps chez les Breton, rue Fontaine, où elle partagea la chambre de leur petite fille. Elle n'en revenait pas : à Mexico comme à New York, les gens avaient plus d'espace pour vivre ! Frida était de mauvaise humeur et elle ne cessait de pester contre "cette bande de fils de pute lunatiques que sont les surréalistes", selon ses propres mots. Ils ne trouvaient aucune grâce à ses yeux : elle les jugeait trop intellectuels, inutiles, sales, fauchés (et pas travailleurs), imbus de discours théoriques n'ayant aucun mérite, perdant leur temps à discutailler dans les cafés, etc. Elle se demandait ce qu'elle faisait au milieu d'eux, ne voulait surtout pas leur être assimilée…

Frida se sentait seule. Elle marchait dans une ville pluvieuse, menacée par l'histoire, où elle n'aimait pas ceux qui auraient pu être ses amis et dont elle ignorait complètement la langue. Le français lui paraissait compliqué et elle retenait mal même le nom des rues… Pourtant, elle sentait presque malgré elle que la ville était belle et elle revenait sans cesse sur certains lieux : la place des Vosges, les quais et Notre-Dame (où elle alluma des cierges pour elle, Diego, son père, Nick, Trotski, Cristina et ses enfants, quelques amis…), Montparnasse que Diego lui avait tant raconté. Elle essaya d'aller à Montmartre, mais la fatigue la prit, et les jardins du Luxembourg lui donnaient la nostalgie des enfants qu'elle n'avait pas eus.

Elle rencontra cependant des gens qui l'intéressèrent : Paul Eluard, Yves Tanguy, Max Ernst,

Marcel Duchamp… Elle adora le travail de ces deux derniers et sympathisa avec Duchamp qui entreprit de l'aider. Il résolut le problème de douane des tableaux et s'enquit de la question de la galerie.

En dépit des difficultés liées à l'organisation de l'exposition, Breton développa son idée : Frida ne serait pas la seule exposée ; sous le nom "Mexique", on regrouperait une exposition comprenant ses tableaux, certes, mais aussi des figurines précolombiennes, des masques, des ex-voto, des objets folkloriques, des portraits mexicains du XIXe siècle, des photos du photographe mexicain Manuel Alvarez Bravo…

Et Frida tomba malade. Elle attrapa une colibacillose rénale avec forte fièvre qui l'obligea à être hospitalisée à l'hôpital américain de Neuilly. Lorsque la fièvre tomba et que les douleurs disparurent, elle se réjouit d'être à l'hôpital américain : elle pouvait y parler anglais !

La femme de Duchamp, une Américaine du nom de Mary Reynolds, vint lui rendre visite.

— Heureusement que tu es là ! s'exclama Frida en la voyant arriver. Bonnes nouvelles, dis-moi ?

— Je crains que non.

— Ville lumière, ça ? Ville malheur ! Dis toujours, je m'attends au pire.

— La galerie pour l'exposition est trouvée : galerie Pierre-Colle, rue de Seine… Mais l'associé de Colle ne veut pas exposer tous tes tableaux, il a peur de choquer.

284

— Eh bien, qu'ils aillent se faire foutre ! Je sors d'ici et je plie bagage… Les cacas surréalistes ne risquent pas de choquer, évidemment, ça vaut si peu de chose !

Mary resta silencieuse un moment, avant de dire :

— Frida, la situation politique, aussi…

— Tous les pays ont des situations politiques, et moins de faux artistes que celui-ci, tu peux me croire !

— L'exposition commence le 10 mars…

— Et nous ne sommes qu'en février, remarqua Frida en faisant mine de s'arracher les cheveux.

— J'ai une bonne nouvelle, quand même : nous allons t'emmener vivre chez nous lorsque tu sortiras d'ici.

Frida l'embrassa.

— Vous êtes des amours et je ne pourrai jamais vous remercier assez pour tout ce que vous faites pour moi…

Elle se leva et regarda par la fenêtre de sa chambre.

— … De toute façon, je suis obligée de rester, Diego le veut… et puis, maintenant, j'ai aussi prêté deux cents dollars à Breton pour restaurer les vieux tableaux mexicains…

Elle avait hâte de retourner à New York et de retrouver Nickolas Muray. Elle lui écrivait :

(…) Je t'aime, mon Nick. Je suis si heureuse à l'idée que je t'aime – que tu m'attends – que tu m'aimes. (…)

(…) – Mon amant, mon plus beau, mon Nick – ma vie – mon enfant, je t'adore. (…)

Fin février, elle s'installa chez les Duchamp. Mary s'occupait d'elle avec dévouement et Frida lui en savait gré. Elle se sentait bien.

L'exposition ne fut pas un succès commercial, l'instabilité politique ne s'y prêtait pas, mais ce fut un succès au niveau de l'intérêt qu'on lui porta et de l'estime. Frida en fut la vedette. Elle eut la reconnaissance des peintres, d'Yves Tanguy jusqu'à Pablo Picasso qui, très impressionné, écrira plus tard à Diego Rivera :

(…) Ni toi, ni Derain, ni moi ne savons peindre des visages comme ceux de Frida Kahlo. (…)

Mais elle toucha d'autres milieux, aussi, comme celui de la haute couture. Elsa Schiaparelli, séduite par la manière dont s'habillait Frida, créa pour le Tout-Paris la "robe de Madame Rivera" ; sur la couverture de *Vogue* parut sa main toute baguée…

Et le musée du Louvre acquit un tableau.

D'une façon ou d'une autre, la reconnaissance était là et elle ne venait pas par la voix des moindres… Frida en était consciente et l'appréciait à sa juste valeur, sans s'en targuer cependant.

Elle quitta Paris pour Le Havre fin mars. Il ne pleuvait pas. Elle partait l'esprit tranquille. Sur le bateau qui la ramenait à New York, elle réussit même à commencer *le Suicide de Dorothy Hale* : au milieu de la toile, le haut immeuble new-yorkais, seul au milieu de bancs de nuages ; en trois temps, la femme tombant : toute petite lorsqu'elle saute par la fenêtre, lorsqu'elle touche le sol il n'y a plus qu'elle, étendue, sur le bas du tableau. Dorothy morte gît dans une flaque de sang, et elle perd du sang, encore, par les oreilles, le nez, la bouche. Il gicle sur le petit côté du cadre. Pourtant la femme est très belle, qui regarde encore hors de sa mort, hors du tableau...

Diego a déclaré un jour, aux Etats-Unis : "Je ne crois pas en Dieu, mais je crois en Picasso." Comme il avait raison. Ce petit homme est unique. Louise Nevelson l'a aussi dit, à sa façon : "Au berceau, Picasso dessinait déjà comme un ange."

Je vais dire, moi, une banalité, mais tant pis : ces yeux qu'il a ! Un regard comme le sien, je n'en ai pas connu de semblable. Ses yeux semblaient fixer ce qui l'entourait, vous fixer, par avance, sur la toile. Terrible, ce regard. Grâce à lui, il était, déjà, au moins à moitié peintre.

Je me souviens bien. Bien qu'étant le clou de l'exposition, durant le vernissage, je me tenais un peu à l'écart. Wassily Kandinsky me félicita : il pleurait, tellement il était ému, et ses petites lunettes étaient pleines de buée. Il me fit part de son admiration dans un anglais approximatif, teinté d'un merveilleux accent, tout en essuyant ses larmes du revers de la main. L'âme russe ! Rien n'était feint ! Juan Miró me serra dans ses bras, avec peu de mots mais beaucoup d'expression et d'affection. Max Ernst, très froid toujours, mais apparemment sincère, me dit de continuer mon chemin. Picasso me prit lui aussi dans ses bras, ne tarissant pas d'éloges.

Leur reconnaissance de mon travail me touchait jusqu'au plus profond, d'autant que j'étais félicitée par des peintres parmi les plus grands dont on sait, et à juste titre, qu'ils sont avares en compliments. Des peintres aux personnalités si différentes, tellement personnel chacun, s'intéressant à la Friduchita...

Jusqu'à mon départ de Paris, je revis souvent Picasso. Il se montrait très ouvert, aussi ouvert qu'il doit être peste lorsqu'il n'aime pas quelqu'un. Nous avons passé ensemble de bons moments. Nous chantions beaucoup : une chanson mexicaine contre une espagnole... Un jour, il m'a offert une belle paire de boucles d'oreilles que je dois encore avoir si je ne l'ai pas donnée.

Des rencontres comme celle-là, de même que d'avoir rencontré des gens comme les Duchamp, Tanguy, et avoir eu le privilège de connaître certains lieux de la ville ne me font pas regretter d'être allée à Paris. Pour le reste, les artistes y discouraient plus qu'ils ne travaillaient, en particulier les Français, et cela me choquait. Je sais bien que l'histoire se tenait dans l'antichambre, prête à déverser son venin, l'atmosphère était pesante, mais est-ce une excuse réelle pour un artiste qui a besoin de travailler ?

Lors d'une des rares soirées que j'ai passées dans un café, je me suis insurgée : Eluard défendait la peinture de Dalí, moi, je ne lui accorde même pas le titre de peintre. Un faiseur d'images, à peine... Curieux, ces Français. Ils montaient aux nues un bonhomme comme Renoir, je ne dis pas qu'il ne vaille rien, mais enfin, il n'est pas grand-chose comparé à Monet, par exemple. Quant à Derain, ils le laissent injustement dans l'ombre, considérant que son œuvre est mineure !

Lorsque je me sentais trop exaspérée par leurs propos, je me disais que ce qu'ils avaient de grand, les Français, c'étaient leurs étrangers !

En parlant d'étrangers... En recoupant les informations recueillies çà et là, parmi les camarades de la Quatrième Internationale entre autres, j'eus l'impression que l'aide apportée aux républicains espagnols laissait beaucoup à désirer. J'écrivis à Diego et je fis ce que je pus. Je parvins à ce que quelque quatre cents réfugiés trouvassent accueil au Mexique. Ce n'était pas beaucoup, pas assez, mais j'étais prise par le temps.

Cette guerre est un des événements politiques qui m'ont le plus marquée. Cruelle, déchirante.

Je buvais beaucoup, sauf lorsque je fus hospitalisée pour la colibacillose. Beaucoup : je ne me suis jamais roulée par terre et je n'ai jamais comptabilisé. Mais cela ne veut sans doute rien dire, l'alcool marque différemment les corps et les esprits. N'étant pas un personnage dostoïevskien, j'ai bu, comme tout le monde, pour oublier certaines choses et en aiguiser d'autres en moi, mais sans être jamais portée à la violence. Il n'y a rien de pire que l'alcool violent ; c'est impardonnable parce qu'il est faux de dire qu'on ne se rend compte de rien. C'est de la mauvaise foi. On a beau avoir bu, on se rend parfaitement compte, avec de légères altérations et amplifications, de son état. On se rend compte si soudain on bégaie, si on rit plus fort, si on marche moins droit ; on se rend parfaitement compte du regard que les autres portent sur vous. On se rend compte s'il est temps d'arrêter parce que tout devient trop lourd, corps et propos tenus. Je ne crois pas ceux qui disent qu'ils ne boivent pas alors qu'ils boivent ni ceux qui se réfugient derrière l'alcool pour ne pas endosser de responsabilité.

Boire peut être un bon aphrodisiaque, c'est aussi un bon masque. Comme tel, je ne l'ai jamais utilisé.

Alors, beaucoup, oui, mais je ne peux évaluer que par rapport à moi, à mes états. Cela étant, l'alcool ne m'a jamais changée fondamentalement, c'est pourquoi je ne cherche pas d'excuse.

A Paris, le cognac était bon.

Je n'ai jamais bien peint en ayant trop bu. Je n'ai jamais peint l'ivresse.

LES DEUX FRIDA

Mexicanissime dans toutes ses manifes-
tations, elle continue de causer un grand
étonnement : sa peinture et sa vie, sa vie
et sa peinture, liées entre elles comme les
deux Frida, telles qu'elle les a peintes
(…).

ELENA PONIATOWSKA

Frida avait hâte de retrouver New York, ses vieux amis, Nickolas. Vingt-quatre heures avant d'arriver, ses valises étaient déjà prêtes dans sa cabine. Celle contenant ses affaires de peinture, une sorte de mallette carrée assez haute, moitié bois moitié cuir, gravée à son nom, se trouvait calée entre deux autres pour ne pas risquer de tomber. Elle en avait soudain assez de voyager, d'être entre deux pays, deux hôtels, sa vie, lui semblait-il, pliée en quatre dans ses bagages.

Elle entendit un brouhaha et monta sur le pont, tandis que la sirène poussait son cri profond. Le ciel était presque blanc et un soleil timide paraissait s'y déplacer. Elle cligna les yeux et mit ses mains au-dessus de ses sourcils pour se protéger de la luminosité du ciel. Comme le bateau approchait, Manhattan semblait bouger, masse de béton et d'acier muette et souriante souhaitant la bienvenue à Frida. Des larmes coulèrent sur ses joues, l'odeur du port faisait chavirer la tête.

Nick l'attendait.

Frida laissa les gens descendre avant elle, de crainte d'être renversée. Dans l'une de ses mains, elle tenait sa mallette de peinture, de l'autre, elle relevait le bas de sa robe. Les bagages suivaient sur le chariot d'un porteur. Le taxi était là.

Dans la voiture, Frida se blottit contre Nickolas. Celui-ci l'écarta de lui pour mieux la voir. Il secoua la tête.

— Pourquoi dis-tu non, mon Nick adoré ?... Oui, oui, regarde-moi, je suis là, tu es là, il n'y a rien d'autre au monde que ce moment.

Nickolas sourit, le sourcil froncé, Frida reprit sa première position et, la tête penchée, regarda la rue sans dire un mot.

— Frida...

Elle fit oui du menton.

— ... j'ai une nouvelle à t'annoncer, bonne, mauvaise, je ne sais pas : je vais me marier.

Frida ne bougea pas. Elle contracta fort ses paupières jusqu'à ne plus voir que du noir et n'entendre que son cœur battre. Puis elle se redressa en rouvrant les yeux. Elle prit dans ses mains celles de Nickolas et les embrassa tendrement.

— Ne dis rien d'autre pour l'instant, mon Nick. Nous en reparlerons plus tard... Sois certain que je te souhaite tout le bonheur du monde et que je t'aimerai quoi qu'il arrive.

Elle ne sentait rien d'autre qu'un immense vide. Pas une larme ne lui venait, pas de pensée. Son esprit devenait blanc comme le ciel, son cœur ne battait plus à tout rompre, tout était calme dans son corps. Trop calme, peut-être. Même les mots qu'elle avait dits à Nick, si vite, ne lui appartenaient pas.

Dans l'ascenseur de l'hôtel, elle n'entendit pas le groom lui parler. Aussitôt arrivée dans sa chambre, elle se précipita dans les toilettes pour vomir. Puis elle mit son visage sous le robinet d'eau froide avant de se laisser glisser jusqu'à s'asseoir par terre. Là, ramassée sur elle-même, elle sanglota longuement. Elle se demandait si cette relation cassait parce qu'elle l'avait menée trop loin ou, au contraire, pas assez loin. Elle se demandait si c'était son côté mexicain, excessif et passionné, qui avait tout anéanti dans sa propre tourmente de vie. Ou si c'était son corps brisé qui attirait certains hommes autant qu'il leur faisait peur, au fond. Ou l'image omniprésente de Diego, dont tout le monde savait qu'il avait besoin d'elle autant qu'elle de lui.

Elle se releva, son dos l'élança.

Elle faisait les cent pas dans sa chambre d'hôtel et pleurait en constatant qu'il n'y avait là rien que de normal : elle s'était donnée tout entière à Nickolas, c'était dans sa nature de toute façon, mais elle n'en attendait rien et ne lui avait jamais soumis un projet commun. Elle donnait beaucoup de son amour, à chaque fois, demeurant finalement inaccessible.

Elle commença à défaire ses bagages, mais n'eut pas envie de poursuivre. Sur les valises ouvertes, elle posa le portrait encore inachevé de Dorothy Hale. Elle l'observa, assise au bord de son lit. "Il faudra que les nuages débordent aussi sur le cadre, pensait Frida, tout déborde toujours de soi : le sang, les larmes, les nuages, la vie même…" De là où elle était assise, elle se voyait dans le grand miroir, au-dessus de la commode. "Bon sang, on est toujours renvoyé à soi…"

Plus tard, elle éprouva le besoin de téléphoner à Nickolas pour lui répéter qu'elle ne lui en voulait pour rien au monde, qu'elle se sentait très heureuse pour lui, qu'elle l'adorait, qu'elle était son amie pour la vie. Elle lui fit quelques recommandations aussi : elle lui demanda de préserver les lieux ayant consacré leur amour, les objets, les photos le symbolisant. Nickolas promit et lui garantit à son tour son amitié.

Frida pleurait toujours, mais ce n'étaient plus les larmes du déchirement, sinon d'autres, plus douces. La tendresse, l'amitié étaient un réconfort, puisqu'elles évitaient la perte totale. La passion se diluait en elles, oubliant les brisures. Enfin, elle s'endormit, sans avoir pris la peine d'enlever ses bagues, ou les rubans de ses cheveux.

Elle hésitait à quitter New York, craignant des problèmes avec Diego au Mexique, tout en ayant envie de rentrer, après un assez long voyage somme toute. Elle laissait ses valises défaites, incapable de se décider, essayant d'échapper, dans les rues de Manhattan, à ses pensées, au souvenir de Nick, aux décisions à prendre. Par chance, les amis étaient là et entouraient Frida. Elle déménagea finalement de l'hôtel pour aller s'installer chez une amie, mais elle hésitait toujours à rester. Elle se remit à travailler un peu, des dessins, des natures mortes représentant des fruits tropicaux, les dernières touches du *Suicide de Dorothy Hale*... Mais elle sentait un malaise, quelque chose qui la retenait de prendre la décision de rentrer, peut-être l'idée de l'arrachement total à Nick ou un pressentiment de ce qui l'attendait à Mexico.

Un matin, elle franchit le pas.

A Mexico, la situation était tendue, sur tous les plans. On prêtait à Diego bien des aventures, encore, dont une importante avec une Hongroise, peintre. Quant au plan politique, il ne manquait pas d'embrouilles.

Trotski était sur le point de déménager, après une rupture avec Rivera.

— Entre nous soit dit, Diego, quand j'ai reçu à Paris la lettre de Trotski me demandant d'intervenir auprès de toi, je n'ai pu que prendre ta défense... Mais a-t-on idée, quand on s'appelle Diego Rivera, de vouloir être secrétaire de la section mexicaine de la Quatrième ?

— Je lui ai été assez fidèle, je ne pense pas que ce soit immérité. Je ne suis pas non plus un parfait irresponsable.

— Mais tu es peintre avant tout, et pas politicien. Et tu l'as toi-même exprimé lorsque tu as voulu démissionner de la Quatrième il y a peu…

— Je n'étais pas d'accord avec les "méthodes" du Vieux…

— … Tu as dit que tu n'allais te consacrer qu'à la peinture désormais.

— Ce sont mes contradictions. Mes coups de gueule, si tu veux.

— Conçois que dans la tête de quelqu'un comme Trotski, un homme capable de se fâcher avec des amis de toute une vie pour un mot malencontreux, cela suffise à troubler la confiance… Les enjeux sont grands… et dangereux.

— Dans la politique, les ruptures sont inévitables. Comme dans la vie.

Frida savait qu'elle serait du côté de Diego, quoi qu'il arrivât. Mais elle ne pouvait s'empêcher d'être inquiète pour Trotski et Natalia, contraints de déménager une fois de plus. C'est Trotski lui-même qui avait fait savoir que, compte tenu de la dégradation de leurs rapports, ils allaient faire le nécessaire pour quitter la maison bleue.

Frida ne se sentait pas tout à fait à l'aise dans cette situation, mais elle ne pouvait rien faire ni dire de plus. D'autant qu'on lui avait fait savoir que Diego avait eu vent de sa liaison avec Trotski. Ce n'était qu'un bruit, mais c'était fort probable, si l'on considérait l'agressivité qu'il manifestait contre elle et contre Trotski. Avait-ce été décisif dans la rupture entre les deux hommes ? Elle ne voulait ni le savoir ni en parler. Elle en avait assez de la jalousie de Diego autant que de son infidélité permanente.

— Les autres femmes, je ne les aime pas, s'excusait-il. Je n'ai besoin que de ma jolie petite Frida.

— Savoir le fin mot de tes sentiments ne change rien au problème, lui répondait immanquablement Frida.

On prêtait à Diego des amours avec l'actrice Paulette Goddard, pour quelque temps au Mexique. Plus ses amours avec Irene Bohus, la Hongroise... Frida se sentait déchirée. Les choses n'étaient-elles pas allées un peu trop loin ? N'était-il pas temps de prendre une décision radicale au sujet de leur vie ? Elle n'arrivait pas à se défaire de son attachement à Diego et c'est ce qui la faisait souffrir. Et cette souffrance était peut-être accentuée par la perte de Nickolas, qui l'avait beaucoup plus endolorie qu'elle ne le laissait paraître, mais dont elle ne pouvait parler à Diego.

A l'approche de l'été, elle se résolut à aller habiter, une fois de plus, la maison bleue.

Le lieu était beau, spacieux et lumineux, gai par les couleurs que ses murs enfermaient, bleu, vert, brique, jaune, par le foisonnement des plantes du patio, et agréable à vivre. La maison, grâce à ses multiples parties vitrées dans la construction, semblait être faite pour accueillir ciel et soleil. Pourtant, Frida se désespérait. Ne voulant ni sortir ni voir du monde, elle tournait en rond. Elle se confiait à peu de gens : à Nickolas, par lettre, qui en réponse l'assurait de tout son soutien et de son affection ; à Cristina, toujours présente.

Elle restait des heures durant dans son atelier, même si elle ne travaillait pas. Si cette maison était son monde, l'atelier en était le cœur. Frida savait que c'était de là que viendrait quelque consolation. Cristina le lui disait, aussi :

— Tu devrais penser à toi et à ton travail avant tout.

— Te rends-tu compte que Diego ne vient pas me voir ?

— Raison de plus, Frida… C'est tout de même toi qui as décidé de partir.

— Parce que j'en avais assez… Lupe Marin dit que je suis une idiote parce que je laisse les autres femmes me prendre Diego… Je ne suis pas sûre qu'en étant une rapace je résoudrais la question… Je ne sais pas si j'ai raison… Je sais tout… Je ne sais rien…

Frida pleurait :

— Cette maison est trop petite pour contenir tant de blessures ! dit-elle en riant au milieu des sanglots.

Cristina sourit.

— C'est terrible, je me sens à la fois forte et assez riche intérieurement pour être capable de vivre pour moi… et fragile au point qu'une seule pensée, je ne te parle même pas d'un acte, me déchire en lambeaux…

Les fauteuils à bascule sur lesquels étaient assises les deux sœurs grinçaient à chacun de leurs mouvements. Des rayons de soleil jouaient sur les vitres de l'atelier.

— Je comprends cette pauvre Dorothy : elle se sentait tellement en morceaux qu'elle a éprouvé le besoin de réaliser son sentiment…

— Peins-le, toi.

— Bien sûr, moi, je peux le peindre. Une façon imaginaire de reconstituer un tout cassé… même si je le représente cassé.

— La force que tu possèdes, là…

— Ma survie.

Et comme elle prononçait ces mots, elle sentit une vague d'apaisement l'envahir. Elle essuya ses yeux et immobilisa son fauteuil avant d'ajouter :

— Il y a une pastèque à la cuisine pour les enfants. Elle est très parfumée.

Frida commença à songer à un grand tableau qu'elle intitulerait ainsi : *Les Deux Frida*, dont elle attribuera plus tard l'origine à l'amitié imaginaire avec la petite du fond du puits[1], qui faisait d'elle, aussi, deux Frida : la rêvée, la réelle.

Grandeur nature ou plus, une Frida en bon état ferait pendant à une seconde Frida blessée, perdant son sang… L'une aimée, l'autre pas.

Mais de nouveau, sans qu'elle pût le contrôler, les larmes brouillaient sa vue, son imagination, ses pensées, ses désirs. Elle ne savait plus si elle pleurait à cause de Diego ou à cause d'elle seule, d'où lui venaient tant de larmes, ce qu'elles drainaient de

1. Voir p. 50 à 52.

chagrin, de vie, ou peut-être même de joie. "Comme on se vide de son sang, se disait-elle, je suis en train de me vider de mes larmes… Larmes, cliché négatif du sang. Même chose, au fond. Ruissellement, fluidification des mots, du corps. Liquéfaction des blessures qui ne cicatrisent pas. Si on ne s'endurcit pas, on fond…" Et elle repensa à son tableau, *Ce que l'eau m'a donné* et à ce qu'en avait dit Breton, qu'indistinctement elle comprenait : "Le tableau (…) illustrait à son insu la phrase que j'ai recueillie naguère de la bouche de Nadja : «Je suis la pensée sur le bain dans la pièce sans glace.»"

Ma nuit est comme un grand cœur qui bat.

Il est trois heures trente du matin.

Ma nuit est sans lune. Ma nuit a de grands yeux qui regardent fixement une lumière grise filtrer par les fenêtres. Ma nuit pleure et l'oreiller devient humide et froid. Ma nuit est longue et longue et longue et semble toujours s'étirer vers une fin incertaine. Ma nuit me précipite dans ton absence. Je te cherche, je cherche ton corps immense à côté de moi, ton souffle, ton odeur. Ma nuit me répond : vide ; ma nuit me donne froid et solitude. Je cherche un point de contact : ta peau. Où es-tu ? Où es-tu ? Je me tourne dans tous les sens, l'oreiller humide, ma joue s'y colle, mes cheveux mouillés contre mes tempes. Ce n'est pas possible que tu ne sois pas là. Ma tête erre, mes pensées vont, viennent et s'écrasent, mon corps ne peut pas comprendre. Mon corps te voudrait. Mon corps, cet aléa mutilé, voudrait un moment s'oublier dans ta chaleur, mon corps appelle quelques heures de sérénité. Ma nuit est un cœur en serpillière. Ma nuit sait que j'aimerais te regarder, suivre avec mes mains chaque courbe de ton corps, reconnaître ton visage et le caresser. Ma nuit m'étouffe du manque de toi. Ma nuit palpite d'amour, celui que j'essaie d'endiguer mais qui palpite dans la pénombre, dans chacune de mes fibres. Ma nuit voudrait bien t'appeler mais elle n'a pas de voix. Elle voudrait t'appeler pourtant et te trouver et se serrer contre toi un moment et oublier ce temps qui massacre. Mon corps ne peut pas comprendre. Il a autant besoin de toi que moi, peut-être qu'après tout lui et moi ne formons qu'un. Mon corps a besoin de toi, souvent tu m'as presque guérie. Ma nuit se creuse jusqu'à ne plus sentir la chair et le sentiment devient plus fort, plus aigu, dénué de la substance matérielle. Ma nuit me brûle d'amour.

Il est quatre heures trente du matin.

Ma nuit m'épuise. Elle sait bien que tu me manques et toute son obscurité ne suffit pas pour cacher cette évidence. Cette évidence brille comme une lame dans le noir. Ma nuit voudrait avoir des ailes qui voleraient jusqu'à toi, t'envelopperaient dans ton sommeil et te ramèneraient à moi. Dans ton sommeil tu me sentirais près de toi et tes bras m'enlaceraient sans que tu te réveilles. Ma nuit ne porte pas conseil. Ma nuit pense à toi, rêve éveillé. Ma nuit s'attriste et s'égare. Ma nuit accentue ma solitude, toutes mes solitudes. Son silence n'entend que mes voix intérieures. Ma nuit est longue et longue et longue. Ma nuit aurait peur que le jour n'apparaisse jamais plus mais à la fois ma nuit craint son apparition, parce que le jour est un jour artificiel où chaque heure compte double et sans toi n'est plus vraiment vécue. Ma nuit se demande si mon jour ne ressemble pas à ma nuit. Ce qui expliquerait à ma nuit pourquoi je redoute le jour aussi. Ma nuit a envie de m'habiller et de me pousser dehors pour aller chercher mon homme. Mais ma nuit sait que ce que l'on nomme folie, de tout ordre, sème-désordre, est interdit. Ma nuit se demande ce qui n'est pas interdit. Il n'est pas interdit de faire corps avec elle, ça, elle le sait, mais elle s'offusque de voir une chair faire corps avec elle au fil de la désespérance. Une chair n'est pas faite pour épouser le néant. Ma nuit t'aime de toute sa profondeur, et de ma profondeur elle résonne aussi. Ma nuit se nourrit d'échos imaginaires. Elle, elle le peut. Moi, j'échoue. Ma nuit m'observe. Son regard est lisse et se coule dans chaque chose. Ma nuit voudrait que tu sois là pour se couler en toi aussi avec tendresse. Ma nuit t'espère. Mon corps t'attend. Ma nuit voudrait que tu te reposes au creux de mon épaule et que je me repose au creux de la tienne. Ma nuit voudrait être voyeur de ta jouissance et de la mienne, te voir et me voir trembler de plaisir. Ma nuit voudrait voir nos regards et avoir nos regards chargés de désir. Ma nuit voudrait tenir entre ses mains chaque spasme. Ma nuit se ferait douce. Ma nuit gémit en silence sa solitude au souvenir de toi. Ma nuit est longue et longue et longue. Elle perd la tête mais ne peut éloigner ton image de moi, ne peut engloutir mon désir. Elle se meurt de ne pas te savoir là et me tue. Ma nuit te cherche sans cesse. Mon corps ne parvient pas à concevoir que quelques rues ou une quelconque géographie nous séparent. Mon corps devient fou de douleur de ne pouvoir reconnaître au milieu de ma nuit ta silhouette ou ton ombre. Mon corps voudrait t'embrasser dans ton sommeil. Mon corps voudrait en pleine nuit dormir et dans ces ténèbres être réveillé parce que tu l'embrasserais. Ma nuit ne connaît pas de rêve plus beau et plus cruel aujourd'hui que celui-là. Ma nuit hurle et déchire ses voiles, ma nuit se cogne à son propre silence, mais ton corps reste introuvable. Tu me manques tant et tant. Et tes mots. Et ta couleur.

Le jour va bientôt se lever.

(Lettre à Diego absent, Mexico, le 12 septembre 1939. Non envoyée.)

L'ATTACHEMENT

La peinture a rempli ma vie. J'ai perdu trois enfants et une autre série de choses qui auraient pu remplir mon horrible vie. Tout cela a été remplacé par la peinture. Je crois qu'il n'y a rien de mieux que le travail.

FRIDA KAHLO

L'été 1939 passa dans le désarroi. Diego menait sa vie dans la maison de San Angel et visitait rarement Frida. Celle-ci, en dépit de sa profonde douleur, essayait de réagir : elle ne voulait plus recevoir aucune aide matérielle de son mari, ni, disait-elle, d'aucun autre homme pour le restant de ses jours.

Un ingénieur américain, Sigmund Firestone, lui commanda un portrait et, par l'intermédiaire d'amis, elle réussit à vendre quelques tableaux aux Etats-Unis. Mais ce n'était pas assez. Plusieurs personnes, dont Nickolas Muray, décidèrent de lui envoyer de l'argent chaque mois pour pourvoir à ses dépenses quotidiennes autant que médicales. Entourée, elle l'était, dans le sens où elle n'était pas abandonnée de ceux qui l'aimaient. Fidèles, ils l'aidaient autant qu'ils le pouvaient.

Mais Frida s'isolait, refusait de voir les amis qui voyaient Diego, nullement parce qu'elle leur aurait demandé de prendre parti, mais parce que leur seule présence aiguisait symboliquement l'absence de son mari. Prudence inutile, au demeurant, car même si coupée du monde pour le moment, le souvenir de Diego l'envahissait sans cesse et avec lui les vagues de douleur.

Plus que l'enfermement de la maison, le refuge, sa planche de salut, c'était bel et bien la peinture. *Les Deux Frida* commença de prendre forme. Devant un ciel gris aux nuages tourmentés, deux Frida sont assises qui regardent le spectateur : l'une, vêtue de sa blouse et de sa jupe de Tehuana, tient à la main une photo en médaillon de Diego enfant ; la seconde, habillée d'une robe blanche à col montant et dentelle, telle une mariée d'un autre siècle, à l'aide d'une pince médicale essaie d'arrêter l'hémorragie qui part de son cœur ouvert. Mais le mal est fait, il laisse des traces : la pince ne parvient pas à stopper le sang dont se vide le corps de Frida, la robe blanche est tachée.

Lorsque Nickolas Muray arriva pour un séjour au Mexique, le tableau était bien avancé. Que Frida représentât des scènes de sa vie intérieure, cela ne surprenait pas Nickolas qui connaissait sa peinture, mais il fut impressionné par le format de la toile : plus d'un mètre soixante-dix sur les deux côtés.

— J'ai fait un grand format parce qu'il le fallait, dit Frida.

— On est saisi.

— Il y a toujours un moment de sa vie où un peintre rêve de grand format… et d'un grand atelier.

— Tu avais l'atelier…

— J'ai besoin du grand format… Cette fois-ci, je ne pouvais pas concentrer ce que je portais à l'intérieur.

Nickolas regardait la toile à bonne distance. La lumière dans laquelle baignait l'atelier était parfaite, le soleil n'avait plus la violence du plein été.

— Ce cœur, que tu as commencé à peindre sur la Frida tehuana…

— Un cœur entier, comme l'autre l'est ouvert… Lorsque j'ai Diego dans mes mains, je suis pleine… La vie de l'autre Frida est déchirée, son cœur saigne…

Elle se tourna vers Nickolas et ajouta, en riant :

— C'est d'une simplicité effrayante !… Je peux te dire encore qu'une artère rattachera les deux cœurs, le tout rattaché à la photo de Diego, ma source, mon élan vital…

Son regard s'assombrit avec le soleil disparaissant derrière un des murs du patio.

— Il y a toujours quelque chose à quoi se rattacher. Tout est lié, tout se tient, soi et soi, soi et son double, soi et l'autre, soi et la terre… (Elle se remit à rire.) Et vous, monsieur, qu'y voyez-vous, dans ce tableau ?

— Une Frida, deux Frida, Frida grandeur nature. J'y vois ce ciel lourd d'orage qui t'attire mais où tu ne te précipites pas malgré son magnétisme… Dans le sang qui coule, ton désespoir est défini ; dans le ciel, il est tout entier, mouvant, dangereux, livré à lui-même… Tes sourcils-oiseaux ne s'y risquent pas.

— Bien plutôt, s'ils le pouvaient, ils s'échapperaient du tableau !

Elle s'en approcha.

— Il faudra que je retravaille la dentelle de la robe. Je la voudrais davantage figée, contrastant avec le ruissellement du sang.

Elle repartit d'un grand éclat de rire :

— Elle va finir par ressembler à un corset de plâtre !… C'est peut-être ce que je cherche !… Diego l'inspirateur, tu te rends compte, Nick ? Mauvais mari, mais…

Nickolas souriait. Frida s'approcha, posa un index sur sa bouche à elle, un autre sur celle de Nick, en prenant un air amusé, presque enfantin.

— Tu vas voir quelque chose, chuchota-t-elle, un petit bonheur qui m'a été offert, une merveille vivante.

Et elle entraîna son ami dehors, où, près d'un arbre de la maison, un petit faon se reposait.

— Un rêve d'enfant, Nick ! Un de mes enfants adoptifs : le faon Granizo.

— La famille Kahlo : faon, singes, tourterelles, perroquets, perruches, chiens… *My darling* et son petit zoo…

— C'est la vie qui est un zoo, quant aux animaux… des âmes oubliées s'en sont emparées… Et ce sont mes petits, aussi.

Peu de temps après, Frida écrivait à Nickolas, rentré à New York, qu'elle allait de mal en pis et qu'elle comprenait qu'elle ne pouvait plus rien sauver, peut-être, de la relation avec Diego. Il l'oubliait, ou essayait simplement de se détacher de Frida ; le fait est qu'il ne venait plus la voir. S'il n'avait plus besoin d'elle, pensait Frida, autant accepter la cassure : à rien ne servait de retenir un homme qui prétendait n'aimer qu'elle mais qui manifestait de l'intérêt pour toutes les femmes excepté elle.

Fin septembre, Diego et Frida demandèrent le divorce par consentement mutuel. A la fin de l'année 1939, le mariage Kahlo-Rivera était dissous. A la presse, ils répondirent que l'officialisation de leur séparation était une simple formalité ; Diego déclara qu'ils n'avaient divorcé ni pour des raisons sentimentales ni pour des raisons artistiques ; Frida, plus réservée, déclara que les motifs de son divorce étaient personnels et qu'elle n'avait pas à les exprimer en public.

> Mes tableaux sont bien peints, non avec légèreté mais avec patience. Ma peinture porte en elle le message de la douleur. Je crois qu'elle intéresse au moins quelques personnes.
>
> FRIDA KAHLO

Brisée par une séparation inévitable mais qu'au fond elle ne supportait pas, fragilisée, Frida était trop mal pour que sa santé n'en subît pas le contrecoup.

Son dos la faisait tant souffrir qu'il fut envisagé d'immobiliser sa colonne vertébrale au moyen d'un appareil pesant vingt kilos.

Malgré tout, elle peignait avec acharnement. L'hiver 1939-1940 témoigne d'une période fructueuse. Luttant pour exorciser, en quelque sorte, les blessures sentimentales autant que physiques, les tableaux se succédaient : *Les Deux Frida* ; *Autoportrait avec singe* ; *Autoportrait avec les cheveux coupés* ; *Autoportrait avec collier d'épines et colibri*...

En janvier 1940 eut lieu à Mexico, à la Galerie d'art mexicain, l'"Exposition internationale du surréalisme", à laquelle Frida participa avec *les Deux Frida* et un autre tableau, *la Table blessée*. Organisée par André Breton, César Moro et Wolfgang Paalen, l'exposition réunissait une foule de noms célèbres, parmi lesquels Alberto Giacometti, Raoul Ubac, Yves Tanguy, Man Ray, Giorgio De Chirico, Pablo Picasso, Paul Delvaux, Meret Oppenheim, Matta Echaurren, Wassily Kandinsky, Paul Klee, André Masson, Henry Moore, René Magritte, Manuel Alvarez Bravo, Hans Arp, Kurt Seligman, Humphrey Jennings, Salvador Dalí, Denise Bellon, Hans Bellmer, Diego Rivera... La manifestation se voulait ambitieuse et les œuvres exposées faisaient preuve d'éclectisme, tant par la diversité des techniques artistiques représentées que par le contenu, mais elle resta en deçà des espoirs.

Le vernissage, le 17 janvier, avait tout l'air d'une soirée bourgeoise et bien-pensante, malgré la très attendu "apparition du Grand Sphinx de la nuit" promise pour onze heures du soir.

Les groupes d'artistes bavardaient et riaient aimablement, un verre à la main, une cigarette dans l'autre. Les dames étaient fort belles, habillées haut en couleur et jetant sur les œuvres accrochées aux murs l'éclat de leurs multiples bijoux. On était loin des grandes folies surréalistes, le mouvement avait été intégré et faisait désormais partie du cadre de vie de chacun.

Çà et là, quelques commentaires sur le fond étaient émis, plus généralement, on était enclin à la causerie facile, aux commérages de circonstance.

— Le surréalisme ne fait plus scandale…

— C'est donc qu'il est mort.

— Mort, peut-être pas, mais c'est devenu un pépère bedonnant et embourgeoisé.

— Que pensez-vous du Grand Sphinx de la nuit ?

— Moi, je pense que c'est une adorable niaiserie.

— D'après vous, que fait Picasso là-dedans ?

— Il essaie de redorer le blason de gens qui n'ont rien à voir avec lui.

Frida avait trouvé un fauteuil où s'asseoir, elle se tenait non loin des *Deux Frida*. Elle avait beaucoup bu et ses yeux brillaient, il était difficile de percevoir si c'était d'allégresse ou d'anxiété. Elle se montrait exubérante, quoique, physiquement, elle eût l'air abattue.

— Il y a tout de même des surprises, dans cette exposition, lui dit quelqu'un, on ne voit presque que ton tableau. Tu ne nous avais pas habitués à ça.

— L'âge nous fait grandir…, dit Frida en souriant. C'est une approche philosophique… Parce que, au fond, l'âge nous rétrécit comme un raisin sec.

— C'est une princesse en plein épanouissement qui dit ça !

— Frida, vous ne sortez pas beaucoup.

— Mexico n'est pas une ville à promenades… ou si peu. Le pays est d'une beauté à mourir, mais je ne suis pas en état de le parcourir… Je peins beaucoup, sans discontinuer : voilà mon voyage… vers l'intérieur des terres…

Dans le coin d'une des salles d'exposition, Diego tenait salon, entouré de femmes, parmi lesquelles ses ex, ses actuelles et peut-être quelques-unes de ses futures. Sa tête dépassait du groupe, il répondait à un journaliste qui lui posait des questions sur son divorce.

— Avez-vous l'intention de vous remarier ?

— Ecoutez, tant que je vivrai, j'ai l'intention d'avoir des nuits de noces.

— Et Frida Kahlo ?

— Je l'aime plus que tout au monde, mais elle s'énervait parce que je ne rangeais jamais rien. Et elle m'agaçait parce qu'elle rangeait toujours tout.

— Est-ce un motif de divorce valable ?

— Une pirouette, mais ce sont les choses peu sérieuses qui font la vie… Ne vous inquiétez pas pour Frida. Elle est belle, jeune, intelligente, et c'est un des plus grands peintres contemporains. Je sais de quoi je parle.

— Considérez-vous que vous êtes un peintre surréaliste ?

— Je suis un homme communiste. Je signe et persiste.

Diego se tourna vers une des femmes présentes et l'indiqua du menton au journaliste.

— Vous voyez cette femme, ajouta-t-il, elle est si jolie. Elle serait parfaite si elle était communiste...

— Sous-entendriez-vous que vous êtes parfait, vous ?

— Pas fait, non, ah ! ah ! inachevé, si vous préférez, mais communiste, je vous le répète.

— Et vos amis trotskistes ?

Diego tâta son pistolet à travers sa veste.

— Je ne suis plus d'accord avec leurs méthodes... et je n'ai nullement l'intention de vous faire un discours sur la question.

Tard dans la nuit, dans la voiture qui la ramenait chez elle, de grosses larmes coulaient sur les joues de Frida en y laissant des traces colorées. Elle avait tellement bu toute la soirée qu'elle ne sentait plus d'angoisse, qu'elle n'aurait su dire pourquoi elle pleurait.

Elle alluma l'une après l'autre les lumières de la maison bleue et s'assit, seule, au milieu de son atelier. Sur son chevalet, l'*Autoportrait avec collier d'épines et colibri* la regardait, inachevé. Son cou saignant légèrement à cause des épines qui s'y enfoncent et le colibri pendu aux petits branchages, mort. Frida se sentait seule. Comme elle observait la toile, elle pensait qu'il faudrait y ajouter quelque animal vivant, pour se sentir accompagnée, affectionnée. Un singe, un chat noir, dont la fourrure lui tiendrait symboliquement chaud. Des papillons, pour le rêve, une libellule, pour signifier cette fragilité extrême de la vie.

La tête lui tournait un peu, son corps était lourd. Elle se releva pour retourner les autres tableaux appuyés contre le mur. Elle les disposa autour du chevalet et se rassit. Un autre autoportrait la représentait le cou blessé par une couronne d'épines. A droite de celui-ci, sur une chaise, était posé *le Rêve*, où elle est allongée dans son lit à baldaquin, sur le toit duquel un squelette plus grand qu'elle, les os des jambes rafistolés, est lui aussi étendu. L'autoportrait pour Sigmund Firestone était presque terminé, où Frida porte une résille dans les cheveux, comme autrefois les veuves espagnoles, et un collier dont la forme des perles fait songer à un cadenas.

Les yeux de Frida allaient d'un tableau à l'autre. Un sentiment de malaise, lourd, étrange, l'envahissait. C'était pourtant son propre travail, mais il lui faisait soudain peur. Elle décelait dans chaque touche de pinceau une trace de sa souffrance, dans les nuages qui servaient de fond, çà et là, l'opacité, la densité de ses angoisses, présentes aussi lorsqu'elle peignait une végétation luxuriante, signe de vie mais aussi d'étouffement. Et la mort, si proche à chaque pas, omniprésente. Elle aurait voulu se libérer de cette peur de mourir chaque jour, mais c'était plus fort qu'elle.

Elle trouvait son monde inquiétant. Les gens le percevaient-ils, se demandait-elle, ou ne voyaient-ils que son cadre exotique, même lorsqu'il y avait du sang ?

Elle remit les tableaux face au mur et posa sur le chevalet *le Rêve*. Dans cet ensemble gris-blanc, elle eut envie d'une tache jaune, vraiment jaune, et elle se mit à peindre la couverture qui recouvrait son corps endormi. Elle avait en mémoire des strophes d'un poème d'Emily Dickinson qu'elle avait lu aux Etats-Unis :

> *Ample make this Bed –*
> *Make this Bed with Awe –*
> *In it wait till Judgment break*
> *Excellent and Fair.*
> *Be its Mattress straight*
> *Be its Pillow round –*
> *Let no Sunrise' yellow noise*
> *Interrupt this Ground* [1].

Le jour allait bientôt se lever, mais Frida n'avait pas sommeil. Peut-être était-ce à cause de toute cette tequila qu'elle avait bue. Comme la sensation d'ivresse s'estompait, au contact de la peinture, de l'essence de térébenthine, une démangeaison dont elle souffrait à la main droite se réveilla. Elle enleva toutes ses bagues : la peau était rouge, présentant

---

1. "Que vaste soit le lit / Avec révérence prépare-le / Il t'y faut demeurer juste et parfait / Jusqu'au temps du Jugement. / Que son matelas soit ferme / Son oreiller profond / Qu'aucun éclat d'aube dorée / Ne rompe cette assise."

des plaques presque à vif. Une dermatose, lui avait-on dit, mais qu'aucune crème ne parvenait depuis des mois à soigner. Frida pensait toujours au pire : elle avait peur que sa main ne suivît la lente désagrégation de son pied droit et qu'elle l'empêchât de travailler... Mais non, ce n'était qu'un fantasme, il ne fallait pas se laisser aller sur ce chemin.

Depuis peu de temps, Frida tenait un journal. Une manière d'être moins seule, de s'adresser à Diego en silence, de mettre au clair ses idées, de formuler ses sentiments, d'exister plus fort.

Elle nettoya ses pinceaux, éteignit les lumières de l'atelier, marcha lentement jusqu'à sa chambre, alluma un lampadaire, ôta ses bottines chinoises à clochettes et s'assit sur son lit, le cahier de son journal ouvert. Elle y écrivit :

> J'essaierai les crayons taillés vers le point infini qui regarde toujours devant :
> Le vert : lumière tiède et bonne
> Magenta : aztèque TLAPALI vieux sang de figue de Barbarie, le plus vif et ancien couleur de mole[1], de feuille qui tombe terre folie maladie peur part du soleil et de la joie électricité et pureté amour. rien n'est noir – réellement rien feuilles, tristesse, science *l'Allemagne tout entière est de cette couleur* davantage de folie et de mystère tous les fantômes portent des vêtements de cette couleur, ou du moins des sous-vêtements couleur de mauvais augure. de bonnes affaires. distance.

1. Plat traditionnel mexicain à base de cacao, cacahuète et piment.

La tendresse elle aussi peut être de ce bleu-là
sang ? Eh bien, qui sait !

Elle se demandait soudain si ses tableaux du moment ne portaient pas aussi, outre la trace de sa douleur physique ou personnelle, celle de ses racines
européennes blessées par la guerre. Si c'étaient ses
origines mexicaines qu'elle avait mises en avant
depuis l'époque de l'Ecole préparatoire nationale,
ses origines juive et allemande se rappelaient pour
l'heure à sa mémoire. Elle y pensait souvent, à
cette guerre. Une corde vibrait en elle, elle se sentait concernée et savait que ce n'était pas seulement
dû à sa conscience politique, mais à une cause plus
secrète, qui l'atteignait en plein cœur.

Elle avait envie d'écrire à Diego, pour lui parler de
cela, de son inquiétude, lui dire qu'elle s'attendait
au pire de cette guerre, qu'elle ne pouvait s'empêcher de trembler, qu'elle pensait fort à son père en
cette heure, qu'elle ne savait que faire pour agir,
qu'elle doutait de tous ses engagements, et d'un autre
côté de son talent, que ses tableaux mêmes finissaient
par lui causer un malaise, que tout lui faisait mal.
Elle griffonna quelques lignes pour dire à Diego
qu'il lui manquait, mais elle les raya et écrivit en
dessous qu'elle se sentait forte. Dans les marges,
elle dessina un cœur poignardé, son visage pleurant ;
dans une larme un peu plus grosse, elle esquissa le
profil de Diego. Puis elle arracha la page et la déchira.

Frida avait renoué avec les cauchemars. Souvent, elle rêvait qu'on l'arrachait à Diego, qu'elle

était prise dans la tourmente de la guerre, en Europe, et était mutilée, luttant entre la vie et la mort, qu'elle mourait de froid dans une ville assiégée, au milieu de visages gris. Ou bien que ses tableaux soudain se mettaient à vivre, que les Frida sortaient telles quelles de leur cadre et la persécutaient, que tout le sang peint commençait à goutter par terre et creusait des sillons dans le sol, submergeant peu à peu la maison bleue. Que son lit devenait un cercueil au-dessus duquel Diego se penchait, le visage incroyablement triste, sans pouvoir prononcer une parole. Que son corps, tout démantelé, inutile, était précipité dans un ravin. Qu'elle avait laissé la vie lors de l'accident, que ce qui semblait vivre n'était qu'un fantôme difforme de la première Frida. Qu'elle hurlait dans le désert sa douleur et qu'il n'y avait personne, que le soleil la brûlait à mort et qu'elle voyait se calciner, à ses pieds, ses petits animaux, faon, perroquets, singes, petits chiens.

Au mois de mai, un attentat, œuvre des groupes staliniens mexicains, commandité par le muraliste David Alfaro Siqueiros, faillit coûter la vie à Léon et Natalia Trotski. A cause de ses déclarations anti-trotskistes permanentes, Diego fut aussitôt visé par la police. Par un concours de circonstances favorables, grâce à Paulette Goddard, il réussit à se cacher, puis à partir pour San Francisco avec Irene Bohus.

Le 21 août, la presse annonçait en gros titres l'assassinat de Trotski, tué chez lui par un "camarade".

Frida s'effondra : Ramón Mercader, l'assassin, avait réussi, quelques mois plus tôt, à obtenir sa confiance.

Quelque trente policiers débarquèrent chez elle et procédèrent à une longue fouille, mettant sens dessus dessous la maison bleue. Frida et Cristina furent interpellées et gardées à vue.

De retour chez elle, Frida entra dans une colère noire. Elle maudissait Diego d'avoir amené Trotski à Mexico, elle en voulait à la terre entière pour ses histoires politiques, elle s'en voulait d'avoir été dupe d'un assassin et se sentait profondément triste, aussi, pour la mort de son ancien ami.

— Tout ça, c'est la faute de Diego ! sanglotait-elle. Qu'avait-il besoin d'accueillir Trotski dans ce pays !… Comment diable personne n'a-t-il pu éviter cette catastrophe ! Personne n'a détecté la trahison… Personne, Cristina, tu entends ? Mon Dieu ! je m'en veux, comme je m'en veux !

Elle marchait de long en large dans la maison, comme un lion en cage, une furie.

— Putasseries que toutes ces histoires… Horreur, quelle horreur ! Maintenant, le Vieux est mort par notre faute à tous… Je ne me pardonnerai jamais ça… Mais à présent tout est inutile. Ma culpabilité c'est du petit théâtre à côté du drame de cette vie. Voilà ce qui fait vivre l'histoire : ses crimes !… Et on s'en rassasie, encore… Et on est plus démagogique l'un que l'autre…

Frida se jeta sur son lit, continua de pleurer en donnant des coups de tête à son oreiller. Elle tremblait de tout son corps, secouée déjà par les sanglots.

Cristina s'approcha d'elle, mais elle s'en dégagea, se débattant.

— Il faut que tu te calmes, Frida.

— Oh ! tais-toi, je t'en prie. Nous sommes moins que rien, vraiment. J'en veux à tout le monde, j'en veux à Diego pour ses contradictions et je m'en veux…, répétait-elle. Comment supporte-t-on une vie aussi sauvage ! La tuerie permanente… La Guépéou… nous-mêmes.

> Rencontré dans le bus le petit Siova – le petit-fils de Léon Trotski. (…) Il vit sur le tombeau de Coyoacán avec Nathalie (…). Sa mère, Zina Lvovna, s'est suicidée à Berlin ; son père a disparu dans les prisons ; il a été blessé lors de l'attentat Siqueiros contre Trotski, en mai 1940 ; il a vu tuer son grand-père et connu l'assassin comme un "camarade" (…).
>
> VICTOR SERGE (2 mars 1944)

Diego, ayant eu écho de l'état, psychologique et physique, dans lequel se trouvait Frida, soudainement s'en inquiéta. Et, bien qu'il se l'avouât difficilement, elle lui manquait. Convaincue par le Dr Eloesser de la nécessité de se faire soigner aux Etats-Unis, Frida partit pour San Francisco.

— L'inquiétude et l'amour sont-ils liés ? demanda-t-elle à Diego en débarquant à l'aéroport.

Diego la regarda et dit :

— Tu as maigri. Tu as mauvaise mine, petit dragon.

— Je te repose la question : l'inquiétude est-elle une composante essentielle de l'amour ?

— Que veux-tu dire ?

— Ton attachement pour moi touchera-t-il à l'apothéose lorsque je serai au chapitre de la mort ?

— Attachement tout court. Le reste de la phrase est inutile. Cette séparation n'est bonne ni pour toi ni pour moi.

— Comme vous vous avancez, monsieur Rivera !

Diego se demandait si elle était vraiment ironique ou si sa plaisanterie était de la tendresse mal dissimulée.

Soudain, elle se grandit sur la pointe de ses pieds et l'enlaça.

— On m'a dit que tu as beaucoup travaillé ces derniers temps. La séparation a porté ses fruits.

— J'ai porté mes fruits à maturité !... Et n'essaie pas de changer l'histoire à ton avantage. Tout nous porte sur le chemin de la mort, plus ou moins violemment, à chaque instant, en même temps que chaque chose de ce fichu monde est enrichissante. C'est un débat sans issue.

— Tu joues avec les mots, Frida.

— Je joue avec la vie. Avec le feu de la vie. Mon voyage en témoigne. Quelque part entre la vie et la mort, sur le fil du funambule, je prends tous les risques.

Diego la prit par le bras pour l'entraîner hors du bâtiment de l'aéroport. L'été touchait à sa fin.

— J'ai encore passé trois mois au lit, presque en permanence. J'en ai assez, Diego, dit-elle en s'arrêtant de marcher. Je préférerais mourir.

— Tu seras mieux soignée, ici.

— Je ne veux plus avoir mal… Evidemment, te voir, c'est déjà un début de soulagement.

— Nous allons fêter les retrouvailles.

Mon Dieu ! Dire que c'est en moi que la douleur prend racine. En moi qu'elle pousse. Qu'elle hurle. Mon cerveau, jusqu'à quel point commandite-t-il tout ce dépareillement ? Ma vie, quelle est ta part de responsabilités ? Parfois, j'ai douté que la polio ou l'accident eussent jamais existé, j'ai pensé que mon corps avait tout inventé, n'a pris source qu'en lui, s'est déréglé de lui-même par un obscur désir de destruction.

Un corps est un tout, n'est-ce pas ? Une harmonie. Si un élément lui est arraché – fût-ce au prix d'une chirurgie esthétique –, il lui manquera toujours quelque chose. Une partie du corps qu'on transforme, qu'on ampute, c'est le début d'une lente mutilation. D'autres choses suivront qui lui seront enlevées, jusqu'à ce qu'il n'en reste rien. Voilà ce que je pense. Et ma vie a été ce processus.

Quelques naïfs – ou seraient-ils ironiques ? – osent encore me demander pourquoi je me représente toujours aussi sérieuse sur mes tableaux. Je les regarde sans fléchir, et sans répondre. Je ne vais tout de même pas me représenter dans un éclat de rire permanent. Non que je ne m'y glisse volontiers dans la vie de tous les jours – même à ce point –, mais lorsque je me trouve seule en face de moi-même – et c'est le cas lorsque je peins, sans alternative possible –, non, vraiment, je n'ai pas envie de rire. Ma vie est une histoire grave. Et, oserai-je le dire, peindre l'est aussi.

Oh ! mon Dieu ! M'allonger. Je ne sais pas comment cela se passe. J'ai la sensation que ma colonne vertébrale n'est pas seule à vouloir la douleur qui s'installe dans mon dos. Comme si les nerfs reliés à elle se hérissaient. Que les muscles qui la soutiennent, qui essaient de la soutenir, travaillent tant qu'ils se nouent, s'endolorissent eux-mêmes pour ne pas lâcher prise. De la nuque à la cambrure des reins, une douleur compacte et sourde, et l'impression d'une fragilité extrême. Qu'est-ce qui tient quoi, je ne sais. Tout se coince ou tout va lâcher.

Oh ! mon Dieu ! M'allonger.

Combien de corsets et autres appareils orthopédiques ai-je portés dans ma vie ? Au bas mot, quelque trente. Que j'ai décorés : avec de la peinture, des bouts de tissu ou de papiers collés, des plumes multicolores, des éclats de miroir…

Pourtant, en dépit de ce corps meurtri agrémenté de ces bouts de plâtre et de fer inesthétiques, je dois reconnaître que j'ai été "follement aimée", selon l'expression de Breton.

Tlazolteotl, déesse de l'Amour, a dû être avec moi.

J'ai été aimée, aimée, aimée – pas assez, encore, parce qu'on n'aime jamais assez, qu'une vie n'y suffit pas. Et j'ai aimé sans cesse. D'amour, d'amitié. Des hommes, des femmes.

Un homme m'a dit un jour que je faisais l'amour comme une lesbienne. J'ai éclaté de rire. Je lui ai demandé si c'était un compliment. Il m'a répondu par l'affirmative. Alors je lui ai raconté qu'à mon avis une femme jouit de tout son corps, et que c'était là le privilège de l'amour entre femmes. Une connaissance plus profonde du corps de l'autre, son semblable, un plaisir plus total. La reconnaissance d'une alliée. Malgré l'aventure très superficielle dans laquelle j'avais été entraînée à l'adolescence, je ne suis pas sûre, si je n'avais eu l'accident, que l'amour avec une autre femme se serait reproduit.

L'accident a déterminé tant de choses, il me semble, de l'élément peinture à ma façon d'aimer. Une telle envie de survivre impliquait une grande exigence de la vie. J'en ai attendu beaucoup, consciente à chaque pas de ce que j'avais failli perdre. Il n'y avait pas de demi-mesures possibles, ce ne pouvait être que tout ou rien. De la vie, de l'amour, j'ai eu une soif inépuisable. Et puis, plus mon corps était blessé, plus j'ai éprouvé le besoin de le confier aux femmes : elles le comprennent mieux. Entente tacite, douceur immédiate. (Pourtant je préfère les hommes, vraiment, même si Diego se plaît à soutenir le contraire, rappelant, devant une assemblée, comme je flirtais avec Georgia O'Keefe, à New York !)

"Ta sexualité est trouble, elle se lit sur tes tableaux", m'a-t-on dit quelquefois. Je pense qu'on fait allusion aux tableaux où mon visage a des traits plus masculins. Ou à des détails : dans tel tableau, tiens, il y un escargot, un symbole d'hermaphrodisme… Ah, oui, et ma sempiternelle "moustache" ! A ce propos, je vais avouer : c'est une histoire avec Diego. Une fois, je me suis avisée de l'épiler, il est entré dans une colère noire. Diego aime ma moustache, ce signe de distinction, au XIXe siècle, des femmes de la bourgeoisie mexicaine qui affichaient par là leurs origines espagnoles (l'Indien, on le sait, est imberbe).

Je crois qu'on est multiple : qu'un homme porte la marque de la féminité ; qu'une femme porte l'élément homme ; que les deux portent l'enfant en eux.

Y a-t-il érotisme dans ma peinture ? Il se tient à la limite. C'est précisément cette limite qui dévoile, à mon sens, la force de l'érotisme. D'en découvrir la totalité, la tension tomberait, et avec elle la sensualité contenue dans un regard, dans la pose d'une main, dans un pli de vêtement, dans la matière d'une plante, une ombre, une couleur.

Y a-t-il masochisme, perversité, dans la représentation de ce corps écorché ? Je laisse à qui de droit le soin d'analyser un pareil destin, marqué sur la peau.

Je ne laisse à personne en revanche le droit de juger mes blessures, réelles ou symboliques. Ma vie s'y est inscrite au fer rouge, mon enveloppe était transparente. Elle s'est emparée de moi de par trop, me possédant à chaque instant. En échange, même si le marché était ardu, je l'ai sentie au plus près. On n'a pas le droit de juger une vie aussi dense, ni sa force, traduite en peinture.

Hasard ? Fatalité ? Il n'y a pas de réponse à une telle douleur.

DIEGO TOUJOURS

C'était un homme adorable qui ne savait pas faire face dans sa vie personnelle mais qui, dans sa vie publique, était un lutteur. Il pouvait très bien se lever en public et démolir, disons, les Rockefeller en deux minutes.

LOUISE NEVELSON

Diego l'avait prévenu, une prémonition : il allait aimer la femme qu'il allait voir. Lorsque Heinz Berggruen, jeune collectionneur d'art, franchit la porte de la chambre d'hôpital de Frida, il fut saisi. Cette femme, qu'on lui avait décrite si malade et brisée, était extrêmement belle. Dès le premier coup d'œil, il se sentit attiré par elle, irrépressiblement. Il connaissait quelques-uns de ses tableaux, mais Frida était plus belle nature : elle était réellement vivante, enjouée, chaleureuse.

Bien que le cadre de l'hôpital ne s'y prêtât guère, Heinz et Frida s'engagèrent immédiatement sur les chemins de l'amour. Heinz venait la visiter tous les jours, essayant d'éviter Diego. Malgré les nouvelles retrouvailles avec celui-ci, Frida n'hésita pas à suivre Heinz.

Après un mois de séjour à l'hôpital, durant lequel elle fut suralimentée, impérativement privée de boissons alcoolisées, où elle subit électrothérapie, calciothérapie et ponction de liquide céphalo-rachidien, Frida partit avec Heinz pour New York.

Ils descendirent au Barbizon-Plaza, hôtel privilégié de Frida, qui avait vu défiler quelques-unes de ses amours. Les scrupules qu'elle aurait pu ressentir comptaient moins que son plaisir de retrouver un lieu qui lui était familier, où on la reconnaissait et la traitait avec déférence.

Heureuse de retrouver ses amis, elle entraînait Heinz aux dîners, aux soirées mondaines, aux fêtes moins conventionnelles avec des artistes. Comme toujours, elle détonnait, égayait, fascinait. Heinz était sous le charme et Frida s'en amusait. Il était franchement épris d'elle et elle, elle s'esquivait, jouant au chat et à la souris. Frida prenant pour une fois l'amour à la légère, cela ne lui ressemblait guère. Mais Diego, bien que se trouvant à quelque cinq mille kilomètres de Manhattan, troublait les cartes. Il écrivait, il téléphonait à Frida pour lui proposer un remariage.

Frida ne savait que faire. D'une part, au sortir de cette longue année de dépression, elle avait envie de s'amuser et elle le faisait non sans manifester une certaine arrogance dans sa joie. D'autre part, l'idée de revivre avec Diego, si d'un certain côté elle la sécurisait, en même temps elle l'angoissait, par crainte de retomber dans les problèmes qu'ils avaient déjà vécus. Sans doute éprouvait-elle, pour une fois où Diego était complètement demandeur, un certain plaisir à le laisser en attente.

Heinz s'inquiétait de la situation, mais Frida essayait de le rassurer, ne sachant trop ce que serait sa décision finale. Elle avait en tête d'avoir du bon temps, de vivre au jour le jour, avec la sensation de l'avoir mérité.

Il commençait à faire froid. Dans les allées de Central Park, le vent soulevait les feuilles mortes par paquets, qui retombaient et roulaient ensuite à même le sol sur plusieurs mètres. Les gens commençaient à s'emmitoufler et, lorsqu'un rayon de soleil apparaissait, les visages devenaient plus souriants, presque par obligation. En trame de fond, il y avait la guerre en Europe et personne ne pouvait l'oublier. On guettait les informations à la radio, les nouvelles dans les journaux. Rien de très gai : les débuts de cette guerre s'annonçaient mal et on craignait le pire pour la suite. Bien sûr, les Etats-Unis étaient loin des zones de conflit, mais qui n'avait pas de la famille ou des amis de l'autre côté de l'Atlantique ?

Frida avait donné rendez-vous à Heinz au café Figaro, dans Greenwich Village. Elle était attablée devant un *cappuccino* crémeux, près de la fenêtre basse donnant sur la rue. C'était la fin de l'après-midi et la salle était plongée dans la pénombre. On distinguait mal les tableaux accrochés aux murs et seuls les contours des silhouettes étaient discernables.

Ils s'embrassèrent.

— Comme je n'irai probablement jamais en Italie, c'est ici que je bois le *cappuccino*, dit Frida en riant. Et c'est un peu plus loin que je mange des spaghettis… Et il y a des mammas plein la rue. Il n'y manque que les Offices de Florence et la Villa des mystères de Pompéi…

— Et le Castello San Angelo avec une vraie Tosca dedans.

— Ça, à vrai dire, ça ne me gêne pas beaucoup. J'ai toujours préféré les mariachis de la place Garibaldi à Mexico à la musique classique.

Elle but quelques gorgées et commanda un deuxième *cappuccino*.

— Heinz, tu es l'homme le plus adorable du monde… Et Diego est un monstre, je sais… Il m'a téléphoné aujourd'hui : je crois que je vais me remarier avec lui.

Heinz réfléchit deux minutes et dit :

— Après tout ce que tu m'as raconté, c'est de la folie de faire une chose pareille… Mais ça ne m'étonne pas vraiment.

— Tu es jeune et je suis trop malade pour toi.

— Ce n'est pas la question. Je ne fais pas le poids, je l'ai toujours su… mais tu m'apportes tellement de choses.

Frida tendit sa main au-dessus de la table, mais Heinz retira la sienne.

— Nous serons les meilleurs amis du monde…

— Je ne le pourrai jamais. Je t'aime trop.

— Je t'aime aussi…

— Tu aimes beaucoup de monde, Frida... Je ne pourrai jamais être ton ami. Jamais. Parce que ce n'est pas ce que je veux.

— Mais je ne veux pas que tu prennes les choses comme ça !

— Je les prends comme je peux... Je ne comprends pas cette relation avec Diego. Il ne doit y avoir que vous qui y compreniez quelque chose.

Frida avait les larmes aux yeux, Heinz aussi.

— Bois, dit Frida, ça va être froid.

Heinz tourna la petite cuiller dans sa tasse mais ne but pas.

— Je ne t'ai rien promis, Heinz. Je t'ai aussi dit que je ne serais jamais fidèle.

— C'est drôle, dans la vie tu es si sensée, si gaie... Pourquoi retourner à une relation qui te rendait triste, qui est complètement folle ?

— Parce que j'en ai besoin, je suppose.

— Tu as besoin des fanfaronnades de Diego, des souffrances qu'il t'inflige... Tu lui pardonnerais tout parce que c'est un artiste...

— Je ne sais pas. Je l'aime. J'ai été très mal, tu sais, quand nous n'étions pas ensemble. Je ne sais pas, des deux maux, quel est le pire.

— Tu as même besoin de toutes ses femmes... Malgré la jalousie.

— Ou peut-être à cause d'elle. C'est vrai que ses femmes deviennent toujours mes meilleures amies... Lupe, Irene, Paulette... et celles qui m'attendent ! Elles me font souffrir, je finis par les aimer et réciproquement. Une façon de détourner la jalousie, de conjurer le sort...

— Et lui est jaloux, aussi.

— Mais oui…

Frida partit d'un grand éclat de rire qui, un instant, fit baisser les voix dans le café.

— … alors il me pousse dans les bras de femmes. Il préfère, c'est moins dangereux pour nous.

Frida continuait de rire toute seule.

— Tu es si belle, dit Heinz. Non, je ne pourrai jamais être ton ami, j'aurais l'impression de trop perdre au change.

Et il se leva, s'apprêtant à partir. Il appela le garçon, paya les consommations et dit à Frida :

— Il vaut mieux que je rentre seul. Ce sera moins dur…

— Mais, nous nous reverrons ?

— Je ne crois pas. Jamais, probablement.

Frida le regarda sortir. C'était tellement triste, elle avait envie de le rattraper, de le serrer dans ses bras. Mais elle n'en fit rien. Elle commanda un marsala à l'œuf. Et, tandis qu'elle le buvait, elle se répétait : Diego, Diego, Diego… Peut-être pour s'en convaincre, parce que, en même temps qu'une joie l'envahissait à l'idée de le retrouver, des pincements de cœur l'assaillaient, une peur.

Le lendemain après-midi, après avoir passé une matinée à s'interroger, elle se décida à envoyer un télégramme à Diego lui annonçant qu'elle arriverait à San Francisco à la fin du mois en cours, novembre. Heinz avait quitté l'hôtel en réglant tout, mais sans laisser un mot. C'était peut-être mieux ainsi, songeait Frida, cela évitait des remords supplémentaires. Et puis, Heinz était si jeune…

A ses amis de Greenwich Village, elle alla annoncer la nouvelle, qui n'étonna personne. Mais ce fut
un bon motif de réjouissances, qui n'étaient pas
malvenues en ce temps d'inquiétude politique.

— Et tu te remaries quand ?

— La date n'est pas encore fixée. Je trouve que
le jour de l'anniversaire de Diego, le 8 décembre,
serait une bonne date. Vous ne trouvez pas que je
suis un beau cadeau ? Boiteuse en diable, la
colonne vertébrale de plus en plus fichue, la main
droite bouffée par d'étranges rougeurs, pleureuse,
rieuse (jusqu'aux larmes !), tatouée de cicatrices,
amoureuse des hommes et des femmes, régulièrement à l'agonie, hermaphrodite, honnête peintre,
pas belle, comme disait mon père... Vous savez ce
que disaient mes parents de notre premier mariage ?
Que c'était le mariage entre un éléphant et une
colombe... Ah ! ah ! ah ! Et voilà qu'on remet ça !
Qu'en dites-vous, hein ? Tenez, je vais vous chanter le corrido d'une femme qui boit, délaissée par
son mari :

Si te cuentan que me vieron muy borracha
Orgullosamente diles que es por ti
Porque yo tendré el valor de no negarlo
Gritaré que por tu amor me estoy matando
Y sabran que por tus besos me perdí[1]...

---

1. "Si on te raconte qu'on m'a vue soûle, / Dis-leur fièrement
que c'est pour toi / Car j'aurai la force de ne pas le démentir /
Ainsi tu sauras que pour ton amour je me tue / Et que tes baisers m'ont perdue..."

Une cigarette à la main, les yeux fermés, Frida chantait, et on sentait que c'était de tout cœur qu'elle le faisait. Soudain, elle s'arrêta :

— En fait, je crois que c'est pour ça que j'ai envie de me remarier avec Diego : parce qu'ensemble on chante tout le temps !

Le 8 décembre, Frida et Diego se marièrent pour la seconde fois, dans l'intimité. Elle posa à Diego certaines conditions, qu'il accepta, dont la plus importante était qu'ils n'eussent pas de relations sexuelles parce que cela lui était insupportable s'il allait avec d'autres femmes. Leur complicité devait les aider à trouver un nouveau *modus vivendi* empreint de tolérance l'un à l'égard de l'autre, d'une bonne dose d'indépendance, d'amitié.

De retour à Mexico, ils s'installèrent tous deux à la maison bleue, où une chambre fut soigneusement installée par Frida pour Diego.

Et la vie reprit autour de la peinture, des tâches quotidiennes, des amis, des préoccupations politiques, des animaux de la maisonnée. Le pacte sur lequel reposait le nouveau mariage fonctionnait assez bien. Soutien réciproque, respect mutuel : le couple Rivera essayait de jouer avec ces éléments au mieux pour éviter les conflits.

Si elle ne pouvait vivre de sa peinture, la réputation de Frida n'était toutefois plus à faire. De Mexico à Paris, en passant par Philadelphie, San Francisco, New York, Londres – où elle aurait pu exposer en 1939, s'il n'y avait eu la guerre à l'horizon –, elle était reconnue, même par des amateurs d'art aussi célèbres que Peggy Guggenheim, qui l'exposa et dit d'elle le plus grand bien. Quant à Diego, il allait jusqu'à dire tout fort ce que d'autres pensaient tout bas : que Frida était meilleur peintre que lui. Et sans cesse il l'encourageait, se souciait de la faire connaître, la mettait en avant. Le peinture était un domaine où il n'y avait pas de rivalité entre eux. Chacun suivait son propre chemin et admirait l'autre sans réserve.

Frida travaillait, autant que la vie avec Diego et que son corps souffrant le lui permettaient. Comparativement, elle avait produit beaucoup plus de tableaux durant la période où elle s'était retrouvée seule, davantage angoissée, mais exempte des préoccupations domestiques dont elle tenait à présent à s'acquitter. A la différence de Diego, dont Frida disait que "l'énergie cassait pendules et calendriers", elle travaillait peu d'heures par jour. Mais toujours avec le même soin : pas une touche de couleur n'était mise à la légère, le moindre poil du pelage d'un singe était peint avec une extrême minutie. Tant pis si un tableau devait rester plusieurs mois sur le chevalet ; sa peinture n'était pas une course contre la montre et elle la défendait comme telle.

En 1942, une école d'un type un peu particulier fut inaugurée à Mexico. Ecole d'art à la pédagogie populaire et libérale, où le matériel était pris en charge par l'Etat, l'Esmeralda, du nom de la rue où elle était sise, remporta dès l'abord un franc succès.

Parmi tous les peintres et sculpteurs formant son unité pédagogique se trouvaient Diego et Frida. Artistes plus que professeurs, leur enseignement serait empreint de leurs personnalités propres.

L'initiative était plus ambitieuse que les lieux : on faisait donc classe extra-muros, ce qui de surcroît correspondait à la vocation populaire et dynamique que s'était donnée l'école. La santé de Frida obligea très vite celle-ci à donner les cours chez elle. Ses élèves, qu'elle avait immédiatement séduits, acceptèrent le jeu. Les jours du mois où la petite troupe était attendue à la maison bleue étaient jours de fête. Dès le matin, Frida s'affairait, préparant nourriture et boissons fraîches. Elle voulait que ses élèves travaillassent dans le plaisir.

Chacun circulait librement dans la maison durant quelques heures, Frida les incitait à peindre ce qu'ils voyaient, à ne pas recourir aux artifices ; elle évitait la critique facile, parce qu'elle pensait que, outre quelques rudiments techniques, il n'y avait pas de règle pour apprendre à peindre, hormis déployer sa propre sensibilité au maximum de ses possibilités. Elle essayait de comprendre chaque personnalité à laquelle elle avait affaire et stimulait le potentiel qu'elle sentait en elle.

Frida avait prévenu ceux qui auraient pu être choqués par ses méthodes : elle n'était pas professeur, mais peintre et c'est de cette expérience-là dont elle voulait faire profiter ses élèves. Ceux-ci étaient ravis : ils entraient de plain-pied dans le monde artistique, l'observaient à loisir, s'en imprégnaient, et ce avec une enseignante de rêve, belle, humaine, chaleureuse, affectueuse, à leurs petits soins.

> Elle a formé des disciples qui figurent aujourd'hui parmi les éléments les plus remarquables de la génération d'artistes mexicains. Elle impulsa toujours en eux la préservation et le développement de la personnalité dans leur travail en même temps que le souci de clarté sociale et politique des idées.

> DIEGO RIVERA

"Aujourd'hui, samedi 19 juin 1943, à onze heures du matin, grand vernissage des peintures décoratives de la grande *pulqueria* [1] La Rosita."

Ainsi était rédigé le tract distribué parmi les habitants du quartier de Coyoacán, à grand renfort de pétards, confettis, musique… Sous la direction de Frida, ses élèves, les "Fridos", avaient réalisé leur premier mural, à quelques pas de la maison bleue. Une initiative d'art populaire qui allait se poursuivre, quand, après les pulquerias – dont la tradition décorative s'était perdue à cette époque –, des groupes de peintres allaient décorer de peintures murales les lavoirs municipaux.

Toute la journée, le quartier de Frida fut en fête. Et, entre La Rosita et sa maison, on assista à un défilé où se côtoyaient les gens du quartier et de grands noms de l'art et de la politique. Le pulque coulait

---

1. Etablissement où l'on boit le pulque (voir note 2, p.194).

à flots, un groupe de mariachis que Frida avait été chercher place Garibaldi entonnait des airs connus sur lesquels tout le monde dansait.

Frida était heureuse. Un de ses élèves, Guillermo Monroy, chanta un corrido qu'il avait composé pour l'occasion :

> *Pour peindre La Rosita*
> *il a fallu travailler dur.*
> *Les gens ont déjà oublié*
> *l'art de la pulqueria.*

> *Doña Frida de Rivera,*
> *notre cher maître,*
> *nous dit : Venez, petits,*
> *je vais vous montrer la vie.*

> *Amis de Coyoacán*
> *si vous voulez vous égayer*
> *La Rosita vous plaira,*
> *voyez comme elle est belle !*

> *Je ne veux pas m'enivrer,*
> *loucher ni voir double,*
> *je veux seulement être gai,*
> *car c'est là le plaisir du pauvre !*

Tous applaudirent et reprirent en chœur les couplets. On invita Frida à danser. Le soir tombait derrière les maisons basses de Coyoacán.

— Je ne peux pas, dit-elle, tout à l'heure.

Quelques minutes plus tard, elle avait disparu dans la maison bleue. "J'en ai marre de ce putain de corset, se disait-elle en entrant dans sa chambre, tant pis pour la douleur, je ne le supporte plus…"

Avec l'aide d'une amie, elle l'enleva et le jeta au bas d'une armoire.

— Je vais danser, moi aussi. J'en ai bien le droit, non ?

Et elle dansa sans fléchir avec les voisins, les amis, ses élèves.

Frida lança à un homme, assis dans un coin :

— Récite-moi un poème, tu me feras tellement plaisir.

L'homme, intimidé, se leva et dit :

— Ce sera en français…

— Comme tu veux, bien sûr !

— *Mon avion en flammes mon château inondé de vin du Rhin*
  mon ghetto d'iris noirs mon oreille de cristal
  mon rocher dévalant la falaise pour écraser le garde champêtre
  mon escargot d'opale mon moustique d'air
  mon édredon de paradisiers ma chevelure d'écume noire
  mon tombeau éclaté ma pluie de sauterelles rouges
  mon île volante mon raisin de turquoise…

Je n'aime pas beaucoup les poèmes déclamés… et puis je ne connais pas tout par cœur…

— Au Mexique, tout est permis !

— Est-ce que le Français sait d'où vient le mot *mariachi* ?

— Non, répondit l'intéressé.

— Eh bien du français ! De "mariage". Des musiciens qui, autrefois, jouaient aux noces.

La musique avait repris. Diego s'approcha de l'homme et l'invita, sous les rires, à danser un *zapateado* [1].

— Ecoute, mon vieux, je ne sais pas danser le zapateado.

— Excellent raison pour l'apprendre.

— Non, je ne peux pas.

— Non ?

Diego sortit son pistolet, les rires redoublèrent.

— Non ?

L'homme se leva en hochant la tête, souriant, Diego lui tapa sur l'épaule et la danse commença, les yeux du Français rivés aux pieds de son partenaire pour essayer de suivre les pas.

— Qui est-ce ?

— Benjamin Péret, poète français, professeur à l'Esmeralda.

1. Toute danse dont la cadence est ponctuée par les pieds.

Le sang. Beaucoup, oui.

Sang-vie.

Sang-femme.

Sang-douleur.

Sang-passion.

Sang-cœur.

"Gouttes de sang gouttes d'eau du plus ancien bijou des femmes", a écrit Péret.

Sang-sacrifice aztèque, don au Chac, le dieu réclamant son dû de sang pour que la terre, le soleil, l'univers continuassent d'exister.

Il y a du sang dans ma peinture, il y a la mort, il y a moi, femme blessée ? Oui.

Il y a presque toujours ma signature rouge sang, des rubans carmin, des cordelettes dans ma coiffure telles des veines pourpres ? Oui.

Il y a tout ça. Mais de quoi s'effraie-t-on, au juste ? De ce qu'on ne peut regarder en face sans écœurement, sans évanouissement. Ce qui ferait partie de notre vie mais qu'on essaie de cacher honteusement, horreur et tabou. Mais ce qu'on essaie d'enfouir de la sorte, c'est la représentation vivante de notre vie même : la sang qui coule dans nos veines, qui nous irrigue comme l'eau la plante ; la mort, qui n'est peut-être pas l'antithèse de la vie, puisqu'une autre vie s'en empare, la vie de la terre, et nous à elle mêlés, pleins d'elle, de ses racines, de sa sève, de son fer, de son calcaire, des grains de sable, de l'effritement des pierres, de l'humus des feuilles mortes, de la pluie filtrant les strates. Et les fleurs poussant sur nos têtes, prenant naissance dans nos cheveux. La vie est là, aussi, seule notre conscience y manque. Et d'ailleurs, même ça, on n'en sait rien, on ne sait pas comment c'est.

Que de sang ! Que de sang ! s'exclame-t-on. Ah ! je les vois, ceux qui se détournent en voyant mes tableaux, une moue de dégoût aux lèvres, ravalant leurs mots en implorant l'oubli, ou au contraire jetant leurs mots comme un crachat, une arme, une libération.

Le sang répandu aux guerres, ces ruisseaux d'injustice, le rouge de la honte pour l'humanité, ce sang-là, c'est curieux, on s'en détourne moins, et on ne l'évite pas. On se sent "dépassé". Mais le dessin d'un fœtus, d'un cœur ouvert, c'est pourtant de cela que nous sommes faits, c'est de notre propre connaissance qu'il s'agit, cela fait appel à notre représentation inconsciente, à notre réalité, au fond, à une mémoire de nous que nous fuyons, eh bien nous en avons peur, nos faiblesses humaines, notre incapacité à une cohérence du corps sont révélées à la vue de ce que nous sommes.

C'est que nous voudrions avoir de nous une image idéalisée, sans cesse idéalisée. C'est que nous voudrions être des dieux. Mais nous ne le sommes pas ! Nous sommes bel et bien cet amalgame de chair et de sang. Rien que cela ? Nous sommes cette merveille-là. Un corps étonnant où s'inscrivent toutes les blessures, mais où les seules morales nous semblent dignes d'intérêt, magnifiées parce que sondables, imaginables, mais impalpables. Nous sublimons ce qui n'est pas perceptible à l'œil nu. Nous voudrions tant être des dieux, être dans ce que nous ne connaissons pas, donc l'immortalité.

Quand Rembrandt a peint *la Leçon d'anatomie*, il nous a réduits à ce que nous sommes et nous ne l'avons pas supporté. Une telle véracité blesse le regard. L'outrage.

Moi, je dis que Frida Kahlo, être humain, a dû prendre conscience, par les faits de la vie, de la pleine existence de son corps. Je dis que Frida Kahlo, femme, a ouvert son corps et a exprimé ce qu'elle y sentait. Ce qu'elle ressentait a été tellement violent que si elle n'avait pas essayé de le cerner, de l'identifier, de l'ordonner ensuite, je dis qu'elle aurait pu devenir folle, submergée par des choses et des douleurs qu'elle n'aurait pas comprises, et nullement domptées. Moi, je dis qu'emmurer sa souffrance c'est risquer de se laisser dévorer par elle, de l'intérieur, et par des chemins troubles et insensés. Que la force de ce qu'on n'exprime pas est implosive, ravageante, autodestructrice. Qu'exprimer, c'est commencer à se libérer.

FRIDA, PAR DIEGO

"(…) c'est la première fois dans l'histoire de l'art qu'une femme a exprimé avec une totale sincérité, décharnée, et, pourrait-on dire, tranquillement féroce, ces faits généraux et particuliers qui concernent exclusivement la femme. Sa sincérité, qu'on pourrait aussi qualifier de très tendre et cruelle, l'a portée à donner de certains faits le témoignage le plus indiscutable et certain ; c'est pourquoi elle a peint sa propre naissance, son alimentation au sein, sa croissance dans sa famille et ses souffrances terribles et de tout ordre, sans faire jamais la plus légère exagération ou divergence des faits précis, demeurant réaliste, profonde, comme l'est toujours le peuple mexicain dans son art, même dans les cas où il généralise faits et sentiments, parvenant à leur expression cosmogonique. (…)

"Frida Kahlo est en vérité un être merveilleux, doté d'une force vitale et d'un pouvoir de résistance à la douleur très supérieurs à la normale. A ce pouvoir s'ajoute, c'est naturel, une sensibilité supérieure, d'une finesse et d'une susceptibilité incroyables. En accord avec ce tempérament nerveux, ses yeux ont eux aussi une rétine exceptionnelle. La micro-photographie de cette rétine montre une carence de pupilles, ce qui a pour conséquence que les yeux de Frida regardent comme la lentille d'un micro-scope. Elle voit beaucoup plus loin, dans l'infini-ment petit, que ce que nous voyons, et cela s'ajoute à son pouvoir de pénétration implacable des idées, intentions ou sentiments des autres. Si ses yeux ont la puissance d'un microscope, son cerveau a la puis-sance d'un appareil à rayons X qui inscrirait en trans-parence la créature de l'être sensitivo-intellectuel qu'elle observe. (…)

"Quoique sa peinture ne s'étende pas sur les grandes surfaces de nos muraux, par son contenu tant dans l'intensité que dans la profondeur, mieux que l'équivalent de notre quantité et qualité, Frida Kahlo est le plus grand des peintres mexicains (…). C'est un des documents plastiques meilleurs et majeurs et un des documents humains véritables des plus intenses de notre temps. Ce sera d'une valeur ines-timable pour le monde du futur.

"Un tel contenu ne pouvait pour le moins qu'in-fluer sur le contenant, et à son tour être influé par les caractéristiques de celui-ci. C'est pourquoi Frida Kahlo est une femme extraordinairement belle, non d'une beauté commune ni courante, mais aussi exceptionnelle et caractéristique que ce qu'elle produit. (…)"

ARBRE DE L'ESPÉRANCE,
SOIS SOLIDE

> *Frieda était à l'hôpital (...). Elle était
> extraordinaire, je pense qu'elle savait
> qu'elle allait mourir mais apparemment,
> cela ne la dérangeait pas ; elle était gen-
> tille et gaie, elle riait et faisait la folle.
> Elle est morte peu de temps après.*

LOUISE NEVELSON

Frida se trouvait dans son atelier en train de peindre,
lorsque Diego y apparut, furieux, une feuille à dessin décolorée dans la main, une hache dans l'autre.

— Frida, planque ton chien, si je l'attrape j'aurai
sa peau.

— Mais calme-toi ! s'exclama Frida en riant.
(Diego en colère lui avait toujours semblé un personnage comique.)

— Il a pissé sur mes aquarelles.

Frida partit d'un éclat de rire irrépressible. Elle
mit la main devant sa bouche, essayant de se contenir. Mais les larmes lui montaient aux yeux, le fou
rire la secouait tout entière.

Le petit chien entra rapidement dans la pièce, vit
Diego et baissa la tête, se dépêcha d'aller aux pieds

de Frida. Elle posa le pinceau qu'elle tenait encore à la main droite, prit sur ses genoux le petit animal.

— Monsieur Xolotl…, commença-t-elle.

Diego s'approcha après avoir posé dessin mouillé et hache, soudain radouci, prit le petit chien dans ses mains et le souleva au-dessus de sa tête.

— Monsieur Xolotl, dit-il, vous êtes le meilleur critique d'art qui soit…

— … Qui ose lever la patte sur l'œuvre du grand maître Rivera, l'interrompit Frida. Eh oui, toute œuvre a ses faiblesses et le seigneur Xolotl est un fin connaisseur.

Elle se remit à rire, si fort que le petit chien prit peur et s'échappa des mains de Diego… Si fort que les élancements le long du dos commencèrent. Elle grimaça, essaya de se redresser, se rassit.

La santé de Frida se dégradait avec les années. Aux corsets de plâtre ou de cuir avait succédé, pour la première fois en 1944, un corset d'acier. Elle sentait que son dos était tenu, mais il n'apportait aucun soulagement aux douleurs. Et elle maigrissait à vue d'œil. Ce qui entraînait régulièrement des périodes de suralimentation forcée, voire nécessitant à certains moments des transfusions sanguines.

En 1945, pour la première fois, on lui fabriqua, pour le pied droit, une chaussure orthopédique à semelle compensée. Et de nouveau, il lui fut posé un corset de plâtre, tellement serré qu'elle ne put le supporter : il lui causait d'effroyables maux non seulement au dos lui-même, mais aussi à la nuque, à la tête, au thorax. Il fallut le lui enlever. Radiographies, ponctions lombaires, injections diverses, analgésiques, remontants…, alitements obligés et prolongés : c'était le lot commun de Frida.

En 1946, il fut décidé, de l'avis médical, qu'une opération de la colonne vertébrale était indispensable. Renseignements pris, elle aurait lieu à New York, à l'Hospital for Special Surgery.

Au mois de mai, Frida, accompagnée de Cristina, partit pour New York. L'opération eut lieu en juin. Il s'agissait de souder quatre vertèbres lombaires à l'aide d'un morceau d'os pelvien et d'une plaque métallique de quinze centimètres.

Peu après l'opération, elle écrivit à Alejandro, l'ami de toujours :

"Le *big* morceau opératoire est passé. Cela fait trois *weeks* qu'ils ont procédé aux coupes et coupes des os. Et ce médecin est si merveilleux, et mon *body* si plein de vitalité qu'aujourd'hui on m'a fait mettre debout sur mes *puer feet* durant deux minutes, mais moi-même je ne le *believo* pas. Les deux *first* semaines ont été de souffrances et de larmes, je ne souhaite ces douleurs à *nobody* – elles sont *buten* violentes et pernicieuses, mais cette semaine le hurlement a cessé et avec l'aide de *pastillemenes* j'ai survécu plus ou moins bien. J'ai deux grosses cicatrices dans le dos, de *this* forme [dessin]. (…)"

Elle passa sa convalescence à New York, avec interdiction de peindre, qu'elle transgressa alors qu'elle se trouvait encore hospitalisée.

Rentrée au Mexique à l'automne, on lui posa un corset d'acier qu'elle dut garder durant quelque huit mois. Après une amélioration passagère, les douleurs au dos reprirent de plus belle, ne pouvant être soulagées qu'en absorbant de fortes doses de morphine – qu'elle tolérait mal. Les médecins mexicains en vinrent à se demander s'il n'y avait pas eu erreur dans la fusion des vertèbres pratiquée aux Etats-Unis. Un an plus tard, lors d'une opération semblable, les craintes émises sur l'opération précédente furent confirmées.

Frida pouvait de moins en moins espérer, désormais, échapper à sa mauvaise santé. Les médecins promettaient, les corsets succédaient aux corsets, l'atrophie de la jambe droite empirait, la dermatose de la main droite, un moment disparue, revenait, le moral, malgré l'aide fictive des médicaments ou de l'alcool, touchait au désespoir. La seule planche de salut de tous ces maux semblait encore être la peinture, à laquelle elle se livrait de longues heures chaque jour.

Les tableaux se succèdent jusqu'aux années cinquante, beaux, douloureux.

Tels *Pensant à la mort*, autoportrait où l'image de la mort est inscrite sur le front de Frida ; *Autoportrait avec Diego dans ma pensée*, tableau d'une extraordinaire finesse picturale, où c'est l'image de Diego qui s'inscrit sur son front, ce Diego jamais assez présent, toujours trop loin, mais dont la pensée tourne à l'obsession.

En 1944, c'est *la Colonne brisée*, où Frida pleure, torse nu et cheveux lâchés ; corseté pourtant, son corps s'ouvre, montrant dans le rouge de sa chair une colonne grecque toute cassée ; et, sur la totalité du corps visible, des clous sont plantés, points de douleur.

1944 est aussi l'année de *Double portrait (Diego et Frida)*, tableau miniature célébrant quinze ans d'union entre eux, formant un visage entier avec la moitié du visage de chacun inclus dans un cœur-racine. Ou encore *La fiancée qui a peur en voyant la vie ouverte*, nature morte aux fruits tropicaux ouverts, montrant leur cœur comme Frida.

En 1945, il y eut un tableau terrifiant, *Sans espoir*, où Frida, alitée, pleurant, vomit tout : un porcelet, un poisson, une tête de mort, la vie même...

Juste avant l'opération new-yorkaise, il y eut *le Cerf blessé*, autoportrait où son corps a pris la forme de celui d'un cerf, blessé par des flèches au dos et en plein cœur, lieux éternels des blessures réelles et symboliques de Frida.

Destiné à ses amis Lina et Arcady Boitler, *le Cerf blessé* leur fut remis avec ces vers :

> *Je vous laisse là mon portrait*
> *pour que vous m'ayez présente*
> *tous les jours et les nuits*
> *où je serai loin de vous.*
>
> *La tristesse se reflète*
> *dans toute ma peinture*
> *mais telle est ma condition,*
> *je n'ai plus d'issue.*

*En revanche mon cœur
se remplit de gaieté
à l'idée qu'Arcady et Lina
m'aiment comme je suis.*

*Veuillez accepter ce petit tableau
peint avec ma tendresse
en échange de votre affection
et de votre immense douceur.*

Peu après l'intervention chirurgicale, il y eut *Arbre de l'espérance*, où une Frida, allongée sur un brancard, exhibe les plaies qui viennent de lui être faites dans le dos ; une autre Frida, de rouge vêtue, sérieuse et très belle, est assise devant la première, tenant dans une main un corset, dans l'autre un petit étendard qui dit : "Arbre de l'espérance, sois solide." Le soleil éclaire la Frida opérée, la nuit est sur l'autre ; à leurs pieds : un ravin.

Cristina était assise depuis un moment dans la chambre de sa sœur, sans dire un mot.

— Pourquoi te tais-tu ? demanda Frida.

— J'étais en train de penser que ta chambre a l'air d'une grotte aux trésors. Tant d'objets, tant de jouets, tant de fétichisme !

— C'est mon monde. Mes souvenirs, mes gri-gris, mes couleurs, le Mexique, mon présent. Je n'ai que ça.

— Nous pourrions ranger tous ces médicaments : ces flacons, ces seringues…

— C'est mon monde aussi, Cristi. J'en ai besoin à tout moment.

— Je t'ai ramené le journal. Il annonce que Diego et toi allez divorcer et qu'il va se remarier avec Maria Félix, notre actrice nationale.

— Je ne peux pas l'empêcher d'aller avec des femmes.

— Mais tu pleures, à chaque fois, comme si c'était la première fois.

— Je n'y peux rien. Ça fait mal.

— Le journal dit aussi que tu as proposé à Maria Félix de lui faire un don : Diego.

— Désespoir de cause ! Il faut avoir de la générosité et de l'humour… Mon seul regret est de ne pas avoir d'enfant… Curieuse famille, au demeurant, des quatre filles, tu es la seule qui ait pu avoir des petits.

— As-tu besoin de quelque chose ? Je vais sortir.

— De peindre.

Avant de quitter la pièce, Cristina jeta un œil sur le haut d'un mur, où était écrit, en lettres rouges : "Maison de Irene Bohus, Chambre de Maria Félix, Frida Kahlo et Diego Rivera, Elena [Vázquez Gómez] et Teresita [Proenza], Coyoacán 1953, Maison de Machila Aramida." Puis elle revint en arrière, embrassa Frida et sortit en souriant.

Frida ouvrit son cahier-journal. A le feuilleter, l'angoisse la saisissait à la gorge. Ses tourments lui étaient confiés, de façon beaucoup plus brutale qu'à ses tableaux, sans le filtre plastique, à nu : bribes de phrases ou de longues proses, des poèmes, le tout entrecoupé de dessins montrant sa jambe atrophiée, voire amputée, des réminiscences de son accident, la lente désintégration, selon la propre expression de Frida, de son corps, des éclairs de vie. Et tous les appels à Diego, et son amour pour lui.

Elle avait envie de jeter ce cahier : ces fragments de vie qu'il contenait, et surtout toutes ces blessures, était-ce sain ?

Après l'accident, elle avait eu si peur de mourir. Puis elle avait espéré, de toutes ses forces, elle avait lutté. Elle vivait ses quarante ans comme un fardeau, n'ayant même plus envie d'aimer, n'espérant plus

A plusieurs reprises, les médecins lui avaient laissé entendre qu'une part de ses souffrances physiques, elle les avait surtout psychosomatisées. Les séquelles de la poliomyélite étaient certaines, tout comme celles de l'accident, mais elles trouvaient en Frida un écho anormal. Elle essayait de comprendre. Qu'avait-elle amplifié ? Pourquoi ? Elle sentait, indistinctement, comment son état pouvait être une pression affective vis-à-vis des autres. Combien, au départ, elle l'avait vécu de façon alarmante, allant jusqu'à se convaincre d'une fatalité dont elle n'avait plus pu ensuite se défaire. Ces douleurs, cette angoisse permanente avaient contribué, bizarrement, à ce qu'elle se sentît toujours en vie. Ne rien sentir, après avoir frôlé la mort, c'eût été comme mourir.

Jusqu'en 1950, lentement, le processus engagé se poursuivit. Toujours la même dégradation de la santé et du moral, sans cassure spectaculaire, mais sans amélioration aucune.

La gaieté apparente, la tristesse profonde et la peinture essayant de creuser le sens des choses et d'en remplir les failles, voilà ce qu'était la vie de Frida à la veille de cette moitié de siècle. Trop usée, le temps lui était compté.

CONVERSATION IMAGINAIRE
DE TÉMOINS RÉELS

— A époques mouvementées, protagonistes mouvementés.

— Dire qu'ils ont passé des années à faire des meetings pour se disputer entre eux trois : Orozco, Siqueiros, Rivera.

— Ça ne manquait pas de piment, mais c'était clownesque.

— Et ils vivaient comme des princes, sans le sou !

— Ils étaient trop solennels.

— Ils finissaient par être complètement à côté du Mexique réel, s'agrippant aux idées du communisme...

— Presque à celles du fascisme.

— Ça, c'est un peu exagéré !

— Ils pensaient avoir raison parce qu'ils étaient accrochés à l'"indigène", au naturel.

— Tout comme à l'époque victorienne, où il y avait soudain un engouement pour le Moyen Age.

— Ils inventaient le "rose mexicain", le "bleu mexicain".

— Frida, par exemple, ressemblait à un personnage de l'époque de Napoléon III !

— Elle était très belle. Je me souviens d'elle très bien fardée, dans son lit. Elle jouait à l'Indienne ; c'était une *composition* charmante ! Mais elle ne ressemblait en rien à une vrai Indienne, de celles qui viennent d'un village zapotèque ou mixtèque.

— Ça ne s'imposait pas, cet accoutrement.

— Dans sa façon de parler, elle était très excessive... Tout le contraire du caractère indien.

— En fait, très mexicaine, dans le sens "citadin métisse".

— Oui, mexicaine.

— Avec Diego, ils formaient un drôle de couple. Dieu seul sait ce qui se passait entre eux. Leurs règles de vie commune étaient absolument incompréhensibles vues de l'extérieur.

— Diego comptait beaucoup pour Frida.

— Bien que, tout comme lui d'ailleurs, au fond elle ne devait aimer personne.

— Diego était une protection morale. Certainement pas matérielle. Il dépensait l'argent à tort et à travers.

— Il n'était pas sympathique sur le plan humain.

— Il ne pouvait pas aider Frida. Il disparaissait des mois durant.

— Il aurait pris toutes les femmes se trouvant sur son chemin.

— Les Nord-Américaines le courtisaient beaucoup.

— C'était un vieux patriarcal.

— Et toujours armé.

— Frida, en revanche, était très sympathique.

— Oh, oui !

— Une personne absolument adorable.

— Tout le monde l'aimait et elle était très attentive aux gens.

— Les gens du quartier venaient la voir quand ils avaient des soucis.

— Elle donnait toujours ce qu'elle avait aux mendiants, quand elle se promenait.

— C'est vrai.

— Et elle prenait toujours le temps de parler aux autres.

— A tous : princes ou mendiants. C'était une femme très humaine, très affable.

— Même au plus profond de son désespoir, elle était capable de vous remonter le moral !

— Elle était plus honnête, intellectuellement, que Diego.

— Et elle avait plus de talent que lui.

— Absolument.

— C'est-à-dire que lui, il en avait du talent, un talent fou ! Mais il jouait trop à l'artiste. Alors, il y perdait…

— Frida avait une peinture beaucoup plus personnelle.

— C'est comme si elle avait écrit des vers.

— Elle devait vivre un narcissisme très douloureux.

— Ecartelée, elle était.

— C'est indescriptible.

— Sa vie a été un long calvaire. Mais une vraie vie aussi.

— L'envie de vivre en devenait exacerbée, avec toute cette souffrance. Du coup, elle a vécu beaucoup plus pleinement que d'autres.

— Il faut dire qu'elle avait une présence indubitable.

— Oui. Et cela n'a rien à voir avec ses atours.

— Mais elle était mal entourée.

— Elle avait une cour autour d'elle. Mais de gens inférieurs, qui ne faisaient rien de leurs journées, des parasites. Les gens réellement bien travaillaient et disposaient de peu de temps.

— En fait, son entourage ne l'aidait pas beaucoup.

— Elle était tout le temps collée au téléphone... Très affectueuse, au demeurant.

— On l'aimait beaucoup, de toute façon.

— Au fond, on les aimait tous les deux beaucoup.

— C'était un couple terrible. Difficile d'en trouver de semblable.

— Terrible, c'est encore peu dire.

— Il devait y avoir de ces orages entre ces deux-là ! Ouhouh !

— Oh là là, oui !

Rêves. Etranges rêves. Dérouteurs de la vie à laquelle on s'accroche, inventeurs de l'impossible. Ils m'échappent, me reviennent, me collent à la peau, certains jours. Fragments de ma mémoire enfouie, entre alcool, morphine et temps qui passe, entre mille pensées concrètes, je vous reconnais, vous faites partie de moi au plus profond.

La nuit dernière, vous l'avez peuplée.

Mon père, mort, posait la main sur mon épaule et me disait, dans un large sourire : "Je ne suis pas mort d'une crise cardiaque. C'est ce que vous avez cru. Je suis parti rendre visite à ta mère. Tu comprends, tout ce temps seul…" Je lui dis que l'absence avait été longue, vraiment. Et je soupirais si fort que j'avais l'impression qu'un poids immense quittait mon corps, expiré. Il prit mon pinceau, l'imprégna de jaune canari et fit sur une toile le calcul, d'un tracé maladroit : "1954 – 1941 = 13 ans." Je regardais les chiffres et je ne comprenais rien. Je riais. Je riais mais ce n'était pas un rire, c'était la peur : je ne comprenais rien. Les chiffres ne me disaient rien, me semblaient absurdes et cocasses. Mais j'avais peur. Que signifiaient-ils ? Je ne reconnaissais rien. Puis il me dit : "Je voulais te voir. Tu vas trop mal. Tu es trop seule." Je m'apercevais que ses cheveux n'avaient pas blanchi comme j'en avais le souvenir. Il était jeune. Ensuite, il me parla en allemand, des mots incompréhensibles, avant de chanter d'une voix grave cette mélodie très lente :

> *Der Tod, das ist die Kühle Nacht,*
> *das Leben ist der schwüle Tag.*
> *Es dunkelt schon, mich schläfert,*
> *der Tag hat mich müdgemacht.*
> *Uber mein Bett erhebt sich ein Baum,*
> *drin singt die junge Nachtigall ;*
> *sie singt von lauter Liebe, von lauter Liebe,*
> *Ich höres, ich höres sogar im Traum*[1]*...*

Alors, je me mettais à pleurer le visage dans mes mains, comme une enfant.

Je le voyais à travers mes larmes. Ses yeux à lui devinrent de grosses larmes, épaisses, rondes et transparentes comme des billes. Il secoua la tête : "Crise cardiaque pour vous, coup de tête pour moi." Tout m'échappait : de quoi parlait-il ? "Je crois que je vais t'emmener avec moi. Bientôt. On est bien où je suis. C'est tout le temps ultramarine. On se laisse

1. "La mort c'est la fraîche nuit, / La vie c'est le jour accablant. / Déjà, le soir tombe, j'ai sommeil, / Je suis las de ma journée. / Mon lit est à l'ombre d'un arbre, / Où chante un jeune rossignol ; / Il chante l'amour, éperdument, / Je l'entends jusque dans mes rêves."
(Poème d'Heinrich Heine, mis en musique par Johannes Brahms.)

362

porter. Je vais t'emmener avec moi. Bientôt. La nuit tombe sur toi, ma petite fille. Une nuit avec de grandes ailes. Je vais me renseigner."

Il a dit ces mots curieux : "Je vais me renseigner."

Mort au printemps 1941, mon père. Mes sœurs me l'annoncèrent. Ce fut brutal, inadmissible. Je l'aimais tant. Il m'avait tant enseigné : la souffrance humaine, la souffrance physique, l'observation, la lecture, l'honnêteté.

Trop de chagrin. Je n'ai jamais pu en parler.

Frêle et fort, je le garde en moi, avec ses valses, son épilepsie, Schopenhauer, l'Allemagne qu'il avait connue, cette autre Allemagne nazie et ses blessures. Il lisait les journaux en silence. Incapable de les commenter. Il s'en sentait si meurtri. C'est peut-être de cela qu'il est mort, de cette Allemagne devenue folle.

Mon père et ses aquarelles, sa tristesse légendaire, ses appareils photo aux lanières en vieux cuir usé, ses archives de photos, ses trésors. Son accent, ses dominos, ses partitions jaunies en éditions allemandes, sa Baden-Baden obsolète. Mon père qui a tant cru en moi. Je lui dois ce bien précieux pour aller de l'avant : sa confiance.

Papa. Père. Monsieur Wilhelm Kahlo. Je ne t'ai pas trahi. J'ai fait de mon mieux. Le portrait que j'ai fait de toi est à côté de moi. J'ai attendu longtemps pour le faire. Il est là, maintenant.

Je t'aime et je pense à toi.

Cet autre rêve. J'étais dans mes tableaux. L'un, au large cadre nacré, dont le bord se mettait à envahir la surface peinte, déjà si petite, m'anéantissant. Je regrettais d'avoir fait un si petit format, mais c'était trop tard. Dans une autre toile, mon visage se trouvait au milieu d'une fleur, belle, luxuriante, jaune et violet. Soudain, les pétales ouverts commençaient à se refermer sur moi, m'étouffant. Mais comme j'étais dans le tableau, j'étais muette et ne pouvais crier. Alors, de petites gouttelettes colorées coulèrent de mes yeux. Et le tableau, peu à peu, perdit sa couleur. Je me répétais : "Prise à son propre piège."

J'ai lu des livres de Sigmund Freud. J'ai même peint un tableau d'après son livre sur Moïse. Mais je ne sais pas interpréter mes rêves. Je sais seulement ce que j'ai senti dans ces rêves : que ma vie s'en allait.

C'est peut-être pour bientôt.

Voilà, c'est ça : "Bientôt, disait mon père. Je vais me renseigner."

Renseigne-toi vite, petit papa, la nuit tombe sur moi.

Renseigne-toi vite, que je me laisse emporter par l'ultramarine.

Je te donnerai la main.

La nuit tombe sur moi.

AU BORD DE L'ABÎME

J'ai senti sur mon corps avant de m'en-
dormir le poids de mes poings au bout
des mes bras légers.

FRANZ KAFKA

Elle avait un beau visage, animalesque, des yeux qui disaient tout. Et des bras plutôt forts pour une femme, au bout desquels elle avait deux mains étonnantes, des mains de travailleuse manuelle, musclées, un peu lourdes, n'ayant rien à voir avec les mains qu'elle peignit d'elle sur ses toiles, des mains fines, lisses comme la porcelaine. Le bas de son corps était plus menu que le haut. Le dos plein de cicatrices et de marques laissées par les corsets. La jambe droite de plus en plus atrophiée. Le bout du pied : noir. Mauvaise circulation ? Phlébite ? Début de gangrène ? La solution envisagée par les médecins fut radicale : amputation.

Mais on attendrait encore un peu. Il y avait plus grave : la colonne vertébrale.

En l'année 1950, l'état de Frida était au pire. Elle l'écrit dans son journal :

"1950-51
J'ai été malade un an. Sept opérations à la colonne
vertébrale. (...)"

Elle fut hospitalisée à l'Hôpital anglais, et bientôt opérée : il s'agissait de nouveau de souder des vertèbres.

Mais, à la suite de l'intervention, l'ouverture ayant été pratiquée dans le dos s'infecta sous le corset. On eut beau soigner ce premier abcès, la plaie ne voulait pas cicatriser et sans cesse l'infection revenait. Et si l'infection était plus profonde ? On opérait de nouveau. Et la plaie ne se refermait toujours pas... De surcroît, les défenses de Frida étaient usées. Nourrie souvent de force, elle subissait aussi des transfusions sanguines et on la bourrait de vitamines.

Les résultats étaient toujours négatifs.

Les mois passaient. La chambre de Frida, à l'hôpital, commença à se remplir de livres, d'objets, de photos, de dessins et d'affaires de peinture.

Diego décida de prendre une chambre à l'hôpital afin de pouvoir rester auprès de sa femme certaines nuits. Hors des moments vraiment critiques, le séjour prolongé de Frida à l'hôpital n'était peut-être pas vraiment nécessaire. Mais on peut penser qu'il arrangeait Diego : une solution de facilité, pour lui, lui permettant par ailleurs une plus grande liberté d'action dans sa vie de tous les jours. D'autant que Frida malade, immobilisée, redoublait de soupçons envers Diego, et donc de jalousie.

366

La chambre d'hôpital de Frida ne désemplissait pas. On y mangeait savoureusement les petits plats apportés par l'une de ses sœurs, on y riait fort, on s'y chamaillait aussi, parfois. Les sœurs Kahlo, les amis et même le personnel de l'hôpital qui avait pour Frida des attentions particulières – qu'elle lui rendait bien –, beaucoup de monde entourait la malade pour qui, toutefois, les mois ressemblaient à des siècles. Elle supportait mal l'inactivité de ce repos forcé, elle s'impatientait. Au fond, la vraie compagnie, le vrai soutien était pour elle la peinture, à laquelle les médecins l'autorisèrent enfin à se remettre. C'était comme se sentir déjà à demi sauvée. Fût-ce sur un lit d'hôpital.

Retournée chez elle, au bout d'un an, affaiblie après tant d'opérations, elle écrivait, dans une sorte d'optimisme forcené :

Le Dr Farill m'a sauvée. Il m'a redonné la joie de vivre. Je suis encore sur un fauteuil roulant, et je ne sais pas si je remarcherai bientôt. Je porte un corset de plâtre un épouvantable fardeau qui m'aide malgré tout à soulager mon dos. Je n'éprouve pas de douleurs. Je suis seulement ivre de… fatigue, et comme c'est normal, très souvent désespérée. Un désespoir qu'aucun mot ne peut décrire. En revanche j'ai envie de vivre. J'ai recommencé à peindre. le petit tableau que je vais offrir au Dr Farill et que je suis en train d'exécuter avec toute mon affection pour lui. Je suis très inquiète au sujet de ma peinture. Comment la transformer

pour qu'elle devienne utile *au mouvement révolu-*
tionnaire communiste, car jusqu'à présent je n'ai
peint que l'expression honnête de moi-même, mais
absolument éloignée d'une peinture qui pourrait
servir le parti. Je dois lutter de tout mon être pour
que le peu de forces que me laisse ma santé soit
destiné à aider la révolution. la seule véritable rai-
son de vivre Frida Kahlo.

Malgré les mots dits ou écrits, malgré l'apparente bonne humeur que Frida affichait, le cœur
n'y était pas. Elle se sentait condamnée à brève
échéance, elle constatait que les années n'avaient
fait que la desservir. Elle en voulait à la vie, elle
en voulait parfois aux autres de sa propre souffrance, elle faisait montre d'une agressivité dans
les rapports qu'elle n'avait jamais manifestée auparavant.

Une infirmière s'occupait d'elle en permanence,
Cristina venait la voir quotidiennement. Frida se
plaignait :

— Je suis devenue maladroite. Je renverse tout.
Je suis tout le temps couverte de taches de peinture...
comme si je ne savais plus peindre.

— C'est simplement que tu t'énerves.

— Mais c'est anormal d'être à ce point irascible.

— Tu as besoin de repos.

— J'aurais tout le repos du monde qu'il m'en
manquerait encore, à en croire mon entourage '

— Il y a des moments dans la vie où c'est comme
ça, Frida, où l'on manque toujours de repos.

— Je ne me supporte plus… Je ne supporte plus rien. Même plus les enfants. Oh ! Cristina, je n'ai plus envie de rien.

— Il y a un temps pour tout, même pour se remettre d'aplomb.

— C'est vrai… et il y a aussi un temps pour mourir.

— Frida, voyons…

— Et il n'y a jamais eu de temps pour être bien de bien, ni de temps pour voir les temples mayas du Yucatán, ni de temps pour voir les merveilles de Florence. Mon corps s'est toujours mis en travers de ma route.

— Tu n'as pas le droit de parler comme ça.

— Il n'y a même plus de temps pour aimer. Il n'y a plus de corps pour aimer !

Assise dans son fauteuil roulant, Frida peignit le portrait qu'elle avait promis au Dr Farill : loin du foisonnement coloré de certains tableaux, elle peint une toile sobre, où elle représente le portrait du Dr Farill posé sur le chevalet et elle, Frida, devant, dans son fauteuil roulant, tenant à la main sa palette, qui a la forme d'un cœur, et dans son autre main plusieurs pinceaux qui saignent. Tableau dépouillé, l'*Autoportrait avec le docteur Farill* inspire un sentiment de profonde solitude, irrémédiable.

"Ils ne savent pas combien c'est moi, pensait Frida en regardant le tableau achevé, cette seule image en noir et blanc avec un cœur trop gros, si rouge de vie, encore battant."

A plusieurs reprises, on la retrouva à demi inanimée. "Un temps pour mourir" c'est ce à quoi tendait Frida. Pour échapper aux souffrances, aux douleurs, à Diego, à la vie, à elle-même. Elle buvait trop, du cognac, du brandy, de la tequila, de la *kahlua* [1], ou tout mélangé. Elle savait combien elle s'abîmait, mais son désespoir était trop grand, elle ne désirait pas arrêter l'engrenage. Aux mélanges d'alcools forts, elle ajoutait les cachets, tous les médicaments dont elle disposait. Ce n'était pas innocent : elle préférait en finir plutôt que continuer de la sorte.

Les tentatives de suicide la laissaient gisante, assommée, incapable d'articuler un mot, le corps lourd de tout ce qu'elle avait avalé. Mais quelle était la dose fatale, elle l'ignorait. Une fois, elle faillit brûler vive. Elle survivait. Elle vivait.

Les moments où elle essayait de croire encore à la vie étaient lumineux, on retrouvait cette Frida qui avait tant de fois exprimé sa passion :

> Je voudrais pouvoir faire ce qui me plaît – derrière le masque de *"la folie"* Ainsi : je composerais des bouquets toute la journée, je peindrais la douleur, l'amour et la tendresse, je rirais à gorge déployée de la *stupidité* des autres, qui s'exclameraient : la pauvre ! elle est folle. (je rirais surtout de *ma stupidité* je me construirais un monde qui, aussi longtemps que je vivrais, serait = *en accord* = avec *tous les mondes* Le jour, l'heure ou la

1. Liqueur de café.

370

minute que je *vivrais* serait à *moi* et à *tous* – Ma folie ne serait pas une échappatoire au *"travail"* pourquoi donc les *autres* m'ont-ils *soutenue* avec leur *labeur ?*

La *révolution* est l'*harmonie* de la *forme et de la couleur* et tout existe et évolue répondant à une seule *loi* = la vie = Personne n'est *détaché* de personne – Personne ne lutte pour lui seul.

Tout est *tout* et *un* L'angoisse et la douleur. le *Plaisir* et la mort ne sont qu'un *processus* pour *exister* la lutte révolutionnaire dans ce processus est une porte ouverte à l'intelligence"

9 novembre – 1951 Enfant – amour. Science exacte. volonté de résister en vivant joie saine, gratitude infinie. Yeux dans les mains et tact dans le regard. Pureté et tendresse nourricière. Enorme colonne vertébrale qui sert de base à toute structure humaine. Nous verrons, nous apprendrons. Il y a toujours du nouveau. Toujours lié à de l'ancien vivant. Ailé – Mon Diego mon amour de milliers d'années Sadj. Irénéenne Frida.
DIEGO

FRIDA KAHLO

Diego toujours. Diego l'absent, qui disparaissait ne pouvant, disait-il, supporter la souffrance de sa femme. Qui disait, aussi, que s'il en avait eu la force, il l'aurait lui-même tuée, pour stopper cette lente agonie qu'elle ne voulait plus vivre.

Et soudain, Frida partait d'un grand éclat de rire et criait :

— Quarante-cinq ans ? Mais ce n'est rien, voyons ! J'ai la vie devant… Toute cette compassion : je vous en suis si reconnaissante. Non, ne pleurez pas. Un jour, je vous étonnerai. Je serai devenue une petite mémé avec de grandes nattes blanches dans le dos, j'aurai envoyé au diable tous les corsets et cette putain de chaise roulante, j'aurai juste une petite canne en bambou, et il faudra que je m'occupe de vous, parce que vous serez plus mal en point que moi, parole !

Ses yeux s'agrandissaient, mais tout son visage criait la détresse. Ses sourcils ne s'envoleraient jamais comme les ailes d'une hirondelle, en les regardant on pensait au colibri mort qu'elle avait peint autour de son cou, au même qu'elle avait dessiné sur une feuille au crayon noir, ce dernier, oui, échoué entre ses deux yeux.

Une jeune femme est arrivée chez moi l'autre jour, elle venait de la part d'une de mes anciennes étudiantes. Très sobrement vêtue, de longs cheveux châtains rejetés en arrière, son visage reflétait une extrême douceur, une certaine sérénité. Ses yeux ressemblaient à ceux de mon père, grands, transparents.

Je lui ai demandé, ironiquement, s'il fallait voir dans son visage le reflet d'une recherche mystique. Elle a souri et m'a répondu, dans un filet de voix :

"Je m'appelle Carmen.

— La Vierge du Carmen ou la bohémienne ?"

Elle n'a pas répondu. Je suis partie d'un grand éclat de rire.

"Les visages d'ange peuvent cacher des talents de sorcier. Des visages de jeunes diables peuvent cacher des cœurs d'ange.

— Certes.

— Alors ?

— Vous êtes quelqu'un de fort intuitif, madame Kahlo, je ne vous apprends rien.

— Petit démon, alors, ou petite devineresse ?

— Je m'intéresse aux astres… si c'est en cela
que vous voyez en moi un potentiel de magie noire
ou des dons divinatoires… C'est votre interpréta-
tion."

Elle ne désarmait pas, j'étais un peu interloquée.
Je ris encore.

"Fariboles ! m'exclamai-je.

— Pourquoi ? Pourquoi vous offusquer sur les
astres ?

— Ma vie n'a pas besoin de références de cet
ordre. Dieu merci ! Je suis marxiste.

— Les astres ne sont pas une référence. Surtout
pas. Des repères, seulement. Vous êtes marxiste
mais vous n'avez pas dédaigné, vous avez même
prêché un retour aux sources… à des sources chargées d'une relation permanente aux astres. Je ne
veux pas disserter sur des contradictions, la vie étant
riche par ses paradoxes mêmes.

— Où voulez-vous en venir ?

— Nulle part, madame Kahlo. Ce n'est pas moi
qui vous enfermerai dans des dogmes. J'apporte mon
grain de sable au sablier, comme tout un chacun.
Permettez-moi."

Elle se leva pour aller chercher ses affaires dépo-
sées dans un coin de la pièce. Elle reprit place sur
son siège et sortit d'un porte-documents une série
de feuillets.

Je croyais rêver. Elle avait l'air de s'être échappée
d'un rêve. Un de ces personnages étranges, intem-
porels, surgis d'on ne sait où, qu'on heurte sans
les avoir vus arriver dans le monde onirique. Mais

peut-être que, après tout, il m'arrive de donner la même impression.

"J'ai établi votre thème astral. Cela va peut-être vous faire rire, ou vous réconforter, ou vous laisser indifférente. Peu importe. Je vous avoue tout avoir ignoré de vous jusqu'à ce jour. Mon milieu est très différent du vôtre et je ne suis pas une artiste. C'est par amitié pour G. qui me l'a demandé – le pari était aussi qu'elle ne me livrât rien de vous, hormis vos date et heure de naissance – que j'ai fait ce travail sur vous. Il était honnête que je vous l'apporte, et cela me faisait plaisir, aussi. Je me suis efforcée d'être claire. J'ai mis les données et les résultats de ma recherche par écrit. Vous êtes seule en mesure de juger de la véracité d'un tel procédé. Sachez qu'il est sans prétentions. Je ne vais pas m'attarder, vous n'avez pas besoin de moi pour lire ces pages et y trouver ce que vous avez envie d'y trouver. Je vais vous laisser.

— Votre affaire dit-elle qu'on allait me couper cette foutue jambe ? Que je vais peut-être en mourir, parce que je n'en peux plus ?

— Non. J'ai fait un exercice d'approche d'une personnalité avec mes moyens. Pas un exercice de voyance.

— Vous ne voulez pas boire quelque chose ? lui demandai-je.

— Non, merci. Je suis heureuse de vous avoir rencontrée… Je vous admire, vous avez beaucoup souffert et vous avez une force fantastique. On ne rencontre pas tous les jours des êtres comme vous."

Et elle repartit comme elle était venue. Sur la pointe des pieds. Sans le moindre bruissement d'ailes, ce n'était donc pas un ange. Ni un diable. Une apparition.

Voilà ce qu'elle me donna :

"Sujet féminin, né le 6 juillet 1907 à 8 h 30, à Mexico, Mexique.

Sujet Cancer ascendant Lion (Soleil en Cancer, première Maison dans le signe en Lion).

Première Maison : Les planètes sont en haut du ciel : une personne tournée vers le monde psychique, peu matérialiste, presque détachée des problèmes matériels, sauf en amour, passion.

Maison V : Point d'ancrage Capricorne, Mars et Uranus en conjonction.

Séduction, passion, mais distance possible en amour de par le Capricorne.

Lune en Maison X en Taureau : Personne amenée à une connaissance publique, femme parvenue à un statut social (féministe).

Pluton cuspide Maison XI en Gémeaux : Personne connaissant beaucoup de gens, ayant de multiples amis et vivant avec eux tout ou rien (individu entier, total).

Neptune Soleil en conjonction en Cancer en Maison XI : Très intuitive. Tous ses pouvoirs de perception orientés vers les gens, pas vers une seule personne.

Maison IV en Scorpion : Tous ses pouvoirs d'intériorisation de l'énergie, elle les doit à sa propre mère. Son pouvoir créatif – Lune et Vénus en Maison X – traduit le rôle du père dans sa carrière.

Saturne en Poissons en Maison VIII : Vie sexuelle réduite, du moins limitée.

Maître de la Maison V en Maison VIII (Saturne) : Possessivité, jalousie.
Tendance à fuir ; effet de sublimation (ce que cette personne ne vit pas physiquement, elle le vit dans la passion).

Mercure en Lion en Maison XII : Personne ayant du mal à écrire, mais ayant peut-être écrit des lettres, par exemple, si la personne s'est trouvée à l'hôpital.
Problèmes nerveux, soit à la colonne vertébrale, soit au cœur.

Jupiter en Cancer en Maison XI : Les amis de cette personne l'ont aidée socialement.

Maître de la Maison IX en Capricorne : N'a pas fait beaucoup de voyages. Les a faits sur un coup de tête si elle les a faits.

Maître de la Maison VII en Maison V : Si elle n'est pas mariée, cette personne fera un mariage d'amour sur le tard, de par l'opposition Uranus-Soleil-Neptune.

Maître de la Maison II en Maison XII : Financièrement, dépensière quoique assez pauvre.
Besoin de s'isoler pour réfléchir. ⋅

Maître de la Maison V en Maison VIII : Action violente subie (accident ? blessure ? coupure ?...) touchant les os (bassin ? colonne vertébrale ? – si c'est elle qui est touchée et non le cœur, comme je l'ai dit plus haut).

Grosses difficultés à avoir des enfants.

De par la relation qui existe entre les Maîtres de la Maison IV, cette même impossibilité d'avoir des enfants (due à une action violente, je le répète) amène cette personne à être connue socialement. Une personne dont le travail, la création ont découlé de ses problèmes de santé (au ventre, au bassin...).

Sextile Pluton Jupiter (Maisons X et XI) : Une certaine difficulté à accepter les normes morales, sociales.

Révolte.

Dans la spirale évolutive de sa vie, les moments importants

Une histoire d'amour très forte à 16 ans.

Période très difficile entre 18 et 19 ans (deuxième partie de la Maison III en Scorpion). Mariage possible juste après.

Entre 27 et 28 ans, la vie commence vraiment pour elle.

A 31 ans : prise de conscience importante d'elle-même.

Commence à être connue à 34 ans.

Entre 47 et 48 ans, importante dépression (quadrature Pluton Saturne en Maison VIII).

Ses couleurs : Jaune, orange, bleu, rouge foncé, noir. Des couleurs vibratoires.

Je dirais de la personnalité de fond de cette personne que les deux points qui se détachent sont la chaleur intérieure, la qualité du travail.

Importance du Moi en tant que centre d'un système.

Trois éléments très importants, dans l'ordre
– la mort ;
– le sexe ;
– l'amour.

Une personne travaillant beaucoup (ou l'ayant fait) et dont le travail est mené par ses forces inconscientes, souterraines. Elle joue avec ces forces."

"J'ATTENDRAI ENCORE UN PEU"

> *Mais il me semble que ce soit la repré-*
> *sentation de la Mort qui ait le mieux et le*
> *plus étrangement marqué l'art aztèque.*
> *Ce n'est pas la Mort juvénile et grêle des*
> *vases étrusques, mais une mort colos-*
> *sale, celle que les Indiens du Mexique*
> *nomment encore : la Dompteuse.*
>
> PAUL MORAND

C'était ce qu'on appelle un "hommage" : une exposition rétrospective de l'œuvre de Frida Kahlo. Présentée dans la belle galerie de la photographe Lola
Alvarez Bravo, au 12 de la rue Amberes, le vernissage eut lieu le 13 avril 1953.

Le carton d'invitation avait été rédigé par Frida :

> *Avec amitié et affection*
> *sorties du cœur tout droit*
> *j'ai le plaisir de t'inviter*
> *à mon humble exposition*
>
> *A huit heures du soir*
> *– en fin de compte il y a toujours l'heure –*
> *je t'attends.*

dans la galerie
d'cette Lola Alvarez Bravo

C'est au 12 de la rue Amberes
et les portes donnent sur la rue
de façon que tu ne te perdes pas
parce qu'ici se termine la description.

Je souhaite seulement que tu me donnes
ton opinion bonne et sincère.
Tu es cultivé
tes connaissances sont précieuses.

C'est avec mes propres mains
que j'ai peint ces tableaux de peinture
et ils attendent sur les murs
de plaire à mes frères.

Bon, mon cher camarade
avec une réelle amitié
jusqu'au fond de l'âme t'est reconnaissante
Frida Kahlo de Rivera.

On attendait l'artiste. Viendrait-elle ? Ne vien-drait-elle pas ? Les nouvelles sur sa santé étaient alarmantes. Il y avait foule. On se pressait, on se bousculait. Les gens étaient fiévreux, certains guet-taient sur le trottoir l'arrivée d'une quelconque voi-ture. On était presque plus intéressé par la vision de Frida à demi mourante que par celle de ses tableaux.

Lola Alvarez Bravo, sentant proche la fin de Frida, avait décidé de lui offrir cette exposition tant qu'il était encore temps. L'atmosphère était lourde.

On téléphonait à la maison bleue, des coups de fil parvenaient de plusieurs pays du monde à la galerie, les bruits couraient : Frida était immobilisée chez elle ; Frida ne pouvait marcher ; Frida était en route…

Et soudain, alors qu'on ne l'attendait plus, les sirènes d'une ambulance annoncèrent son arrivée. Déjà, en prévision de sa venue, on avait transporté, le matin même, le lit à baldaquin qui depuis si longtemps régnait dans la chambre à coucher de Frida et duquel pendaient toutes sortes d'objets, de breloques…

On sortit Frida de l'ambulance en brancard, et on la transporta tant bien que mal, en priant la foule de bien vouloir laisser le passage, jusqu'à son lit.

Puis ce fut un moment étrange. Frida, joliment vêtue et coiffée, était complètement allongée sur son lit. Ses traits étaient tirés, on sentait que le moindre mouvement lui demandait un effort insurmontable. Ses yeux ne regardaient pas, bien plutôt ils s'accrochaient aux gens de toutes leurs forces, de toute leur intensité, seuls éléments mobiles de ce corps meurtri. Collés les uns aux autres dans un cortège improvisé, les gens défilaient près de son lit pour la féliciter, l'encourager, l'embrasser.

— Tu vas t'en sortir.

— Tu vas aller mieux.

— Tu vas guérir, aie confiance.

— Guérir ! s'exclama Frida. Mais je ne suis pas malade ! Non, non, je ne suis pas malade. Je suis brisée. Ce n'est pas la même chose, comprenez-vous ?

Elle ne souriait pas, ses yeux lançaient des appels de détresse.

A plusieurs reprises, on la transporta à l'arrière de la galerie. Elle souffrait trop, elle avait besoin d'une piqûre. Le public attendait, sans oser parler trop fort, comme s'il se fût trouvé à une cérémonie religieuse.

— C'est comme si on l'enterrait, chuchota quelqu'un.

— J'appelle ça un spectacle macabre.

— C'est insoutenable. Moi, je m'en vais.

— Elle pourrait mourir ici même, les gens trouveraient ça normal. Ça ferait partie du jeu.

— C'est peut-être ce qu'on est venu chercher... L'attrait de la souffrance... L'attrait de la mort.

— Je me demande si Frida avait vraiment besoin de ce supplice.

— C'est cela, oui. C'est une suppliciée qu'on exhibe.

Il faisait chaud, il y avait tant de monde.

A un ami qui la saluait, Frida demanda :

— As-tu aimé les natures mortes ? Et toi, dis-moi, travailles-tu comme il faut ?

Elle faisait des efforts pour parler, on avait l'impression que les mots étaient collés à sa langue et avaient du mal à s'en détacher.

L'ami s'assit sur le bord du lit. Il ne pouvait rien dire.

— Frida...

Frida posa la main sur le bras de Juan.

— La seule chose que je sais c'est que je veux peindre, peindre. Encore et toujours : peindre.

Elle serrait dans sa main le bras, de toutes ses forces, et elle y enfonçait ses ongles, mais elle ne s'en rendait pas compte. Ses yeux brillaient, elle sentait la pression de la foule contre les montants du lit qui tremblaient, mais elle retenait l'ami. Ses ongles s'agrippaient à ce bras, y laissant les marques de son désespoir, de sa tendresse.

Mais elle ne s'en rendait pas compte.

Elle implora une infirmière de lui faire encore une piqûre. Elle demanda à quitter les lieux : elle était à bout.

On la remit sur le brancard, et elle disparut dans l'ambulance qui, toutes lumières dehors, la ramena dans la nuit à Coyoacán.

Bourrée de médicaments, elle s'endormit peu après dans un autre lit que le sien, resté à la galerie.

Le printemps passa qui n'apporta aucune amélioration. Diego avait une nouvelle amie dont Frida ne voulait pas entendre parler : les aventures de Diego ne l'amusaient plus du tout. Elle se forçait à peindre, mais sa main tremblait, son tracé devenait incertain, brutal. Les douleurs l'avaient usée, et elle détruisait ce qui lui restait de vie avec l'alcool, les médicaments. Elle n'écoutait plus les recommandations qu'on lui faisait, elle n'avait plus envie de lutter.

Au début de l'été, les médecins donnèrent l'alerte. Les opérations pratiquées sur son dos n'avaient donné aucun résultat convaincant, sa jambe avait suivi un pis-aller : une jambe qui n'avait plus l'air d'une jambe, qui n'était plus qu'une petite chose maigre, difforme, à la peau fanée, abîmée, dont le pied n'avait que trois orteils, violacés. Le sang ne circulait plus, la jambe était presque morte. Le verdict tomba, définitif cette fois : amputation.

— Jamais, non, jamais ! hurla Frida. Je ne le supporterai pas.

— C'est nécessaire, Frida, dit le Dr Farill. Il n'y a rien d'autre à faire.

— Rien d'autre ?

— Rien. On ne peut plus laisser un membre dans un tel état. Il va pourrir tout le corps.

— Il n'y a plus de corps, de toute façon.

Frida était grave. Autour d'elle on se taisait.

— Eh bien, faites donc ce que vous voulez ! Mais laissez-moi seule… Allez, ouste ! Tout le monde dehors !

L'infirmière était restée non loin, aux aguets, surveillant Frida.

Couchée, Frida pleurait, sans mot dire. Puis, d'une voix à peine perceptible, entrecoupée de sanglots, elle se mit à chantonner, battant le tempo sur l'oreiller avec le bout des doigts.

Por una mujer ladina
Perdí la tranquilidad…

Diego entra dans la pièce et s'avança vers le lit. Frida lui fit non de la tête, il recula, s'assit sur un

385

tabouret près de la commode. Elle le fixa en silence et reprit la chanson :

> *Por una mujer ladina*
> *Perdí la tranquilidad*
> *Ella me clavó una espina*
> *Que no me puedo arrancar*[1]...

Sa voix tremblait, mais elle s'efforçait de la moduler. Elle s'interrompit de nouveau, sans quitter Diego des yeux. Il avait l'air si abattu. Il était décoiffé, ses habits étaient froissés, il avait le dos voûté, les mains croisées sur ses genoux. Que pouvait-il lui dire alors qu'il pensait que, cette fois-ci, c'était la fin. Il ne croyait pas que Frida réchapperait à une telle opération.

Soudain, elle s'écria sur un ton de défi :

— Eh bien, qu'ils me la coupent, cette jambe ! Qu'est-ce que j'en ai à foutre de cette jambe, après tout ?... Saloperie de jambe qui n'a fait que m'empoisonner. Tant mieux, tiens, comme ça j'en serai débarrassée. Enfin !

Diego ne disait toujours rien.

— Tu entends, Diego ? Enfin ! enfin ! enfin ! Que n'y ont-ils pas pensé plus tôt ! J'ai enduré ce calvaire pour rien ! Pour rien ! Ils auraient dû savoir qu'il n'y aurait jamais rien à tirer de cette jambe ! Seulement de la souffrance ! Ah, ça, oui ! Elle n'a jamais été foutue de me faire marcher comme il faut mais me faire souffrir...

1. "A cause d'une femme terrible / J'ai perdu la tranquillité / Elle m'a cloué une épine / Que je ne peux m'arracher..."

Elle ferma les yeux, respira profondément. Une de ses mains empoignait le drap. Elle parla encore, tout bas cette fois-ci, comme pour elle seule :

— "Frida jambe de bois !" Enfin je porterai mon sobriquet… Les enfants disent toujours la vérité. Les enfants savent tout. "Frida jambe de bois !"…

Frida eut quarante-six ans un mois avant la dernière opération, celle qui allait l'amputer de sa jambe. Le jour, elle essayait de plaisanter, mais souvent elle était agressive. Ce n'était pas de la gaieté, ce qu'elle manifestait ; son désespoir s'exprimait dans un humour caustique. La nuit, toute la maison bleue résonnait de ses sanglots, de ses cris. Diego ne le supportait pas, il se terrait à San Angel. Il parlait peu, ne voulait pas faire de commentaires. Il se sentait impuissant, incapable de réagir d'une manière bénéfique pour Frida. Il vieillit, tout d'un coup.

Il faisait très chaud ce matin-là, mais des ventilateurs rafraîchissaient l'atmosphère de l'Hôpital anglais.

Frida était tranquille.

— Quelle libération ça va être ! s'exclama-t-elle peu avant d'entrer en salle d'opération. Ne vous faites donc pas de souci pour moi !

Une longue anesthésie.

Lentement, elle reprit connaissance. Elle regarda autour d'elle, la famille, les amis qui se trouvaient à son chevet, qui attendaient. Elle referma les yeux.

Un moment plus tard, elle dit, dans un souffle :

— Partez… tous.

Frida ne parlait pas. La chambre d'hôpital était vide et claire. Il n'y avait rien : c'était comme la fin du monde. Frida ne voulait rien savoir. Pour elle, tout s'achevait.

L'infirmière surveillait sa respiration : tout allait bien. Frida se taisait. Ou elle répondait par oui ou par non. Rien ne semblait l'intéresser, comme si elle eût préféré ne pas se réveiller.

— Je ne veux pas, marmonna-t-elle.

L'infirmière s'approcha.

— Pardon, vous disiez ?

— Rien.

Les jours passaient. Frida restait prostrée. Immobile. Muette.

Parfois, elle prononçait quelques paroles, qui semblaient lui avoir échappé.

— Le désert.

— Pardon ?

— Cette chambre… moi… le désert… Pourquoi voudrais-je des pieds pour marcher puisque j'ai des ailes pour voler !…

Il fallut du temps pour qu'elle reprît un semblant de goût à la vie. Ramenée dans la maison bleue, elle passait des jours entiers silencieuse, inactive, pleurant interminablement. Puis, peu à peu, elle se remit à parler avec les autres, à manifester des envies, des souhaits, à donner son avis. Mais on était loin de la Frida éclatante, belle, pleine d'esprit, coquette et vivante qu'elle avait été. Tout son être reflétait l'angoisse, la peur, le déchirement.

Elle essayait, encore, de s'accrocher à la vie.

Quelques mois après son opération, la fameuse jambe de bois devint une réalité. Au début, Frida chassa l'idée d'une telle prothèse. Puis elle se laissa convaincre. Elle allait pouvoir remarcher un peu.

> 11 février 1954
> On m'a amputé la jambe il a *6 mois* Qui ont été des siècles de torture et par moments j'ai cru perdre la raison. Je continue à avoir envie de me suicider C'est Diego qui me retient je suis flattée par l'idée qu'il peut avoir besoin de moi. Il me l'a dit et je le crois. Mais jamais de ma vie je n'ai autant souffert. J'attendrai encore un peu.
>
> FRIDA KAHLO

Mais elle était incapable de travailler et cela ajoutait à son mal. De temps à autre, quelqu'un la promenait en voiture ; le reste du temps, elle demeurait enfermée dans sa chambre, regardant les rayons de soleil se déplacer sur les murs, la pluie tomber derrière les fenêtres. Elle supportait mal les visites, n'avait pas d'appétit, n'attendait, de toute évidence, plus rien. Avec une complication : une pneumonie.

De nouveau, c'était l'été.

— Tu te souviens des orages d'été, quand nous étions petites ? demanda Cristina.

— Je me souviens... c'était bon.

— Ecoute, Frida, le tonnerre.

— Aide-moi, sortons dans le patio. Que la pluie absolve mes douleurs, toutes mes douleurs !

— Pas dans l'état où tu es.

— Sa Majesté la boiteuse à la jambe de bois peut marcher clopin-clopant, ma chère.

— Mais ta pneumonie n'est pas guérie. Il faut être prudente.

Frida enfouit son visage dans ses mains.

— Alors, ouvre toutes les fenêtres !

Cristina ouvrit les fenêtres. L'odeur forte de la terre et de la pierre mouillées envahit la pièce.

— Qu'importe… dis… qu'importe au fond que je perde aussi mes poumons ? J'ai déjà perdu l'amour, une jambe, des vertèbres, et presque la vie…

Elle resta pensive un moment. La pluie rentrait dans la pièce par à-coups.

— Je voudrais que la pluie m'emporte jusqu'à une rivière, que la rivière m'amène jusqu'à un estuaire et de là… prendre le large. Je n'ai pas assez voyagé, Cristina.

— Tu as encore le temps.

— Peut-être. Peut-être pas… Je n'ai pas assez dansé non plus. Pas assez aimé ! Pas assez peint ! Oh ! mon Dieu !

— Ne pleure pas, Frida.

— Non, parce que si je pleure, je m'étouffe.

Mais rien ne l'arrêta lorsqu'elle voulut participer à une manifestation communiste, le 2 juillet. Il pleuvait. Diego poussait le fauteuil roulant. Il n'y avait plus de Frida que le fantôme d'elle-même, triste, épuisé. Elle n'était plus que deux immenses yeux noirs dans un visage ravagé.

Ce n'était pas prudent pour sa pneumonie, certes, mais cela lui était égal. Que pouvait-elle craindre ? La mort ? même plus. Il y avait seulement encore, comme un signal au loin, ce Diego qu'elle ne voulait pas perdre, celui dont elle répétait qu'il était, depuis bientôt vingt-cinq ans de mariage :

"Diego *commencement*
Diego *constructeur*
Diego *mon enfant*
Diego *mon fiancé*
Diego *peintre*
Diego *mon amant*
Diego *«mon époux»*
Diego *mon ami*
Diego *ma mère*
Diego *mon père*
Diego *mon fils*
Diego = moi =
Diego *Univers*
Diversité dans *l'unité*
Pourquoi je l'appelle *mon* Diego ?
Jamais il n'a été ni ne sera à moi.
Il s'appartient à lui-même.
courant
à perdre haleine…"

Pour la première fois de ma vie, j'ai noué un foulard autour de ma tête, sans prendre garde qu'il était tout froissé.

Je pouvais sentir avec précision mon visage creusé par la douleur, la pluie de ce jour gris s'insinuant dans les sillons. Aucun maquillage. A quoi bon ? Je n'ai pas le cœur à faire la coquette. De toute façon, je n'aurais leurré personne sur mon état. Plus le cœur à rien, pas même à souffrir.

Diego poussait mon fauteuil roulant

J'ai voulu encore croire qu'il y a des causes plus importantes que mon invalidité, mes tourments. Des causes supérieures à côté desquelles mes maux ne sont pas grand-chose. De toute façon, à y bien regarder, dans un tel délabrement mon corps n'est plus digne d'intérêt.

Il faut sacrifier l'individuel à la grandeur de causes plus universelles. En douter serait un crime au regard de l'humanité. Je le crois.

Je regarde la photo de moi prise durant la manifestation.

De quoi ai-je l'air ? Le désarroi ambulant. Mon visage ne traduit que tristesse.

Il n'y a plus qu'ombres au tableau.

Dramatis personae.

Je vais déchirer cette photo. Non. Je n'en ai pas la force.

LE DERNIER MOT

Elle n'avait plus de forces.

Son quarante-septième anniversaire ne signifia rien qu'un jour de moins dans cette vie qui s'achevait. Frida en était consciente.

Plus de forces. Plus de forces du tout.

"Embolie pulmonaire." Ce fut le dernier diagnostic des médecins lorsque, au petit matin du 13 juillet 1954, on trouva Frida morte dans son lit.

Son dernier tableau ? De belles pastèques ouvertes, appétissantes : une nature morte intitulée *Vive la vie !*

Ses derniers mots ? Comme un adieu, une liste de remerciements, à Diego, l'amour de sa vie, à tous les docteurs, infirmières, brancardiers, aides-soignantes et garçons de salle qui ont pris soin d'elle. Elle se félicite, aussi, pour la force et la volonté dont elle a fait preuve. Et note encore une phrase dans son journal :

"J'espère que la sortie sera joyeuse et j'espère ne jamais revenir –"

Je le répète, je le hurle, je t'appelle : vieux Mic-tlantecuhtli, dieu, délivre-moi.

Oui, je bois beaucoup. Pour que ma tête flotte un peu, et ses pensées au-dessus d'elle. Le reste de mon corps s'imprègne de tous les médicaments possibles pour se sentir moins harassé.

On ne cesse de me rappeler que ce genre de cocktail est foncièrement dangereux. On me dit aussi, de la manière la plus didactique qui soit, que ma tête et mon corps ne font qu'un. Je ne le sais que trop, expérience oblige. Mais, en même temps, je persiste : j'ose croire à une dichotomie. Si ma tête se trouvait dans le même état que mon corps, il y a longtemps que je serais non allongée sur un lit, sinon attachée à lui par des sangles, comme une démente.

Par chance, ma tête – j'insiste – a échappé à la lente et totale fragmentation de mes autres membres. D'en être autrement et elle aurait, depuis fort long-temps, roulé à terre. Elle a toujours parfaitement été sur mes épaules. Je sais de quoi je parle. Je n'ai rien de la Méduse des Gorgones. Ma tête n'a jamais été investie par des serpents. Quelques oiseaux de mauvais augure y ont parfois plané, mais c'est tout.

Peu de gens savent combien un corps se désagrégeant jour après jour est quelque chose de dévastateur au degré d'une existence. Personne autour de moi, c'est sûr, n'est à même de le comprendre.

Je ne tiens plus à la vie, aujourd'hui, que parce que le fil de ma pensée m'y rattache encore. Apte à la seule souffrance physique – celle qui échappe, hélas ! à toute analyse –, le reste ne suit plus.

Alors, qu'importe, à ce point, qu'un verre, une pastille, ou le mélange des deux, soient de trop ? La goutte d'eau qui ferait déborder le vase ? Au moins laisserai-je le bénéfice du doute : je défie quiconque, si je meurs dans ces conditions, de savoir si la ciguë était volontaire ou non.

J'ai le droit d'avoir un dernier secret.

Bonne nuit, soleil, lune, terre, Diego et amour.
Buenas noches, Frida !

POST-SCRIPTUM

Frida Kahlo eut droit, à sa mort, à une cérémonie officielle. Autour du cercueil ouvert, on reconnaissait les grandes figures du monde artistique, des responsables politiques de haut niveau, des représentants de la grande bourgeoisie, une multitude d'amis, la famille. Et le président de la République lui-même, Lázaro Cárdenas.

Le cadavre avait été paré, les cheveux étaient coiffés, savamment enrubannés, ses mains croisées avaient gardé des bagues et le corps était vêtu de beaux tissus. Une dernière fois. A un moment, Diego jeta sur le cercueil un grand drapeau du Parti communiste mexicain, frappé de la faucille et du marteau. On cria au scandale et les polémiques allèrent bon train. Le directeur du Palais national des Beaux-Arts où avait eu lieu la cérémonie, Andrés Iduarte, fut ensuite démis de ses fonctions pour avoir autorisé un acte pareil.

Au crématorium civil de Dolores, le corps de Frida fut incinéré.

Diego sortit de sa poche un carnet et un crayon et là, la tête baissée, pleurant, les paupières à demi closes, il fixa sur le papier ces derniers instants : Frida la flamboyante emportée par les flammes.

Frida Kahlo
vue par André Breton

Où s'ouvre le cœur du monde, délesté de l'oppressante sensation que la nature, partout la même, manque d'impétuosité, qu'en dépit de toute considération de races l'être humain, fait au moule, est condamné à n'accomplir que ce que lui permettent d'accomplir les grandes lois économiques des sociétés modernes ; où la création s'est prodiguée en accidents du sol, en essences végétales, s'est surpassée en gamme de saisons et en architectures de nuages ; où depuis un siècle ne cesse de crépiter sous un gigantesque soufflet de forge le mot INDÉPENDANCE qui comme aucun autre lance des étoiles au loin, c'est là qu'il m'a tardé longtemps d'aller *éprouver* la conception que je me suis faite de l'art tel qu'il doit être à notre époque : sacrifiant délibérément le modèle extérieur au modèle intérieur, donnant résolument le pas à la représentation sur la perception.

Cette conception était-elle de force à résister au climat mental du Mexique ? Là-bas, tous les yeux des enfants d'Europe, parmi lesquels celui que j'ai été, me précédaient de mille feux ensorcelants. Je voyais, du regard même que je promène sur les sites imaginaires, se déployer à la vitesse d'un cheval au galop la prodigieuse sierra qui déferle au bord des palmeraies blondes, brûler les haciendas féodales dans le parfum de chevelures et de jasmin de Chine d'une nuit du Sud, se profiler plus haute, plus impérieuse que partout ailleurs, sous les lourds ornements de feutre, de métal et de cuir, la silhouette spécifique de l'aventurier, qui est le frère du poète. Et pourtant ces bribes d'images, arrachées au trésor de l'enfance, quelle que demeurât leur puissance magique, ne laissaient pas de me rendre sensibles certaines lacunes. Je n'avais pas entendu les chants inaltérables des musiciens zapotèques, mes yeux restaient fermés à l'extrême noblesse, à l'extrême détresse du peuple indien tel qu'il s'immobilise au soleil sur les marchés, je n'imaginais pas que le monde des fruits pût s'étendre à une telle merveille que la *pitahya* à chair grise et à goût de baiser d'amour et de désir, je n'avais pas tenu dans ma main un bloc de cette terre rouge d'où sont sorties, idéalement maquillées, les statuettes de Colima qui tiennent de la femme et de la cigale, ne m'était pas apparue enfin toute semblable à ces dernières par le maintien et parée aussi comme une princesse de légende, avec des enchantements à la pointe des doigts, dans le trait de lumière de l'oiseau *quetzal* qui laisse en s'envolant des opales au flanc des pierres, Frida Kahlo de Rivera.

Elle était là, ce 20 avril 1938, comprise dans l'un des deux cubes – je ne sais pas si c'est le bleu ou le rose – de sa maison transparente dont le jardin bondé d'idoles et de cactus à tignasse blanche comme autant de bustes d'Héraclite ne s'enclôt que d'une bordure de "cierges" verts dans l'intervalle desquels glissent du matin au soir les coups d'œil de curieux venus de toute l'Amérique et s'insinuent les appareils photographiques qui espèrent surprendre la pensée révolutionnaire comme l'aigle, au débotté, dans son nid. C'est qu'en effet Diego Rivera est supposé conduire quotidiennement de pièce en pièce, par le jardin tout en s'attardant à caresser ses singes-araignées, par la terrasse où grimpe un escalier jeté sans garde-corps sur le vide, sa belle démarche balancée et sa stature physique et morale de grand lutteur – il incarne, aux yeux de tout un continent, la lutte menée avec éclat contre toutes les puissances d'asservissement, aux miens donc ce qu'il peut y avoir de plus valable au monde – et cependant je ne sais rien qui vaille en qualité humaine son apprivoisement à la pensée et aux manières de sa femme, comme en prestige ce qui entoure pour lui la personnalité féerique de Frida.

Au mur du cabinet de travail de Trotski j'ai longuement admiré un portrait de Frida Kahlo de Rivera par elle-même. En robe d'ailes dorées de papillons, c'est bien réellement sous cet aspect qu'elle entrouvre le rideau mental. Il nous est donné d'assister, comme aux plus beaux jours du romantisme allemand, à l'entrée d'une jeune femme pourvue de tous les dons de séduction qui a coutume d'évoluer entre les hommes de génie. De son esprit, on peut attendre, en pareil cas, qu'il soit un lieu géométrique : en lui sont faits pour trouver leur résolution vitale une série de conflits de l'ordre de ceux qui affectèrent en leur temps Bettina Brentano ou Caroline Schlegel. Frida Kahlo de Rivera est placée précieusement en ce point d'intersection de la ligne politique (philosophique) et de la ligne artistique, à partir duquel *nous souhaitons qu'elles s'unifient dans une même conscience révolutionnaire sans que soient amenés pour cela à se confondre les mobiles d'essence différente qui les parcourent.* Comme cette résolution est ici cherchée sur le plan plastique, la contribution de Frida Kahlo à l'art de notre époque est appelée à prendre, entre les diverses tendances picturales qui se font jour, une valeur départageante toute particulière.

Quelles n'ont pas été ma surprise et ma joie à découvrir, comme j'arrivais à Mexico, que son œuvre, conçue en toute ignorance des raisons qui, mes amis et moi, ont pu nous faire agir, s'épanouissait avec ses dernières toiles en plein surréalisme. Au terme actuel du développement de la peinture mexicaine qui est, depuis le début du XIXe siècle, la mieux soustraite à toute influence étrangère, la plus profondément éprise de ses ressources propres, je retrouvais au bout de la terre cette même interrogation, spontanément jaillissante : à quelles lois irrationnelles obéissons-nous, quels signes subjectifs nous

Ouvrage réalisé
par les Ateliers graphiques Actes Sud.
Achevé d'imprimer
en décembre 2004
par **Bussière**
à Saint-Amand-Montrond (Cher)
pour le compte
d'ACTES SUD
Le Méjan
Place Nina-Berberova
13200 Arles.

N° d'éditeur : 1861
Dépôt légal
1re édition : septembre 1995
N° impr. : 045106/1

COÉDITION ACTES SUD – LEMÉAC

BABEL

Extrait du catalogue

DU MÊME AUTEUR

Au-delà des cendres, Presses de la Renaissance, 1987.
Le Carnet à spirale, Presses de la Renaissance, 1988.
Artemisia ou la Renommée, (biographie d'Artemisia Gentileschi), Presses de la Renaissance, 1990.
Gisèle Freund, portrait (entretiens), Ed. des Femmes, 1991.
Une enfance d'ailleurs (ouvrage collectif), Belfond, 1993.
L'espérance est violente (évocation de Marina Tsvetaïeva), Nil éditions, 1993.

Bertram D. Wolfe, *The Fabulous Life of Diego Rivera*, Stein and Day, New York, 1963.

Nota bene

Ce livre a été le premier à faire connaître Frida Kahlo en France. Sa première publication date de 1985, et a remporté le succès que l'on sait.

Signalons que, depuis, d'autres ouvrages sont parus sur cette artiste, tant à l'étranger qu'en France, dont le plus important est son *Journal* (Editions du Chêne, 1995).

PRINCIPAUX OUVRAGES CONSULTÉS

André Breton, *Le Surréalisme et la peinture*, Gallimard, Paris, 1965.

Jean van Heijenoort, *Sept ans auprès de Léon Trotski*, Les Lettres nouvelles/Maurice Nadeau, Paris, 1978.

Hayden Herrera, *A Biography of Frida Kahlo*, Harper and Row, New York, 1983.

Jack London, *Le Mexique puni*, 10/18, Paris, 1984.

Louise Nevelson, *Aubes et crépuscules* (conversations avec Diana McKown), Des Femmes, Paris, 1984.

José Clemente Orozco, *Autobiografia*, Era, Mexico, 1970.

Elena Poniatowska, *Cher Diego, Quiela t'embrasse*, Actes Sud, Arles, 1984.

John Reed, *Le Mexique insurgé*, François Maspero, Paris, 1975.

Raquel Tibol, *Frida Kahlo, cronica, testimonios y afroximaciones*, ECP, Mexico, 1977.

Raquel Tibol, *Frida Kahlo, una vida abierta*, Biblioteca de las decisiones, Mexico, 1983.

Léon Trotski, *Ma vie*, Gallimard, Paris, 1965.

Léon et Natalia Trotski, *Correspondance, 1933-1938*, Gallimard, Paris, 1980.

TABLE

permettent à chaque instant de nous diriger, quels symboles, quels mythes sont en puissance dans tel amalgame d'objets, dans telle trame d'événements, quel sens accorder à ce dispositif de l'œil qui rend apte à passer du pouvoir visuel au pouvoir visionnaire ? Le tableau que Frida Kahlo était alors en train d'achever – *Ce que l'eau m'a donné* – illustrait à son insu la phrase que j'ai recueillie naguère de la bouche de Nadja : "Je suis la pensée sur le bain dans la pièce sans glace."

Il ne manque même pas à cet art la goutte de cruauté et d'humour seule capable de lier les rares puissances affectives qui entrent en composition pour former le philtre dont le Mexique a le secret. Les vertiges de la puberté, les mystères de la génération alimentent ici l'inspiration qui, loin comme sous d'autres latitudes de les tenir pour des lieux réservés de l'esprit, s'y pavane au contraire, avec un mélange de candeur et d'impertinence.

J'ai été amené à dire, au Mexique, qu'il n'était pas, dans le temps et dans l'espace, de peinture qui me parût mieux *située* que celle-ci. J'ajoute qu'il n'en est pas de plus exclusivement féminine au sens où, pour être la plus tentante, elle consent volontiers à se faire tout à tour la plus pure et la plus pernicieuse.

L'art de Frida Kahlo de Rivera est un ruban autour d'une bombe.

1938

Extrait de *Le Surréalisme et la peinture*
© Editions Gallimard, 1965.